FASHION

BUSINESS

Performance Test
Official Textbook

ファッションビジネス 2級 新版

ファッションビジネス能力検定
2級 公式テキスト

Grade 2

一般財団法人 日本ファッション教育振興協会

刊行によせて

リーマンショック以来、アメリカで起こったバブル崩壊は世界の国々・地域を揺るがす景気経済の後退に陥らせた。その後、この危機をバネにして世界は景気が回復しつつも、先進国の地位が低下し、代わって中国、アジアの新興国の台頭となった。しかし2017年、アメリカのトランプ大統領の登場によって世界は一変しつつある。保護貿易や中国に仕掛けた追加関税による「米中摩擦」などアメリカ第一主義を採ろうとする余り、世界中をまた経済不安へと導いているかのようである。

日本経済もアメリカの影響を受け、輸出入が不振の中、さらに消費増税による不安、労働不足、それを補うかのようにIT、AI、IoTなどの技術革新によって追い込まれながら、あらゆる産業や社会生活を乗り切ろうともがいている。

日本のファッション産業界を見ても、まさにこの10年間は大転換を迫られる時期となっている。それまで高感度・高付加価値商品として百貨店を代表に謳化していたものが、SPAを標榜するファストファッションに席巻されている。消費者の動向も目まぐるしく変化するので、上手に対応した企業に既存の企業がとって代わられるようになっている。また、インターネットの普及により、店舗に通わずとも消費者も簡単に商品を手に入れられるので、ITやAIの活用が不可欠で、ECが当然の主戦場となるほどである。さらに人手不足が拍車をかけ、一方では人員削減と、組織・構造改革に迫られている。

当協会では創立以来約40年にわたってファッション産業を見守りながら、ファッション業界を志す人、自分の力をさらにスキルアップし活用したい人たちに「ファッションビジネス能力検定」を行ってきた。この検定に併せて、教科書となるテキストも発行し、改訂を続けながら今日に至っている。しかし現在、ファッション業界も大転換・変革を迫られており、テキストも時代に合わせて今回、新しく見直し、最近のファッションビジネスの動きを多く取り入れ書き改めながら新版として作成した。このテキストが願わくば、単に検定を受ける方々に反映するということだけでなく、広くファッションビジネスの世界で活躍を望んでいる方々へも有益になることを切に望む次第である。

一般財団法人 日本ファッション教育振興協会

目 次

ファッション造形知識

FASHION BUSINESS

PerformanceTest
Official Textbook

ファッション
ビジネス知識

FASHION BUSINESS

ファッションビジネス知識

第1章 ファッションビジネスの特性

1. ファッションビジネスの事業特性

1 ファッションビジネスの特性と役割

ファッションの世界は、社会の変化の中で、自分らしい生活表現を行っていく世界である。そして、生活者が自分らしい生活表現を動機づける夢や感動を与えていくのが、ファッションビジネスである。ファッションビジネスとは、生活者に夢や感動や発見を提案し、明日のファッション生活を創造する商品やサービスを提供することによって、収益を確保するビジネスである。

ファッションビジネスは「生活文化提案ビジネス」であり、また「ライフスタイル提案ビジネス」「デザイン提案ビジネス」「情報提案ビジネス」の側面をもっている。

狭義のファッションビジネスは、ファッション商品を企画・生産・販売するアパレル企業や服飾雑貨企業のビジネス、ファッション商品の仕入れ・販売を行うファッション小売業のビジネスを指すが、広義にはアパレル素材を扱うテキスタイルビジネスはもちろん、化粧品、インテリア・生活雑貨、住宅、自動車など、生活の豊かさを提案する商品を企画・生産・販売するすべてのビジネスが含まれる。その意味でファッションビジネスは、知的創造活動の成果である情報内容（コンテンツ）を収益につなげる知財創造ビジネスといえる。

このような知財創造ビジネスであるファッションビジネスでは、人の技やデザインの価値が支持され、それが価格に反映する。ファッション企業が提案するコンテンツが、商品購入者が価格を判断する重要な基準となっている。

2 ファッションビジネスの事業特性

生活文化提案ビジネスであるファッションビジネスは、変化する市場を前提にファッションという情報内容を提案するビジネスであるため、次のような事業特性を有している。

① 利益の源泉は、ファッション提案の内容

ファッションビジネスとは、ファッション

生活者と双方向のコミュニケーションを図ると同時に、変化するファッション社会に対して常にクリエイションをし続けることによって、顧客満足を創出するビジネスである。ファッション提案の内容が生み出す顧客満足が売上げや利益に反映するのが、ファッションビジネスである。ファッション企業の利益の源泉は、明確なコンセプト（経営コンセプト、ブランドコンセプト、店舗コンセプトなど）を策定し、コンセプトに沿った戦略を遂行することにある。

② 感性と理性が共生

「感性」とは、“感受性”や“外界の刺激に対する心の働き”などのことである。一方「理性」とは“概念的思考の能力”や“真偽・善悪を識別する能力”などのことである。クリエイションの源泉はイマジネーション（想像）にあり、イマジネーションは鋭い感性によって涌き起こる。一方、企業が成果を上げるには、客観的に社会や生活者を分析して最適な戦略を組み立てる「理性」が必要とされる。感性的世界と理性的世界を共生させることが、ファッションビジネスには要求される。

③ 多様性

ファッションの世界は、社会の変化の中で、個人個人がモノ・コトの変化を取捨選択しながら、生活の中で自分らしい美しさを表現する世界である。そのため、生活者がどのような商品を選択するかは、個人によって異なってくる。ちょうど音楽や映画の嗜好が個人によって異なるのと同じである。ファッションビジネスでは、生活者の心理的満足を商品の購買活動につなげるため、すべての人々を対象とするのではなく、特定の生活者を対象としている。

④ 変化

アパレルや服飾雑貨などの「身につける商品」は、他の分野の商品と比べて短サイクルに変化する。また「身体を変形させる商品」であるヘア・メイクも同様に短サイクルに変化する。それに対して、建築物に代表される「設（しつら）える商品」は、ゆっくり変化する。そしてアパレルやヘア・メイクと建築の両極の間には、自動車、家具、生活雑貨、パッケージなどが位置している。

アパレルなどのファッション商品は、身体を通じて表現するため、自己表現の意欲が強く、また、時代や季節の感覚を体感したい商品であるため、短サイクルに変化する傾向がある。もちろんアパレルにもユニフォームや民族衣装のような変化が少ない商品もあるが、ファッション性が強く、人間の個性が強く出る場面に装う衣服ほど、短サイクルに変化する傾向がある。

⑤ 人材が主役となる

ファッション創造の担い手は、人である。ファッションビジネスは、人が価値を創造するビジネスであり、経営者から従業員に至るまで、人材の資質と活用が企業の命運を左右する。自らの可能性に夢を抱く人間が、ビジネスを通じてその夢を実現させるのがファッションビジネスである。

⑥ 起業家精神が発揮される

ファッションビジネスは、明日の価値を創造するビジネスである。当然、過去の経験のみに基づく傾向延長的な経営や、国内外の成功事例を模倣する経営ではつとまらない。人間を愛し、人間の営みに夢を感じるスタッフが集合した組織によって、常に新しい世界をクリエイションするビジネスである。起業家精神が特に活かされるのがファッションビジネスである。

⑦ 利益は、リスクに比例する

人間の生活を対象とするファッションビジネスは、本来数量モデル化できない人間の欲求を、ビジネスとして数値化するビジネスである。社会環境の変化が及ぼす生活者の購買心理の変化と深く関わるビジネスである。ファッションビジネスは、常にリスクと同居するビジネスなのであるが、だからこそそのようなリスクに比例して利益が発生する。リスクにチャレンジする、起業家精神の旺盛なビジネスがファッションビジネスなのである。

3 ファッションアパレル企業の事業特性

ファッションアパレル企業は、生活者に対するファッション満足価値の創造を目的としており、この目的を達成するために、「創」(クリエイション)、「工」(エンジニアリング)、「商」(コマース) の3つの機能が基軸となっている。具体的には、「創」を代表する商品企画、「工」を代表する生産管理、「商」を代表する販売管理の3つの機能と、それらをつなぐコミュニケーション、モデリング (企画の製品化)、ロジスティクスの3つの機能を合わせた、6つの機能が有機的にリンケージしている。

「創」「工」「商」の関係は、図1のようになる。中央に位置するのは、価値の創造と管理であり、生活者視点でファッション価値の創造と管理を行うことによって、市場での需給調整を図っていく。そして、その価値創造、価値管理を遂行するために、生活者との接点である店頭・サイトや、変化する社会の情報を収集することから始まり、商品企画、モデリング、生産・仕入管理、ロジスティクスを経て商品を店頭・サイト等や消費者に提供する一方で、消費者に情報発信することを通じて、販売活動に結実させている。

また創・工・商の外縁には、販売管理を具体化させる小売り、商品企画を具体化させるデザイン、生産管理・仕入管理を具体化させる生産の機能があり、業態特性に

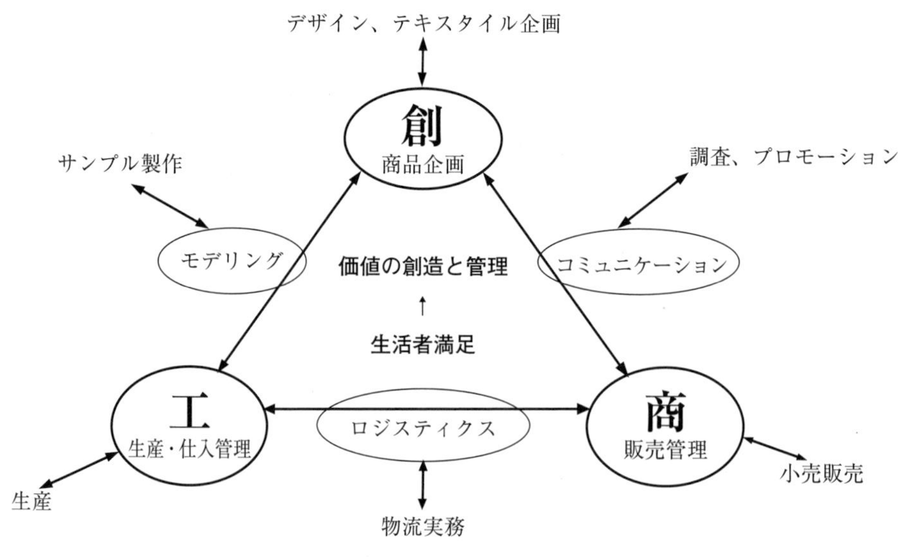

図1. ファッションアパレル企業の「創」「工」「商」

応じて社内に組み込まれたり、外部企業とパートナーシップを図ったりしている。

ファッションアパレル企業の6つの機能における業務内容を、外縁の店頭販売、デザイン、生産も含めて列記すると、次のようになる。

①**コミュニケーション**／店頭・顧客情報の収集・分析、ファッション予測情報の収集・分析、消費者調査などの調査活動、需要・マーケット予測、研究開発、販売促進(SP)、広告、パブリシティ、口コミなど

②**商品企画**／シーズンプラン作成、月別プラン（または展示会プラン）作成、商品構成、デザイン、テキスタイルデザイン、スタイリング計画、素材企画（ファブリケーション）、カラー計画、価格計画、数量・販売時期・展開時期の計画、VMD、仕入計画など

③**モデリング**／パターンメーキング、グレーディング、サンプルメーキング、縫製仕様書作成、品質チェックなど

④**生産・仕入管理**／生産全体計画、生産指導、工場選定、外注工場管理、品質管理、コスト・納期・数量管理、工程管理、素材調達、副資材調達、技術開発、OEM・ODMの管理など

⑤**ロジスティクス**／在庫管理（メーカー在庫、店頭在庫、素材在庫、工場仕掛り在庫）、入出荷管理、配送管理、受注管理、企画・生産・販売情報管理など

⑥**販売管理**／需要の創造、チャネル設計、卸営業戦略、得意先管理、リテールサポート、売場管理、顧客組織化・顧客管理、店舗開発、店舗運営、店頭販売、サイト運営、販売スタッフ管理など

以上のうち、デザイナーズブランドなどでは社内にテキスタイルも含めたデザイン機能が充実している一方、テクノロジーの最先端を活かす業態では社内に生産機能が充実している。またショップ型アパレルメーカーは店頭販売を行っている。

4 | SPA、オリジナル商品を有するファッション小売企業の業務

SPAやオリジナル商品を有するファッション小売企業の6つの機能における業務内容を列記すると、次のようになる。

①**コミュニケーション**／店頭・顧客情報の収集・分析、ファッション予測情報の収集・分析、消費者調査などの調査活動、需要・マーケット予測、研究開発、販売促進(SP)、広告、パブリシティ、口コミなど

②**商品企画**／シーズンプラン作成、月別プラン作成、商品構成、スタイリング計画、価格計画、数量・販売時期・販売方法の計画、VMD（導線計画、ゾーニング、フェイシング、ディスプレイ、サイン計画、照明計画）、仕入計画など

③**モデリング**／オリジナル商品のパターンメーキング、縫製仕様書作成、品質チェックなど

④**生産・仕入管理**／生産全体計画、生産指導、工場選定、外注工場管理、品質管理、コスト・納期・数量管理、工程管理、素材調達、副資材調達、技術開発、OEM・ODMの管理、仕入実務など

⑤**ロジスティクス**／在庫管理（本部在庫、店頭在庫、素材在庫、工場仕掛り在庫）、入出荷管理、配送管理、販売情報管理など

⑥**販売管理**／需要の創造、多店舗化戦略、売場管理、顧客組織化・顧客管理、店舗開発、店舗運営、店頭販売、サイト運営、販売スタッフ管理など

以上の他、仕入商品のみで展開するセレクトショップやオンラインサイト等の場合は、商品企画機能のうちのデザインと、モデリング機能は有していない。

5 ｜ 仕入商品中心のファッション小売企業の業務

仕入商品を中心とするファッション小売企業の中核となる業務内容は、次のようになる。

①**コミュニケーション**／店頭情報の収集・分析、ファッション予測情報の収集・分析、消費者調査などの調査活動、需要・マーケット予測、研究開発、販売促進（SP）、広告、パブリシティなど

②**商品計画**／シーズンプラン作成、月別プラン作成、商品構成、スタイリング計画、カラー計画、価格計画、数量・販売時期・販売方法の計画、仕入計画、VMD（導線計画、ゾーニング、フェイシング、ディスプレイ、サイン計画、照明計画）など

③**ロジスティクス**／在庫管理、入出荷管理、配送管理、販売情報管理など

④**販売管理**／需要の創造、多店舗化計画、店頭販売計画、家賃・保証金管理、店頭販売、店舗運営、顧客組織化・顧客管理、販売スタッフ管理など

2. 繊維ファッション産業の歴史

1 ｜ 繊維産業史

① 18～19世紀

糸・生地・繊維製品の生産流通に携わる職業は古くから存在するが、産業として成立するようになるのは、18世紀後半の産業革命以降である。イギリスの産業革命は、L.ポールとJ.ワイヤットによる紡織機械の発明が大きなきっかけとなり、イギリスの織物の主流は、毛織物から綿織物に代わっていく。当時の紡織機械は、毛より綿糸のほうが扱いやすく、日常の衣料としても毛織物より綿織物のほうが扱いやすかった。

18世紀に入ると、エドモンド・カートライトにより力織機が発明されて、イギリスのコンバーターが世界中に綿布を輸出するようになる。この影響により、当時の生活衣料の中心素材であった麻は衰退し始める。

19世紀後半から、ドレーパー社によって自動織機が開発され、アメリカや日本での低工賃・大量生産による綿織物生産が始まる。これによりイギリスは、輸出市場を奪われて、高級綿糸・高級綿布に重点を移していく。そして、ランカシャーの没落につながっていく。イギリスの紡績・織布企業が販売を卸業者に委託し、情報収集や情報分析に消極的であったことや、生産技術の革新に投資を行わなかったことが影響している。

その頃のアメリカでは、実用品は国内生産、高級品は輸入というスタイルが確立され、大量生産・大量販売・大量消費のスタイルが生まれていった。

フランスでも、産業革命で綿工業が盛んだったが、捺染業者を中心に紡績・織布が連結されて、19世紀初期にジョゼフ・ジャカールによるジャカード織機の発明から、伝

統的な絹織物がさらに優勢になった。このように、フランスでは捺染（なっせん）、高級絹織物・ジャカード絹織物などがオートクチュールのデザイン活動を支えていき、これらが今日のフランスファッション産業の基盤になった。

② 20世紀

20世紀は、繊維素材の多様化が進み、繊維品の工業生産国が世界中に広がっていった。第二次世界大戦後の20世紀後半には、繊維原料を生産しているオーストラリア（原毛）、インド（綿花）、パキスタンなどが織物やアパレルの工業生産国となった。当時の発展途上国であった韓国、台湾、香港、中国、ASEAN諸国などはアパレルの輸出生産から始まり、徐々にテキスタイルや合成繊維の工業生産も行うようになった。

そして、欧米の糸メーカーや化学製品メーカーによってレーヨン、アセテート、ナイロン、アクリル、ポリエステルなどの化学繊維が開発された。開発された製法の特許は日本を含む各国の糸メーカーに分与され、技術開発が進められた。そして現在では天然繊維と化学繊維の両方が、先進国だけではなく、中進国・発展途上国でも生産されるようになっている。日本の紡績企業や化合繊メーカーの技術開発力は、アジア各国にプラント輸出や技術移転を進めたが、その結果、国内生産を中止した素材もある。

また、世界の繊維における素材別生産では、綿がトップを占めてきたが、1990年代中期に、合成繊維に抜かれた。

2 | 日本のファッションビジネスの変遷

① 1960年代以前

1960年代以前の日本のファッションビジネスは、オートクチュールとテーラーが担っていた。婦人服と子供服は、基本的に家庭で作られ、当時の百貨店はワンフロアを生地売場に充てていた。このように、生活必需品としての衣料や家庭洋裁用の生地を提供する企業が中心を占めていた。当時、大型店の中核に位置していた百貨店は、戦前からの伝統もあり、特定の顧客を対象として高級ブランド品や、ややアッパーな大衆を対象とする服地や衣料品を販売して、確固たる地位とブランド力を築いていた。

② 1960年代

1960年代に入ると、アメリカのチェーンストアに影響を受けて、日本国内の量販店が急成長し、大型化・チェーン化を行い始めた。百貨店は、量販店と差別化して、高級化・ファッション化路線を進めていった。

小売業では徐々にヤング中心の展開となり、メーカーサイドではVAN、JUN、レナウン、オンワード樫山、ワールドなどが、また専門店サイドでは鈴屋、三愛、タカノ、タカキュー、三峰などがファッションビジネスの中心として急成長した。

1960年代中頃以降、ヤング層の消費意識の変化に合わせて、TPO、トータルコーディネーション、ファッショントレンドなどを提案しながら、新しいファッションビジネスが生まれてくる。この時代の消費者には、現在のような自主的にコーディネーションを行える能力が熟しておらず、企業側がTPOやトータルコーディネーションの提案や季節の行事に合わせたキャンペーン活動などを行っていた。このように、企業側が消費者をリードしながら、消費者はそれに従いついてくるという需要を生み出すことが可能な“十人一色”の時代であった。1967年にはツイッギーの来日によりミニスカートに注目が集まり、ミニスカートの大ブームが起きるなど、わかりやすいトレンドが起きていた。

1960年代の終盤になると、専門店を集結させたファッションビルや百貨店と専門店群を混ぜ合わせた郊外型のショッピングセンターが誕生する。

③ 1970年代

ファッション化·高級化路線を進んでいた百貨店も、オイルショック後の1970年代中盤以降は低迷する。

その代わりに、1960年代に出てきた専門店がチェーン化をスタートさせ、新しくオープンするショッピングセンターに次々と出店していった。量販店もスーパーマーケットからGMS（総合スーパー）へと大型化していきながら、多店舗化をし始めた。

この頃は、すでにDCやセレクトショップの原型となる専門店などのビジネススタイルが生まれていき、そのような業態は徐々に原宿など新しいエリアへの路面展開やファッションビルへの出店をし始めた。

1960年代後半にファッション化したヤング層も、1970年代のオイルショック以降、より個性化された。また、今日のアパレル企業系のSPAの原型となったDCアパレル企業が出てきた。その頃は、まだDCという言葉は使用されておらず、“マンションメーカー”などと呼称されていた。DCビジネスの特徴は、商品、店舗、販売方法、販促などを1つのブランドイメージで統一する戦略を採りながら、直営店を運営することで、デザイナーなどの作り手側の感性を直接消費者に伝えることだった。このように、ブランドコンセプト、ブランドイメージを最重要視して、1つのコンセプトを基にマーチャンダイジング戦略と流通戦略を統合していった。また、マス流通戦略を採らず、自社のブランドのコンセプトに合った立地や商業施設にだけ出店を行うことで、ブランドイメージを保ち、正しいターゲットに届けるマーケティング戦略を行っていた。

④ 1980年代

1980年代に入るとDC企業も百貨店でのインショップ展開を始めるようになり、80年代後半のインポートブームもあり、ファッション消費が保守化したこともあって、百貨店が盛況になった。

1970～80年代の大型店は、百貨店と量販店に加えて、百貨店系SCや量販店系SC、ファッションビル、駅ビルなどのSCが次々に開業していった。

1980年代も後半に入ると、DCブランドは成熟期に入り、円高と平成景気が合わさり、個性化消費の市場もグレードが高くなっていった。高額なインポートブランドの消費などの成金リッチ志向が生まれ、DCビジネスの延長線上のインポートブランドビジネスが脚光を浴びたが、その後のバブル経済の崩壊で終息していった。

1970年代中頃に生まれたビームスやシップスなどの専門店が1980年代後半の渋カジブームとともに急成長する。ビームス、シップスでは、ターゲット顧客を絞り込み、ショップ業態ごとのコンセプトを明確にして、立地に合わせた店のマーチャンダイジングを行い、マーチャンダイジング戦略と店舗開発・店舗運営戦略を統合したマーケティング戦略をしていた。

⑤ 1990年代

1990年代初頭のバブル崩壊以降、日本のファッションビジネスは、二極化した。消費者が自ら商品・ブランド・店舗を自由に選択するという“一人十色”の時代となった。バブル崩壊後の経済状況は、マイナス成長となり、消費活動も低迷していく。SPA、セレクトショップ、高額ブランドショップが支持される一方で、価格追求型ビジネスにも消費者は惹かれていく。

デザイナーの世界観やブランドイメージを押し出すワンウェイ表現が強いDCブランドに対し、SPAビジネスでは消費者との双方向コミュニケーションを重視したビジネス戦略、賢く成熟した消費者と密なコミュニケーションを行う戦略を構築している。これは、セレクトショップやネット販売でも同様に行われている。

ファッションビジネスでは、ショップもEコマースもカタログもすべて、消費者との双方向コミュニケーションのためのメディアと位置づけられるようになっている。バブル経済崩壊以降の不況期、従来の百貨店、量販店、ショッピングセンターは変化を求められ始めた。大型店でも、来店客のファッション消費の成熟化にともない、多様化の道を歩み始め、各種新業態が登場することになる。

1990年代の小売業では、SPA、セレクトショップ、カテゴリーキラー、アウトレットストアなどの各種新業態が誕生した。GMSでは、カテゴリーキラー、ディスカウントストア、食品スーパー、ホームセンターなどが生まれた。また、ショッピングセンターも、従来のタイプに加えて、アウトレットモール、パワーセンター、エンターテインメント型SCと、さまざまな種類の新業態が開発された。消費者は、多様な商業施設の中から、自分のテイスト・感性そして利便性に応じて使い分け始めた。

また、1990年代はアパレル・服飾雑貨のみならず、食・住・遊・知などの広義のファッションが進展し始めた。百貨店やショッピングセンターは、アパレルを中心としたファッション集積から、衣・食・住・遊・知・休を複合した商品・ブランド展開へと移行していった。

⑥ 2000～2010年代

2000年代に入ると、リーマンショックの影響も受けながら、セレクトショップのPB商品の開発なども増えてきた。また、グローバル化の浸透、中国市場の急成長を背景に日本企業も進出し始めた。徐々にインターネットが発達し、インターネット上で服を売買する仕組みができ始めたのもこの頃のことである。

2010年代に入ると、東日本大震災、天候異変や社会問題などが人々に大きな心理的・経済的な変化を与えた。これによりスペンドシフトが進み、ただ単に安くて良いものだけではなく、倫理的に正しく生産された商品や自らワークショップに参加して製作した商品などを理由・愛着をもって使うといった、価値観の変化にともなう消費の変化が起きている。そしてこのような価値観の変化に対応でき、消費者へ1歩先の提供ができている企業は、消費低迷の現状下でも右肩上がりの結果を出している。

3. 近年のファッションビジネス動向

ファッションビジネスは、ファッション企業が企画・生産・販売する商品やサービスを、消費者が購入・使用するという、この2者の関係性で成り立つ。消費者のライフスタイルや生活環境も日々変化していて、ファッション企業を取り巻く環境も、時代とともに変化する。そのため、ファッションビジネスに携わる者は、消費者をめぐる環境変化やビジネスをめぐる環境変化などを常に理解しておくことが必要となる。

1 消費者のライフスタイルの変化

ITの発展は、消費者のファッション感覚の高まりとグローバル化を助長すると同時に、新しい情報入手の機会や購買の機会を創出することにつながった。

今日のファッション消費者は、世界のファッション情報を入手できる立場にあり、日常の中には、携帯電話やパソコン、タブレット端末、デジタル家電などが急速に普及して、生活環境を一変させている。消費者のウェブからの情報収集能力の高さから自身のコーディネート能力が高まり、自分自身の価値観で自分らしいライフスタイルを創造し、自分らしいブランドや商品を選択してコーディネートするようになっている。新品と古着のミックス、高級ブランドとファストファッションのミックス、エレガントなワンピースにスポーティなスニーカーを合わせるなど、ジャンルや価格の垣根を越えてさまざまなスタイルが生まれている。

商品の所有の仕方も変化している。シェアリングで借りた商品をコーディネートに取り入れるケースも出てきている。それに加え、住宅、カーテン、家具、ガーデニング、リビング、ダイニング、キッチン、ベッド、バス、トイレタリーなど生活のさまざまなシーンと場所で使用される生活雑貨や家電製品などまで、広義のファッションという多岐にわたるコーディネーションが行われ、住空間の世界にも広がっている。

2 ファッションビジネスをめぐる環境の変化

消費者のライフスタイルの変化とともに

ファッションビジネスの変化も起きている。インターネットの発達により、情報収集の仕方が変化した。携帯電話、PC、タブレットなどを使用し、海外のサイトへアクセスして情報を収集することもできる。またウェブ上の翻訳サービスも豊富になってきていることから、言語の壁の問題も徐々になくなってきている。消費者が商品を購入する際にも、決済方法と発送の問題をクリアできれば、世界中どこの国へも消費者のいる場所へ届けることが可能となっている。

ITは、異なる企業や部署のコミュニケーションを飛躍的に向上させて、大量の情報を速く正確に処理できる点でも多大な貢献をしている。また、マーケティング、流通、販売、マーチャンダイジング、デザイン、パターンメーキング、生産などの各分野で活用されている。

消費者の変化や時代の流れを受けながら、エイジレスやジェンダーレスといった性別や年齢を超えて愛されるボーダーレスな展開をするブランドが出てきたり、マーケットでも、レディス商品を男性が着用したり、キッズ商品を大人が着用したりと、より自由な発想になってきている。

環境問題も、国際社会全体の大きな課題となっている。日本国内では、2000年頃から、経済産業省による3R政策が行われている。この3Rの考え方を基に、自社の生産体制や経営理念に合わせて"R"を増やし、個々の企業に合ったオリジナルの環境サイクルの考え方を取り入れたりしている。

例えば、長く使い続けるために修理に対応するREPAIR（修理）、使用済みの商品を購入先に戻す活動であるRETURN（戻す）、形やデザインやサイズなどを変えて別の用途に活用するREFORM（リフォーム）、再生製品の使用を心がけるREGENERATION（再生）などがある。

2013年に起きた、ラナ・プラザ（バングラデシュの縫製工場が入った商業ビル）崩壊の事故からは、ファッション企業の生産体制が注目されるようになった。動物の革やファーの使用、染料などによる水質汚染、店舗やインテリアに使用される木材に関する森林伐採などの環境問題、スウェットショップ、フェアトレード、生産背景、労働基準などを考えたりと、企業と消費者の両方が意識し始めている。これにより、素材調達や縫製などの生産背景の透明性がより求められるようになった。国際的な共通意識として、**図2**（P.18）のような国連のSDGsの17の目標を取り入れている企業も多い。

近年、モノを極力もたないライフスタイルを過ごす人も増えている。市場にモノがあふれている時代だからこそ、マス向けの商品ではなく、一点ものの商品の提供を始めている。既存の服のリメイク、消費者がしたデザインを服にするサービス、3Dスキャンやサイズ入力によるその人の身体に合わせた商品などの提供をしている。

また、ファッション商品を所有するのではなく、必要なときに借りるレンタルサービスもある。結婚式のドレスやバッグなどから、日常的に使用するようなカジュアルなアイテムまで、2日でいくらという値段設定から、月間や年間など一定期間内の契約で商品を借りられるサブスクリプションスタイルまである。

他にも中古ビジネスやフリマのような消費者間取引も増えて、中古品のやりとりも加速している。また自分で商品を選択するだけではなく、消費者の体型や好み、憧れなどの嗜好情報からスタイリングをして配送してくれるサービスもある。

このように、消費者にとって、さまざまなファッションの楽しみ方ができる商品やサー

図 2. SDGs の 17 の目標

ビスが提供されている。近年では、ウェブやデジタルテクノロジーに精通する IT 企業がファッション業界に参入してきている例もあり、そのような企業は、EC やレンタルサービスなど、ウェブ上でモノを販売するノウハウやメディアとしてのサービスの見せ方を熟知していることが多い。従来のアパレル企業とは全く別の新しい切り口で、ファッション消費やファッション体験を提供して、消費者の心を動かしながら成功している企業もある。

インターネット上で消費者に商品を販売するスタイルは、EC、E コマース、ネットショップ、ウェブショップ、ウェブ販売などさまざまな言い方がされる。その種類は多様で、ブランドが直営するものや商品を委託するもの、またモール型や単体などその形態もさまざまである。スマホを活用したネットショップも多くあり、新たなサービスが出てきている。

オンラインだけでスタートしたブランドが実店舗をもったり、試着をするためだけのショールームのような機能をもったり、ポップアップイベントを行ったりと、オンラインからオフラインへの新しい動きも出てきた。消費者が商品を触れたり試着できたりするリアルな販売接点をもったほうが、商品の良さやそのブランドや店に関わっている人たちの顔が見え、安心や信頼につながる。またウェブ上では感じられない消費者の生の反応やちょっとした表情の変化を見ることで、ターゲットの心理を読み、今後の経営や商品に生かすことにもつなげている。

また、日本のアパレル企業や専門店の一部には、海外マーケットに進出する企業も見られるようになった。

このようなグローバル大競争は、国を超えた競争に限らない。例えば日本の企業の間でも、新規ベンチャー企業の誕生、既存企業の新業態開発、異業種の参入などが相次いでおり、そのような競争構造の中で、企業間格差や業態間格差、ブランド間格差が広がるなど、ファッション企業のボーダーレス化がますます進行している。日本の企業が海外のアパレルを買収するだけでなく、海外の企業が日本のブランドを買収していく例もある。従来の概念で捉えた国や業種の境界線がなくなりつつある今日、広義のファッションでの勝ち残りが求められる。

メディアとチャネルの多様化は、消費者のライフスタイルとショッピングスタイルを変化させ、ビジネスチャンスを広げている。

RFID（P.102 参照）のような IC タグの活用により、物流における商品のトラッキング、検品、防犯、店舗での棚卸、レジでの会計作業などが大幅に効率化されてきている。人件費の削減や仕事の質向上にも役立っている。

携帯電話や QR コードなどを活用して、クレジットカードや現金のやりとりをすることなく、ワンタッチで決済を行えるキャッシュレスサービスが登場し、決済の多様化と簡素化も進んでいる。

IT 活用のあり方は日々変化しているが、今現在 IT が解決できないものもある。創造性、戦略性、人間関係などに関わる業務は、人間でないとできない場合がある。IT は人間の業務を効率的かつ正確に行えるようなサポートとして使用し、人間は感性や理性に基づく分析力、創造力、デザイン力、コミュニケーション力など、人間にしかできない能力を最大限に発揮することが求められる。今後は、無人店舗、ロボット接客、出張接客が主流になったり、これまでにないネットとファッションビジネスの融合が生まれるなど、新しい売り方の出現が予測される。

表 1. さまざまな形のファッションビジネス（例）

◇アパレル企業が服飾雑貨、ホームファニシング、カフェ、ホテル、IT など異業種に進出

◇服飾雑貨企業がアパレルに進出

◇テキスタイル企業がセレクトショップを経営

◇同企業の複数ブランドを集めた大型フラッグシップショップ

◇同企業の飲食、スーパー、コンビニ、ホテルなどを併設した店舗

FASHION BUSINESS 2

ファッションビジネス知識

第2章 ファッション生活とファッション消費

1. ファッション消費行動

1 ファッション消費とファッション生活

消費とは、「欲望の直接間接の充足のために財貨を消耗する行為」であり、「生産と表裏の関係をなす経済現象」のことである。したがって、ファッション消費とは、ファッションに関する欲求を充足させるために商品・サービスを購入する行為である。

狭義のファッション消費の対象となる商品は、それがアパレル商品であれ、シューズやバッグなどの服飾雑貨商品であれ、人が身につけるモノであることから、身につけるコトに対する欲求があって初めて成立する。ファッション消費に対する欲求（買うことに対する欲求）は、ファッション生活に対する欲求（着ること、使うことに対する欲求）から生まれることが多く、そのためファッション産業界では、消費者を生活者として捉えている。なお例外的には、衝動買いなど、購買そのものが目的となる購買欲求もある。

ファッション消費の前提となるファッション生活には、ニーズとウォンツがある。ニーズとは、消費者の状況判断、過去の経験、現状の分析など客観的な条件から割り出した必要性を指し、ウォンツとは内面から出てくる主観的な欲求、願望を指す。

2 ファッション生活とファッション消費の意思決定プロセス

ファッション生活欲求・ファッション消費欲求といっても、さまざまである。心の内にある潜在的な欲求（イメージ的な欲求）もあれば、こんな生活を送りたいとする生活表現の欲求（ライフスタイル創造の欲求）もある。

また、実際に商品を選んで購入するための欲求（購買欲求）もあれば、購入した後でウェアリングする欲求（着用欲求）もある。それらの関係に基づいたファッション消費の意思決定プロセスを、「生活者」と「生活者をめぐる社会環境」の両面から図示すると、**図3**のようになる。なお生活者がすべて、このようなプロセスで購買・着用するわけではなく、その時々に応じて特定部分の要素だけで購入・着用に至る場合も多いが、**図3**ではそれらを網羅的に記述した。

① **イメージ欲求とライフスタイル欲求**

生活者のファッション消費欲求の前提となるファッション生活欲求には、

- **イメージ欲求**／自己の個性表現に対する潜在的な欲求
- **ライフスタイル欲求**／生活局面に応じたライフスタイル表現に対する顕在的な欲求

がある。

② **購買欲求と着用欲求**

生活者は、このようなイメージ欲求、ライフスタイル欲求を、自身のウェアリングイメージに反映させる。そして自身のウェアリングイメージを描き、自分自身のクローゼットや店頭などにある商品のデザイン（シルエット、ディテール、カラー、素材)、品質(耐久性、機能性、着心地、仕立て)、サイズ、使用頻度などを検討しながら、購入商品をイメージする。

これらの欲求に基づいて購入された商品は、最終的に生活の場面で着用されるが、その際には次のような要素が影響する。

- **着用目的・着用意識**／前述したイメージ欲求を形成する要素、ウェアリング決定時の気分など
- **着用経験・知識**／クローゼット内の商品知識、過去の着用経験とそのときの印象など
- **季節・天候**／気温、天候、陽射し、照明、湿度などが与える物理的・心理的作用
- **着用場面・対人関係**／着用時のTPOと、着用時に接する人の個性など

3 | さまざまなファッション消費欲求1／求める商品価値による違い

一般に、生活者が求める商品価値は、次の4つの要素に大別できる。

①**物理的価値**／使用期間・頻度に見合った耐久性、堅牢性、仕立ての良さなど
②**機能的価値**／目的や用途、季節、着用シー

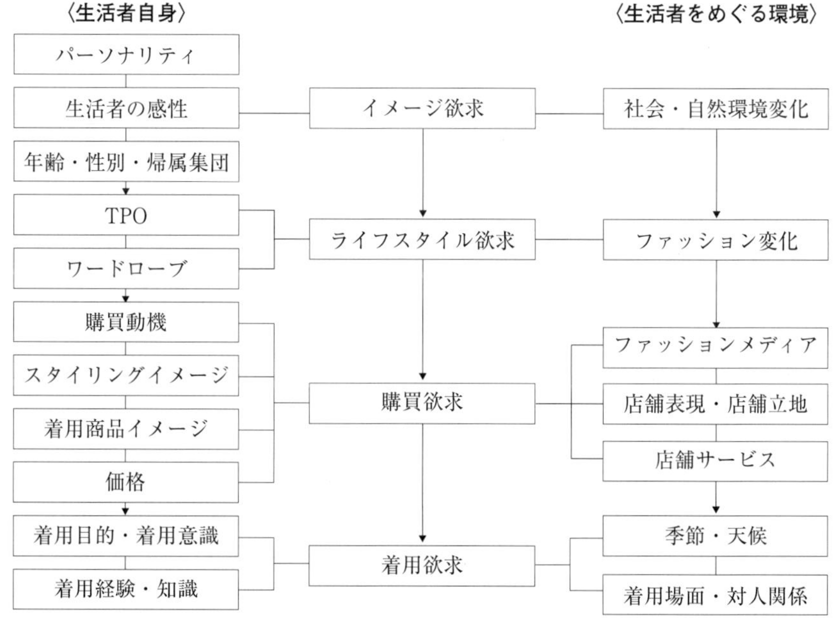

図3. ファッション生活・ファッション消費の意思決定プロセス

ンなどとの適合性、素材と仕立てにおける快適性、管理・アフターケアの容易さなど

③**社会的価値**／着用するオケージョン、対人関係との適合性、流行との適合性など

④**心理的価値**／色と形による外観・デザインの美しさ・面白さ・品格、触覚効果、着こなしのバランス、アクセサリーとのコーディネーション、空間とのコーディネーション、ワードローブの組み合わせやすさ

4 | さまざまなファッション消費欲求２／着用動機による違い

ファッション進化した生活者は、その時々の意識のもち方によってブランドやショップを使い分けている。例えば、デザイナーズブランドを購入した生活者が、別の日には低価格商品を購入するように、一人の生活者が、オケージョンはもとよりグレードやテイストも横断して使い分けて消費している。そして、そのような多様な生活局面をもつ生活者にとって、どのブランドのどの商品を購入するかは、購買動機（モチベーション）が大きく左右している。

① 長期的欲求と短期的欲求

生活者が求める商品には、長期に着用する商品と短期に着用する商品がある。一般にヤング層の消費シーンでは、ファッション変化も短サイクルであり、商品の着用期間も短い。それに対して、心と体の健康を満たす商品などを購入する際には、比較的長期に着用することを前提にすることが多い。

② 道具性に対する欲求と、デザインクリエイションに対する欲求

ファッション商品は、ファッションであると同時にモノである。当然、生活者の側も、時と場面に応じて、ファッション感性に対する欲求が強いときもあれば、機能（道具性）的価値のようなモノに対する欲求が強いときもある。ファッション感性に対する欲求とは、その商品が明日のファッション生活を創造するためのインスピレーションの源となり、デザインクリエイションに共感して消費する欲求である。それに対して、機能性に対する欲求とは、自らの生活シーンで活用できる優れた道具性を備えた商品を購入したいとする欲求で、アウトドア、スポーツ、ファンデーション等の分野に顕著である。

③ 日常的欲求と非日常的欲求

生活者は、ファッションに対していつも強い思い入れをもっているわけではない。それほどこだわりをもたないときには、もっと気軽に日常的に商品を着用したり購入したいと思うときもある。

④ その他さまざまな欲求

現代では、これらのファッション消費欲求の他に、自己表現欲求と社会貢献欲求（エコロジー消費など）、ブランド消費とノーブランド消費など、さまざまなファッション消費傾向がある。

5 | 流行と消費

流行はなぜ生まれるかには諸説あるが、そのいくつかを紹介する。

① バンドワゴン効果、スノッブ効果、ヴェブレン効果

バンドワゴン効果とは、消費の効用への効果のうち、流行に乗ること自体の効果のこと。「人がもっているから自分も欲しい、流行に乗り遅れたくない」という心理が作用し、他者の所有や利用が増えるほど需要

が増加する。

スノッブ効果は、バンドワゴン効果とは逆に、人と同じものを消費したくないという性向から生まれる効果。「他人と違うものが欲しい」という心理が働き、簡単に入手できないほど需要が増し、誰もが入手できるようになると需要が減少する。他者との差異化願望が背景にあり、限定性や希少性が価値をもつ。

ヴェブレン効果とは、製品の価格が高まるほど製品の効用も高まる、いわゆる顕示的消費などによって生まれる効果のことで、高額ブランドを購入する心理などが該当する。

② 変化に対する欲求

流行を生み出す1つの要因に、変化に対する欲求がある。この欲求とは、好奇心（変わったものや未知なることを求めること）や、冒険心（未知なるものへの挑戦）である。この好奇心や冒険心は、科学技術の発達や芸術文化の発展に寄与しているが、同時に新しいファッション変化を生み出す原動力にもなっている。

③ イノベーター理論（図4）

エベレット・M・ロジャーズが提唱したイノベーター理論では、新製品や新サービスの購入態度を基に、消費者は「イノベーター」「アーリーアダプター」「アーリーマジョリティ」「レイトマジョリティ」「ラガード」の5つのタイプに分類される。

- **イノベーター**（Innovators：革新者）／新商品が出ると進んで採用する人々の層。この層の購買行動では、商品の目新しさ、商品の革新性という点が重視される
- **アーリーアダプター**（Early Adopters：初期採用者）／社会と価値観を共有しているものの、流行には敏感で、自ら情報収集を行い判断する人々の層。他の消費層への影響力が大きく、オピニオンリーダーとも呼ばれ、商品の普及に大きな影響を与える
- **アーリーマジョリティ**（Early Majority：前期追随者）／新しい様式の採用には比較的慎重な人々の層。慎重派ではあるものの、全体の平均より早くに新しいものを取り入れる
- **レイトマジョリティ**（Late Majority：後期追随者）／新しい様式の採用には懐疑的な人々の層。周囲の多数が使用しているという確証が得られてから同じ選択をする。新市場における採用者数が過半数を超えた頃から取り入れるため、フォロワーとも呼ばれる
- **ラガード**（Laggards：遅滞者）／最も保守的な人々の層。流行や世の中の動きに関心が薄く、イノベーションが浸透するまで採用しない。また最後まで採用しない人もいる

イノベーター理論は、プロダクト・ライフサイクルと合わせて、市場分析や需要分析に活用されることが多い。

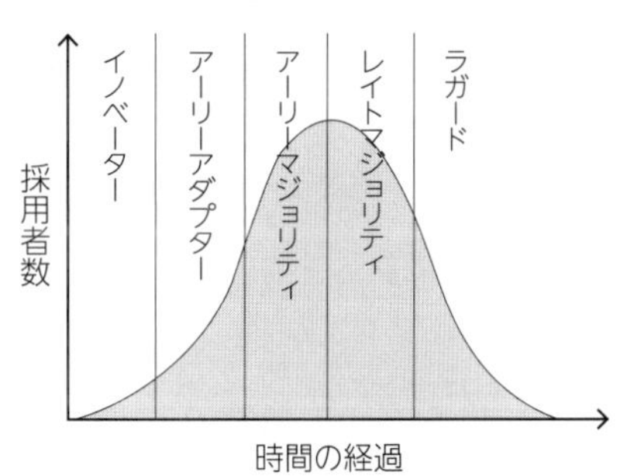

図4. イノベーター理論

2. 現在のファッション消費

1 | 現代のファッション消費

ファッション消費者は1960年代のファッション消費の勃興期から約60年を経過し、段階的にファッションを進化させてきた。21世紀に入り、ファッション消費に大きな影響を与えたのが、海外ファストファッションブランドの上陸に代表されるグローバル化の波である。最新のトレンドを安価で提供する海外ファストファッションブランドの定着は、ファッションのデフレ化を加速させ、日本のファッション産業にさまざまな影響を与えた一方、消費者にコーディネーションの選択肢の幅や、より自分らしくファッションを楽しめる機会を与えた。

また、情報ネットワーク化もファッション消費に大きな影響を与えた。以前は、ごく限られた人しか観ることができなかったコレクションをライブ配信するブランドも増え、最新のコレクション情報が瞬時に世界に流され、その商品を店頭ですぐに買える戦略を探るブランドも現れた。それと同時に、SNSによる情報の拡散も消費者に多大な影響を与え、これらを駆使した販促活動は、ファッションブランドにとって不可欠となっている。

商品の購入方法も、実店舗、カタログ通販、TVショッピングなどに加え、ECサイトでの購入が目まぐるしく伸長した。ただ、実店舗での売上げがECサイトに移行したというわけではなく、相互に補完し合う関係が形成されるようになった。それにより、ECサイトで情報を得た商品を店舗で実際に見て購入するウェブルーミング、店舗で見た商品をECサイトで購入するショールーミングなどの消費行動が生まれた。消費者がECサイトで注文した商品を、自宅や近所のコンビニで受け取れるなど、消費者が自身の最適な時間や場所、方法で商品を購買できるように、あらゆるチャネルをつなげるオムニチャネル化も不可欠なものとなっている。

21世紀のファッション消費は、流行やブランドネームといった価値を消費する時代から、「心の満足」を求める自己実現型のファッション消費の時代へと、着実に進行しつつある。今日のファッション消費は、自分自身の価値観と、時代の価値観や企業の提案する価値観の関係をいかに創造するかに主眼が置かれている。

その代表的な例がエシカル消費といわれる行動である。単に、自己の欲求を満たすモノだけではなく、環境や社会に配慮して生産された商品やサービスであるかを選択の基準にし、それらを消費するというもの。この消費行動は先進国を中心に世界的に広がっている。安全に生産・販売されているかを問うトレーサビリティ（追跡可能性）を公開したり、環境に負担を与えて製造されていないか、従業員が働きやすい労働環境を確保しているかなど、サステナビリティ（持続可能性）に取り組んだりする企業姿勢も、消費行動に大きく影響を与えるようになっている。

また、2010年代半ばになって、若年層を中心に顕著に現れたのが、シェアリングという概念である。古着屋、レンタルサービスなどに加え、フリマアプリなども活用しながら洋服や日用品などをリユースするこの行動は、無駄な消費を抑えるというエシカル消費の要素も含んでおり、売ることを前提に新品を買うといった、新たな消費行動も生んだ。

このように、現代のファッション消費は単に服を購入するという行動をはるかに超え、自らの個性や意志、人生観を伝えるツールの1つとなって、他人や社会とコミュニケーションをしているといえる。

2 ライフスタイルの変化

今日の生活者のライフスタイルは、ファッションの広がりに応じて、ますます多種多様な姿を見せている。

① 年齢の広がり

- **過去**／ヤング層がファッション消費のリーダーとなることが多かった
- **現在**／ヤングのみならず、ジュニアからも、アダルトからも新しいファッションが生まれる。高齢者のファッション、ライフスタイルにも大きな注目が集まる

② 商品分野の広がり

- **過去**／アパレルをはじめとする服飾分野のファッションに注目が集まった
- **現在**／衣のみならず、食・住・遊・知のファッション化が進んでいる。アパレル企業が飲食店を展開したり化粧品ブランドを扱ったりするケースも増え、ライフスタイル全般をファッションとして捉える傾向が強くなっている

③ オケージョンの広がり

- **過去**／最も個性を出しやすいカジュアル分野のファッションが顕著であった
- **現在**／プライベート、オフィシャル、ソーシャルなど、すべてのオケージョンにおいてファッション化が進んだ。同時に、それぞれのオケージョンのボーダーレス化も進んでおり、着こなしの幅が広い汎用性の高いアイテムの需要が高まっている

④ 季節感の広がり

- **過去**／夏には夏物を、冬には冬物を、季節に合わせて商品を購入していた
- **現在**／海外旅行の増加、空調の完備などにより、季節を超えて商品を着用する例も見られる。また、人気商品・話題商品はすぐに着用できなくても、完売前にいち早く購入したり予約したりするケースも多い

⑤ 製造時期の広がり

- **過去**／今シーズンの新商品・トレンド商品に多くの注目が集まった
- **現在**／過去に買った商品、ビンテージ、リペアなど、以前に製造された商品も含めてコーディネートされる。さらに、他人が過去に購入した商品をリユースするシェアリングの利用も広がっている

⑥ 購買方法の広がり

- **過去**／路面、SC内、百貨店などの店舗で、多くのファッション商品が購入された
- **現在**／上記に加え、ECサイトで購入す

る機会が増幅している。また、消費者間で取引きするフリマアプリなども浸透。それにともなって支払いのシステムや配送の利便性なども進化している

⑦ ファッション消費地区の広がり

- **過去**／原宿などのファッション震源地と、ターミナル立地に人が集まった
- **現在**／地方も含め、多種多様な地区に新しいファッションスポットが生まれている

以上は、ファッション生活の広がりの一例であるが、他に生活行動範囲の広がり、メディアの広がり、購入価格帯の広がりなどがあり、生活者それぞれが多様なライフスタイルを形成しながらファッション生活を送っている。そして、そのような生活者の多様なライフスタイルは、ファッション消費シーンにも反映され、ストリートや商業施設内の新しい動きとなって表れているのである。

そのため、ファッションに従事する人間は、広い視野で多方面にアンテナを張りながら、人と情報のネットワークを活用し、消費生活で起きているライフスタイルの変化とそのきっかけを常に察知することが重要である。

3 │ 都市空間におけるファッション現象

ファッションは生活文化全体に関わっており、都市空間にも現れる。都市には、人が集まる過程で自然発生的に発達した都市と、行政やディベロッパーによって人為的に開発された都市とがある。前者の都市には、原宿、代官山、アメリカ村など、ファッション文化が街の発展に寄与してきたケースが多い。前者の都市は、まずクリエイターが集まり、そこに革新的な消費者が集まってくる。そして、革新的な消費者が他の多くの消費者に影響を与え、しだいに多くの消費者や店舗・オフィスが集まるメジャーな街へと発展してきた。

一方、後者の人為的に開発される都市も、最近ではファッションが重要なテーマとなりつつある。先進的なファッション店舗や注目度の高い飲食店を導入することや、先進的なファッション企業がアトリエやオフィスをもちたいと感じるような界隈を創出することが、街づくりの重要なテーマとなっている。

都市は、ファッション店舗が集まり、ファッション消費者が集まることによって、豊かで夢のある高感度な街並みや空間を創出する。ファッション店舗は、ファッション商品やファッションスタイルを提案するのみならず、時代の情報を発信している。

そして、生活者のライフスタイルがファッション化する中、物販だけでは集客にも限界があるのが現実である。そんな状況の中、商業施設ではイベントなどを通じてさまざまな経験ができるコト消費の提供が活発である。それが地域への貢献につながることも多い。

また、過去にさかのぼれば、日本のファッション店舗は、1960年代以降のファッション化の過程でさまざまな店舗デザインを生み出してきた。なかでもDCブランドの店舗に見られるモダニズム空間やポストモダニズム空間は、店舗デザインと協調しながら発展を遂げてきた。エコロジーへの意識が高まっている今日では、外観やインテリアのデザインだけでなく、環境保全に配慮された作りであるか否かも求められるようになっている。都市空間におけるファッションは、新しい変化を先導するだけでなく、時代を象徴する都市の顔としての役割も果たしている。

ファッションビジネス知識

第3章 ファッション産業構造

1. グローバル視点で捉えたアパレル産業

1 日本のアパレル産業構造

① 日本のアパレル産業の３つのタイプ

日本のファッション産業、アパレル産業の構造については、「公式テキスト３級」で解説しているが、その概要を解説すると次のようになる。

日本のアパレル企業には、次の３つのタイプがある。（**表 2**）

ⅰ）ブランドを有し、商品企画・生産管理・販売管理と製造機能を担うアパレル生産企業

ⅱ）ブランドを有し、商品企画・生産管理・販売管理の機能を担うが、工場をもたないアパレルメーカー

ⅲ）OEM を中心としたアパレル製造業

なお、ⅰ）ⅱ）の両タイプの中に、小売機能を有する SPA がある。

表 2. 日本のアパレル産業の３タイプ

	ブランド	商品企画機能	製造機能
ⅰ）	○	○	○
ⅱ）	○	○	×
ⅲ）	×	×	○

② 日本のアパレル産業の業種・業態

アパレルメーカーの業種・業態についても、「公式テキスト３級」で解説しているが、その一部を挙げると、次のようになる。

〈業種〉
- メンズ・アパレルメーカー
- レディス・アパレルメーカー
- フォーマルウェアメーカー
- レディスインナー・アパレルメーカー
- 子供・ベビー服メーカー
- ジーンズ・アパレルメーカー
- ユニフォーム・アパレルメーカー
- スポーツ・アパレルメーカー
- ニット・アパレルメーカー
- ナイトウェアメーカー
- レザーウェアメーカー
- 毛皮アパレルメーカー　など

〈業態〉
- 総合アパレルメーカー
- デザイナーアパレル企業
- SPA 企業
- オーダー商品を中心としたアパレル企業　など

③ 近年のさまざまな業種・業態

日本のアパレル企業は種々に分類されるが、近年、従来のような分類方法では説明できないさまざまな新業態が登場している。例えば、ブランドを基軸として、アパレル、シューズ、バッグ、アクセサリーから生活雑貨・ステーショナリー、さらにはカフェまで展開する、トータル・ファッションメーカーともいえる業態がある。このようなファッションメーカーは、もともとアパレルメーカーとしてスタートしたが、年々アパレルの構成比率が低下し、その分、雑貨比率が高まっている。

また、SPAと小売りのセレクトショップ機能を併用した業態も登場している。アパレルメーカーが自社オリジナル商品を直営ショップで展開しながら、一方で売上げの半分以上を海外からのセレクト商品で構成する場合もある。その他、

- SPAとインポーターの併用
- 古着やリメイク商品と、自社オリジナル商品の併用

などもあり、生活者のファッション進化と多様化に応じて、さまざまなタイプのアパレルメーカー（またはファッションメーカー）が登場している。

④ アパレル卸売業

前述したⅱ）のタイプである。ブランドを有し商品企画・生産管理・販売管理の機能を担うが工場をもたないアパレルメーカーは、アパレル卸売業に含まれるが、通常の卸売業とは異なる機能をもつ。一般に卸売業は、完成品である製造業の製品を小売業に販売する橋渡しをするが、「原材料や部品などを独自で調達し、商品を企画する」という機能はもち合わせていないことが多い。しかしアパレルメーカーの場合は、アパレ

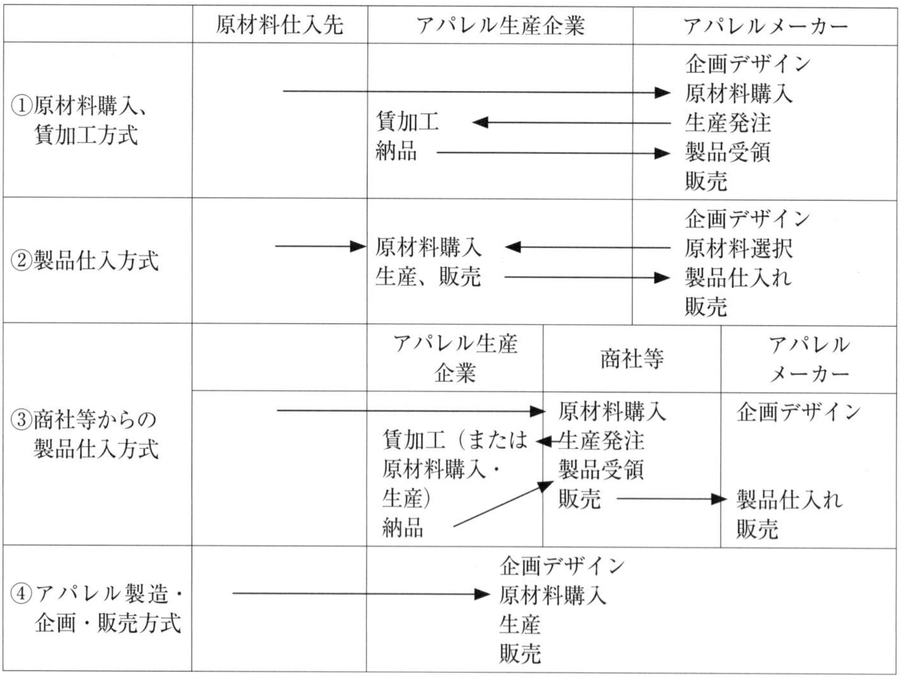

<table>
<tr><th></th><th>原材料仕入先</th><th colspan="2">アパレル生産企業</th><th colspan="2">アパレルメーカー</th></tr>
<tr><td>①原材料購入、賃加工方式</td><td>→</td><td colspan="2">賃加工 ←
納品 →</td><td colspan="2">企画デザイン
原材料購入
生産発注
製品受領
販売</td></tr>
<tr><td>②製品仕入方式</td><td>→</td><td colspan="2">原材料購入 ←
生産、販売 →</td><td colspan="2">企画デザイン
原材料選択
製品仕入れ
販売</td></tr>
<tr><td rowspan="2">③商社等からの製品仕入方式</td><td></td><td>アパレル生産企業</td><td colspan="2">商社等</td><td>アパレルメーカー</td></tr>
<tr><td>→</td><td>賃加工（または原材料購入・生産）←
納品 →</td><td colspan="2">原材料購入
生産発注
製品受領
販売 →</td><td>企画デザイン
製品仕入れ
販売</td></tr>
<tr><td>④アパレル製造・企画・販売方式</td><td>→</td><td colspan="4">企画デザイン
原材料購入
生産
販売</td></tr>
</table>

注）付属の調達、ODMなどを含めるとさらに細分類できる。

図5. アパレルメーカーと、原材料仕入先、アパレル生産企業の関係

ル商品のデザイン、企画を自ら行い、受託先の工場、アパレル製造業とは密接な協力関係を築いているのである。

アパレルメーカー以外のアパレル卸売業には、アパレル製造業やアパレルメーカーから商品を仕入れて販売する卸売業があり、商社アパレル部門、インポーター（輸入卸商）、現金卸商、地方卸商、及び卸販売サイト（B to B）などが、主なものとして挙げられる。

商社アパレル部門の事業には、ｉ）アパレル製品 OEM 事業（アパレルメーカーが企画した商品について、素材を購入し工場の生産管理を行ってアパレルメーカーに販売する事業）と、ⅱ）海外ブランド事業（海外ブランド商品の輸入・販売、及びライセンス事業）がある。ｉ）には、他に ODM 事業もある。

インポーターとは、輸入総代理店契約を結んでアパレル商品を輸入したり、輸入総代理店契約は結んでいないが海外のアパレルメーカーの商品を輸入したり、さらに並行輸入を行ったりしている業態である。

現金卸商とは、小売業が現金で仕入れて自らもち帰ることを原則とした卸売業の業態である。

⑤ アパレル生産企業

アパレル生産企業には、布帛製品を生産するアパレルソーイング企業、ニット製品を生産するニットアパレル製造業などがある。

アパレルソーイング企業は通常、アパレルメーカーの発注に基づいて、アパレルメーカーが調達した素材を使ってアパレル製品の製造を行い、アパレルメーカーに納入する。賃加工であることが多く、在庫負担はない。一部のアパレル製造業者は、自ら商品企画し販売することもあるが、その場合には製造業者がアパレルメーカーの機能を有してビジネスリスクを負担することになる。

ニットアパレル生産企業は、セーター等の成型品（糸から直接製品になるもの）製造業と、T シャツ等のカットソー（ニットファブリックを裁断し、縫製するもの）製造業に大別される。

通常、成型品製造業及びニットファブリック製造業をニッターと呼ぶ。同じニッターでも成型品製造業はアパレル産業であり、ニットファブリック産業はテキスタイル産業に分類される。また靴下も一種の成型品として、独自の業界を構成している。

ニット製品、特に成型品は、編立（あみたて）技術が製品デザインに直結する特性があるため、アパレルメーカーの商品企画においては、ニットアパレル製造業のアイデアや技術に頼ることも多い。また、原材料である糸は、アパレルメーカーが選択して、ニットアパレル製造業が調達することが多い。

2 ヨーロッパのアパレル産業

パリを中心とするフランスは、19 世紀半ばに生まれたオートクチュール以降、ファッション発信地としての歴史と権威、またデザイナーの発表の場としての優位性をもっている。イタリアは、ミラノがパリに次ぐファッション情報発信地であると同時に、デザイン性豊かなファッション商品の生産地としても機能している。イギリスは、トラディショナルファッションのルーツであると同時に、新しいストリートスタイルを生み出すことでも定評がある。

この他、ヨーロッパにはドイツ、スペイン、ポルトガル、スイス、オーストリア、北欧3国（デンマーク、スウェーデン、ノルウェー）、オランダ、ベルギーも特色あるファッション商品の生産国であると同時に、有名デザイナーを輩出している国も多くある。なかでも、スペインやスウェーデンは、グローバルに展開するSPAが生まれた国である。

ヨーロッパで注目すべきファッションビジネスとして、高付加価値ブランドビジネス、グローバルSPA、特定分野や特定アイテムに特化したアパレルビジネスの3つが挙げられる。

① 高付加価値ブランドビジネス

高付加価値ブランドビジネスには、ラグジュアリーブランド及びアフォーダブル・ラグジュアリー（アクセシブル・ラグジュアリー）ブランド、デザイナーズブランドなどがある。高付加価値ブランドビジネスでは、ブランド力をつけるために、アイテムの拡大によるライフスタイル提案を行っている。

これらのビジネスでは、コングロマリット企業による異業種複合体のファッションビジネスが進められている。

世界三大コングロマリット

- **LVMH**（ファッション、ウォッチ、ジュエリー、アルコール、リテーリング）
- **ケリング**（ファッション、ウォッチ、ジュエリー）
- **リシュモン**（ファッション、ウォッチ、ジュエリー、リテーリング）

② グローバルSPAビジネス

グローバルSPAは、製造小売型のストアブランドをグローバルに展開している。グローバルに小売店舗を多店舗展開することで、スケールメリットを生かしてブランド認知の向上を実現している。

③ 特定分野や特定アイテムに特化したアパレルビジネス

スポーツ、アウトドアといった特定分野、靴、バッグ、下着といった特定アイテム、さらにはロンドンのサビル・ロー等のテーラーなど、歴史と技術に裏打ちされたファッションビジネスがヨーロッパには多くある。

3 ｜ アメリカのアパレル産業

アメリカのアパレル産業の特徴を一言でいえば、大量生産・大量販売をアパレルの世界にもち込んだことである。アメリカのアパレル産業の基礎は、第二次大戦後～1960年代の消費社会の成長とともに形成された。アパレル産業は、アパレル市場の急成長に支えられて、1960年代頃までに既製服の大量生産システムやパターン技術が開発され、急成長した量販店マーケット等を対象に商品を供給し、世界規模のアパレル生産量を誇っていた。

このようなアメリカビジネスの歴史的な特徴は、近年ではグローバル化のもと、システム化、ネットワーク化が進展している。海外への生産移転が進んで、国内アパレル生産は空洞化しているが、一方で全世界の消費者を対象とするグローバルビジネスは堅調である。今日のアメリカでは、グローバルSPAの他、スポーツなど特定分野や特定アイテムに特化したアパレルビジネスが好調である。

4 | アジアのアパレル産業

アジア、特に東アジアと東南アジアにおけるアパレル生産とアパレル消費の発展は、世界的に注目されている。

アパレル消費については、中国やASEANが高い伸び率を示し、なかでも中国のファッション市場規模はアメリカに次いで2位(2016年度)である。中国アパレル市場は、持続的な消費レベルの上昇、ファッション意識の高まり、Eコマースの普及などを受け、現在も安定的に成長している。

中国やASEANのアパレル企業は、もともとは日本や欧米のOEM工場が主流であったことから、現在も製造業が中心である。

現在は、そのようなOEM工場も自社ブランドを有するようになったところが多く、自社で商品開発、MD、デザイン企画、仕様開発などを行い、独自のブランド(商標)で商品を販売し、一般には小売店に向けて卸売りを行っている。

中国、東南アジアのアパレル産業には、日本と同様に、

i)ブランドを有し、商品企画・生産管理・販売管理と製造機能を担うアパレル生産企業

ii)デザイナーズブランドなど、ブランドを有し商品企画・生産管理・販売管理の機能を担うが工場をもたないアパレルメーカー

iii)従来からあるOEMを中心としたアパレル製造業

があり、i)ii)の両タイプの中に、小売機能を有するSPAがある。

2. 繊維産業の知識

1 | 繊維産業の概要

繊維産業とは、わた、糸、生地、繊維製品などの繊維品の生産·卸売りに関わる企業群の総称である。繊維産業は、糸、織り、編み、染色、縫製などの分業で成り立っている。世界と日本各地には、それぞれの特徴をもった産地があり、従来、その土地の気候や風土、歴史や産業に基づいて始まった産地がそのまま世代が継がれ、現在に至っている。賃金や後継者問題などで縮小している産地もあるが、独自のビジネススタイルを確立して、世界的に高い評価を得ながら成功している企業もある。繊維産業には小売企業群は含まれず、**表3**(P.32)のようなものが含まれる。

2 繊維素材産業の構造

繊維品の原料生産は、原綿と原麻は農業、原毛は牧畜業、繭は養蚕業、パルプは製材業、合繊の原料のポリマーは石油化学工業に属す。いずれも繊維産業や繊維素材産業には含まれないが、その原料の品質や価格が繊維の品質や価格に直接影響するので、重要な関連産業である。

繊維素材産業は、原料からわたや糸を生産する企業（糸メーカー）と、その糸に加工をする企業（撚糸メーカー、加工糸メーカー）、及びそれらの卸商（商社糸部門と糸商）で成り立っている。

糸メーカーには、化合繊メーカー、紡績企業、製糸企業がある。製糸企業は輸出と呉服の内需で全盛を極めたが、シルクの消費減退と輸入の増加によって衰退をたどり、現在は他業との兼営で製糸部門を存続する企業が残っている。撚糸、意匠撚糸（ファンシーヤーン）、加工糸（テクスチャードヤーン）のメーカーの取引形態は、糸メーカーや織物メーカー、ニット生地メーカー、ニットウェア生産企業、アパレル卸商などと直接取引きをしたり、商社や糸商を経由したりと多様である。

① 化合繊メーカー

世界の最先端をいく新合繊や機能性素材などを次々に生み出す卓越した技術開発力をもち、どの企業も日本を代表する大企業が多い。紡績との兼営企業や脱繊維、海外移転を図っている企業もある。

② 紡績企業

紡績企業は繊維により、綿紡、毛紡、麻紡、合繊紡などに分けられる。綿紡と毛紡には大企業と中小企業があり、中小企業は競争激化の中で、特殊番手の綿糸やカシミヤ糸などの特色や強みをもつところもある。大企業も、化合繊や他の紡績事業との兼営、ブランドイメージの高い織物による差別化、アパレルへの進出、海外工場の活用など、それぞれ独自の展開を図っている。

③ 糸商

糸メーカーと織布企業、ニット生産企業をつなぐ卸業態として、商社糸部門と専業の糸商がある。専業糸商は、しだいに商社糸部門や糸メーカーが織物メーカー、ニット生産企業と直接取引きをするようになったため、商社系列に入ったり、倒産・廃業に追い込まれたりなどで、その数は極めて少ない。

表 3. 繊維産業と企業

繊維素材	化合繊メーカー、紡績企業、製糸企業、撚糸メーカー、加工糸メーカーなど／商社糸部門、糸商など
テキスタイル（生地）	織物メーカー、ニット生地メーカー、レースメーカーなどの生産業界／商社生地部門、生地商／寝具用生地やインテリア生地
アパレル	縫製品、ニットウェア
きもの	和服、和装小物、各生産業界、卸業界
生活消費財	タオル、アパレル用副資材、寝具、インテリア、繊維雑品
繊維製産業資材	タイヤコード、魚網、農業用ネット、土木用ネット、ロープ、被覆電線、コンクリート補強材、人工芝生、人工血管
染色	糸・生地・製品の染色、製品の晒し、製品の整理

3 テキスタイル産業の構造

テキスタイル産業は、織物、ニット生地、レースなどを生産する企業と、その生地の卸商から成り立っている。

① 生地メーカー

生地メーカーとは、織物メーカーのことで、織布メーカー、織布業者、機屋（はたや）ともいう。綿織物、毛織物、絹織物、麻織物、化合繊織物と、それぞれの専業者に分かれている。主力はアパレル用生地の生産企業だが、寝具用やインテリア用、重布などの生産企業も含まれる。

ニット生地メーカーは、丸編生地や経編（たてあみ）生地の生産企業のことで、丸編生地メーカーの中には、肌着やカットソーなどを一貫生産しているところもある。

レースメーカーは、エンブロイダリーレース、リーバーレース、ラッシェルレース、トーションレースなどの生産企業で、アパレル用の広幅レース、副資材の細幅レースの他、カーテン地の生産企業も含まれる。他には、フェルトや不織布などの生産企業もある。

生地メーカーには、糸買い・生地売り型と賃織り型の2タイプがあり、化合繊織物メーカーの場合は、化合繊メーカーや商社の賃織りが多い。1社が2タイプの仕事をしていることもある。賃織りの発注元は、商社生地部門や織物卸商、ニット生地卸商、レース卸商などの生地商、アパレル企業、化合繊メーカーや紡績企業、さらには同業の生地メーカーの場合もある。

② 生地商、産元商社

織物メーカーやニット生地メーカーなどとアパレル企業をつなぐ卸業態として、商社生地部門や専業の生地商を主体としている産元商社などがある。生地商の主流は織物卸商で、婦人服地、紳士服地、シャツ地、ブラウス地、着尺（和服地）、寝具用生地、インテリア用生地などを扱う。生地商には、織物の他、ニット生地やレース生地なども含まれる。織物卸商は、かつては呉服店や生地小売店、百貨店呉服、百貨店生地売場への卸販売を主体にしていたが、現在ではアパレル企業への卸販売が主力を占める。

③ テキスタイル産地

織物メーカーが集中している地域を織物産地、ニット生地やレースなどのメーカーが集中している地域をニット生地産地やレース産地などといい、それらをテキスタイル産地という。日本、世界のテキスタイル生産主要国には、使用素材、織り・編みの方式、意匠、染色方法などに特色をもつテキスタイル産地が存在している。

日本の織物産地は一般に、綿織物、毛織物、絹織物、麻織物、化合繊織物、特殊織物（カーペットなど）の産地に分けられ、ニット生地産地は、丸編生地、経編生地（トリコット、ラッシェル）の両産地に区分される。レースの場合は、ラッシェルレース（編みレース）は福井、トーションレースは群馬・栃木と産地化されている地域もあるが、エンブロイダリーレースやリーバーレースなどは分散立地している。

4 アパレル産地の構造

アパレル生産企業は、大きく縫製企業と横編外衣、カットソー、靴下、手袋などを生産するニット生産企業に分けられ、アパレル産地も縫製産地とニット産地に分けられる。

5 | 染色産業の構造

染色には、先染め（原液染め、わた染め、トップ染め、糸染めなど）と、後染め（生地染め、プリント、製品染めなど）がある。染色企業の担当は主に糸染めと後染めで、晒しや整理も染色の一環とされている。先染めは、化合繊メーカー、紡績企業、生地メーカーが行う。染色産業ではIT化が進み、高度な染色や加工技術を開発している。新素材の開発、生地メーカーや産地のオリジナル商品の開発も行われている。

6 | 副資材産業の構造

ファッションアイテムには、副資材の裏地、芯地、ボタン、ファスナー、パッド、テープ、ブレード、縫い糸、刺繍糸などが欠かせない。裏地や芯地以外の副資材を付属品と呼ぶこともある。また、織りネームや品質表示用などのシールも副資材に含む。これらの多様な副資材は、それぞれが専門の製造企業や加工企業によって作られ、直接、または卸企業や代理店を通してアパレル企業に供給される。

7 | 日本の商社

繊維産業での商社とは、一般的な総合商社と繊維商社を指す。総合商社では、貿易業、売買業、代理業、製造業、加工業、知的所有権などのソフトウェアの取得・貸与・販売業や、情報サービス・通信・放送業、金融業、イベントの企画・運営、労働者派遣事業、教育など、あらゆる業務を手がけ、それを有機的に統合している。繊維・ファッションの分野に絞ると、繊維素材産業やアパレル産業の一部として、また補助的機関となって機能している。

総合商社の繊維関連部門や繊維商社の部門は、繊維原料輸入部門、糸部門、生地部門、アパレル部門（ファッション部門）、繊維機械部門に大きく分かれる。糸、生地、アパレル、繊維機械の各部門は、それぞれ輸出入や国内取引きを行う一方で、国内外に系列企業や提携企業がある。また、アパレルブランドのOEMの仲介、海外ブランドの別会社や企画・情報会社の設立などを請け負うこともある。

8 | 日本と世界の産地

① 綿花と綿織物

繊維の粗原料の綿花は、アメリカ、インド、エジプト、中国、ロシアなどが主要産地である。繊維長の長い高級綿花は、カリブ海のバルバドスなどの小アンチル諸島（海島綿：シーアイランドコットン）、エジプト（ギザ）、中国（トルファン）、ペルー（スーピマ）が有名である。

イギリスと日本は高級綿織物産地であり、量産綿織物産地としては、アメリカ、中国、インド、パキスタンなどがある。他には、伝統的な柄で知られる綿織物のバティック（インドネシア）、イカット（タイ）などがある。現在は化学染料を使用して生産されている。

日本国内では、静岡の遠州・天龍社、愛知の知多・三河、大阪の泉州、兵庫の播州、岡山が代表的な産地である。天龍社の別珍・コール天、岡山・広島のデニムなど、特色をもっている産地も多い。

② 羊毛と毛織物

アパレル用の羊毛は、オーストラリア（メリノ種）と中国が世界的な産地で、イギリスの英国羊毛（シェットランドやチェビオットなど）も人気が高い。この他、ニュージーランド、南アフリカ、ウルグアイなどの産地がある。

高級毛織物産地としては、イギリス、イタリア、日本がある。その他、羊毛産地各国やドイツ、フランス、ロシアなどで一般用の毛織物が生産されている。カシミア織物は、中国での取扱いが多い。日本国内の毛織物は愛知県一宮市を中心とした尾州地区が大きな産地である。

③ 蚕糸と絹織物

シルク原料の蚕糸（さんし）（家蚕糸（かさんし））では、かつては日本も世界有数の産地であった。その後、1960年代から急速に衰微し、現在は中国が大きな産地である。野蚕糸（やさんし）では中国の柞蚕（さくさん）、インドのムガサン（金色の蚕糸）、タサールサン、インドネシアのクリキュラ、日本の天蚕（てんさん）などがあり、東南アジアやアフリカ、南米などでも採取されている。

高級絹織物はフランス、イタリア、日本が主産地である。世界的な産地であったフランスのリヨンは1980年代末から退潮をたどった。また、中国の絹織物生産も伸びて、タイ、インドなどの野蚕糸織物もある。

かつての絹産地は、現在は絹だけでなく化合繊織物産地としても有名だ。これは、世界初の人造繊維であるレーヨン、その後に開発されたナイロン、ポリエステルが絹の代替を目指して開発されたからである。米沢、十日町、桐生、伊勢崎、西陣、博多などは和装で有名であり、米沢と桐生は、洋装でも有名な産地である。

④ 化合繊

化合繊原料の生産や紡糸は、それぞれの開発国や特許権取得国である先進国（アメリカ、イギリス、フランス、ドイツ、イタリア、日本など）で行われ、徐々に中進国や発展途上国へも伝わり、現在では韓国、台湾、インドネシア、タイ、ブラジル、中国などでも行われている。日本でのレーヨンの生産は2001年になくなり、日本の生産プラントは中国や東南アジアに移った。

日本の化合繊織物は、北陸の石川・福井・富山圏域が日本で最大の産地として発展した。北陸産地は合繊メーカーとともに大きく発展をしたが、メーカーの国内生産縮小、生産設備の海外移転により、産地の規模も縮小している。

日本の合繊メーカーは素材開発力に優れ、アパレル企業と戦略的パートナーシップ契約を結び、デジタル化とグローバル化をより強化していくために、共同商品開発を行っている。このような質の追求をすることで、今の地位を築き、現在は内外の著名ブランドに生地が使われている。

3. グローバル視点で捉えた小売業とSC

1 日本の小売業態

今日の日本の小売マーケットでは、アメリカ、ヨーロッパの小売業態の進化と歩調を合わせながら、多種多様な小売業態が展開されている。

小売業には多様な業態があるが、店舗の有無によって「有店舗小売業」と「無店舗小売業」に大別できる。

有店舗小売業には、総合的に商品を扱って生活提案をする百貨店や量販店と、専門性を追求している専門店、低価格を追求するディスカウントストア、利便性を追求して生まれたコンビニエンスストアや売店などの業態がある。その他多様な消費者のニーズに対応して、総合衣料店や一般小売店、他にもいろいろな業態が存在している。

一方、無店舗小売業には、インターネットやテレビ、カタログ、その他の通信手段を使って宣伝・広告して注文を取る通信販売、消費者の居住地等へ商品をもって直接出向いて販売する訪問販売、電話などで注文を取って宅配する宅配サービス、それに自動販売機、フリーマーケットなど、多様な無店舗小売業が存在する。

今日の消費者は、消費の価値観やライフスタイルが大きく変化し、多様な生活局面をもっている。消費者が小売店舗を使い分ける時代ともいえ、消費者の視点に立った小売業は、購買の選択肢を多様化するために多くの業態を開発している。商品を購入する側の消費者の立場に立った満足価値創出のありようが、それぞれの業態の相違に表れているのである。

有店舗小売業は、消費者の購買欲求から判断して、次の4つに大分類できる。

①**総合的な生活文化に対する欲求**／大規模小売店等に求める満足価値。モノと情報の集積によるエンターテインメント性があると同時に、多様な選択肢が用意されワンストップショッピングも可能である。百貨店、GMS（総合スーパー）、スーパーマーケット（食品スーパー）、スーパーセンター、アメリカの総合ディスカウントストア、ホームセンターなどがある

②**専門的な生活文化提案に対する欲求**／専門店等に求める満足価値。消費者の個性に応じたライフスタイルや商品選択欲求を充足させるための、専門的な品揃えと行き届いた接客サービスが得られる魅力がある。SPA、セレクトショップ、ラグジュアリーブランドブティック、デザイナーブティック、アイテムショップ、ライフスタイルショップ、ポップアップショップなど

③**低価格に対する欲求**／ディスカウントストア等に求める満足価値。こだわりをそれほど強くもたないときに、コストパフォーマンスが高いという魅力がある。オフプライスストア、アウトレットストア、ワンプライスショップなどがある

④**利便性に対する欲求**／コンビニエンスストアや売店等に求める満足価値。今欲しいものがすぐに手に入れられる、ショッピングにおける時間と労力を省力化できる魅力がある。コンビニエンスストア、駅売店、購買部売店などがある

無店舗小売業については、最も市場規模

が大きいのがネット通販すなわちBtoCで、ネットショップ、オンラインショップといわれるショッピングサイトで小売販売を行っている。無店舗小売業は現在、O2Oやオムニチャネル化が進むにつれて、無店舗（ネット店舗）と実店舗（リアル店舗）の境目がなくなり、事業全体として発展していく方向にある。

なお、ショッピングサイトには、BtoCである小売販売を行うサイトと、小売業が出店するECモールとがある。

BtoCに対し、CtoCとは一般消費者同士がインターネット上で契約や決済を行い、モノやサービスを売買することである。企業は消費者同士で取引きをしてもらうためのプラットフォームを提供して、CtoCサービスを運営する。

（小売各業態の用語解説は、巻末の用語解説及び「公式テキスト3級」を参照）

2 欧米の小売業態

ヨーロッパで常設の小売店舗が発達するのは、産業革命期の18世紀である。ロンドンのサビル・ローなどに仕立て屋が創業したのは18世紀後半である。

19世紀の1852年には、百貨店の草分けとなるボン・マルシェが誕生し、小売業は生活文化全体を対象としたライフスタイル提案型業態へと進化する。同時代の1858年にはオートクチュールの創始者であるシャルル・ウォルトが店を開業し、その後、次々とオートクチュール店が生まれる。また1837年に馬具商から始まったエルメスは、1880年にバッグ類等革製品のブティックをフォーブール・サントノーレに出店する。

現在のヨーロッパでは、百貨店、ラグジュアリーブランドブティック、デザイナーブティック、セレクトショップ、グローバルSPAに加えて、ネット通販が注目されて、その多くは日本マーケットに進出している。

日常的な商品分野では、ハイパーマーケットなどが隆盛を誇っており、カルフール（仏）、メトロ（独）、テスコ（英）などが世界的な売上げ規模を誇る小売業である。

アメリカの小売業態は、大量生産・大量消費のもと、大衆消費の受け皿として進化してきた。なかでもチェーンストアは、アメリカ小売業を象徴する業態であり、百貨店、SPA、ディスカウントストア、スーパーセンターの多くがチェーンストアである。チェーンストアでは大量仕入れ、もしくはSPA方式により、コストメリットを価格に反映させて、アメリカの大量消費社会を支えている。近年は、特にネット通販のシェアが拡大している。

アメリカの小売業態は次のように分類できる。

①**大規模小売店舗**／百貨店、ディスカウントストア、ハイパーマーケット、スーパーマーケット、スーパーセンター（ディスカウントストアとスーパーマーケットが一体となった業態）、ホールセールクラブなど
②**専門店業態**／ラグジュアリーブランドブティック、デザイナーブティック、セレクトショップ、SPA、アイテムショップ、ライフスタイルストアなど
③**低価格に対する欲求**／オフプライスストア、アウトレットストアなど
④**利便性に対する欲求**／コンビニエンスストアなど
⑤**無店舗販売**／ネット通販、カタログ通販など。ネット店舗とリアル店舗の共存タイプの他、ショールーム併設型ネット店舗も注目されている

3 ｜ ショッピングセンター

ショッピングセンターとは、(一社) 日本ショッピングセンター協会によれば、次のように定義されている。

「一つの単位として計画、開発、所有、管理運営される商業・サービス施設の集合体で、駐車場を備えるものをいう。その立地、規模、構成に応じて、選択の多様性、利便性、快適性、娯楽性等を提供するなど、生活者ニーズに応えるコミュニティ施設として都市機能の一翼を担うものである」

以上の定義のように、ショッピングセンター（以下、SC）は、開発者であるディベロッパーが計画し管理運営することから、他の商業集積の事業と大きく異なる。商店街など他の商業集積で行われる事業は組合事業どまりであり、ディベロッパーを中心に契約において権利・義務を確認して強い結束力をもって事業を行うSCとは異なる。

一般にSCは、他の商業施設と比較して、次の3点の特性を有するといわれる。

①**計画性**／商店街のように自然発生的ではなく、計画的商業施設である
②**総合性**／多様な性格をもつテナントのマーケティングが1つの方向で総合的に展開されたものである。そのため最近では、地域開発的な要素も強くなってきている
③**運営管理の統一性**／ディベロッパーの指導力により、単一資本の大型小売店と同じく、独自のコンセプトにより、統一した運営管理を行う

SCにおけるディベロッパーとは、自らの意志に基づいてSCを計画し、建設、所有し、入居テナントとの共同発展を目的として、管理運営する企業をいう。それに対してテナントとは、SC内で区画された店舗に賃料を払って営業する企業のこと。小売店（メーカー直営店を含む）は、SCテナントとしてディベロッパーから店舗スペースを賃借し家賃を支払って、店舗を運営する。なお、大型店など、知名度と集客力があり、SCの看板になり得るテナントのことをキーテナント（アンカーテナント、核テナント）という。

イオンモール高岡

SCの種類は、アメリカでは商圏設定の広さと施設のスケールによって、次のように分類されている。

- **ネイバーフッド（近隣型）SC（NSC）**／1万㎡未満の店舗面積で、スーパーマーケットがキーテナントとして出店し、日常的な商品を取り扱うテナントが入店する
- **コミュニティ（地域型）SC（CSC）**／1万～3万㎡の面積で、百貨店などがキーテナントとして出店し、他のテナントには買回り性の強い衣料品・雑貨等を扱う小売店や飲食・サービス業が出店する
- **リージョナル（広域型）SC（RSC）**／3万㎡以上の面積で、百貨店・GMS等が複数でキーテナントとして入店し、さらにサブテナントとして、スーパーマーケット、ホームセンター、大型専門店、

ファッション店などで構成される。広域商圏を対象にしていることから、コンセプトの明確な専門店や飲食・サービス業が多数出店する

- **スーパーリージョナル（超広域型）SC（SRSC）**／7万5000㎡以上の面積で、広域型SCのテナントに加え、ホテル、劇場、映画館の他、オフィス、病院まで組み込まれることもある

一方、日本では、居住環境等の違いから、アメリカのように商圏規模で分類しづらい傾向があり、キーテナントの業態から次のように大分類されることが多い。

- **量販店型SC**／キーテナントが量販店
- **百貨店型SC**／キーテナントが百貨店
- **複合核SC**／キーテナントが複数
- **スペシャルティセンター**／キーテナントのない専門店SC

上記の分類方法の他、日本では施設の形態別に、商業ビル、駅ビル、エキナカ、地下街、高架下、ホテル、オフィスビルなどと分類されることがある。このうちの駅ビル、エキナカに加えて、高速道路のサービスエリア（SA）、空港の商業施設など、日常の移動、観光、帰省、出張など人の流れの多い交通機関関連の施設に出店する販路であるトラフィックチャネルが、2010年以降注目されるようになってきた。

またSC等で、消費者が快適にショッピングを楽しめるようにした歩行者専用の通路をモールという。モールには、通路が屋根で覆われ、人工的な採光を取り入れた全天候型のエンクローズドモールと、通路が屋根で覆われていないオープンモールがある。

以上の他、マーチャンダイジング特性（テナントミックス特性）によって表現されるSC業態もあり、次のようなものがある。

- **スペシャルティセンター**／大型店がなく、専門店や飲食店だけで構成されているSC。ファッションやアミューズメントなどのコンセプトが明確なところが多い
- **ファッションビル**／日本の業界では、先進的なファッション専門店が多数入店している、中規模クラスのビル形式のスペシャルティセンターを指す
- **ライフスタイルセンター**／富裕層が多く住む地域で、比較的高額な商品を取扱う有力専門店で構成され、デザイン性やアメニティ性に富んだオープンモール型のSC
- **パワーセンター**／ディスカウントストア、カテゴリーキラー、ホールセールクラブ、オフプライスストアなど、ディスカウント志向の小売店を中心にテナントミックスしたSC。キーテナントを有するタイプと、そうでないタイプがある
- **アウトレットセンター（アウトレットモール）**／アウトレットストアを中心にテナントミックスしたSC
- **バリューセンター（バリューモール）**／一般の低価格指向のテナントの他に、オフプライスストア、アウトレットストアなどのテナントを入店させている大型のSC

4 ECモール

リアル店舗が集積するショッピングセンターに対し、アパレルメーカーや小売業のネット店舗などが出店しているのがECモールである。ECモールには、ファッションに特化したファッションモール、総合モールの他、百貨店やSCディベロッパーが運営するモールがある。

ECモールには、その運営方式の違いから、次のようなタイプがある。

- **テナント・タイプ**／無数のECサイトが立ち並ぶモール型ECサイトである。ここでは商品登録、受注管理、売上集計等などの管理業務はすべて出店企業が独自に行う
- **マーケットプレイス・タイプ**／モール内で商品を販売したい企業が、商品のデータのみを掲載するタイプのモール型ECサイトである。商品データはモール側が管理する。消費者が商品を購入すると、購入データが企業に送信され、それに応じて企業が発送する
- **フルフィルメント・タイプ**／企業は在庫を預けて、商品撮影、商品登録、受注から出荷までをすべてモール側が行う

以上3つのタイプの他に、それぞれの要素を併せもったり、ミックスしたタイプもある。

4. 服飾雑貨産業・生活雑貨産業、ファッション関連産業・機関

1 アパレル産業と服飾雑貨産業

日本には「ファッション＝アパレル（衣服）」という通念があったが、トータルコーディネート志向の台頭とともに、服飾雑貨（ファッショングッズ）に対する注目度が高まった。さらにファッション化の波が生活全般に広がりを見せるに従い、ファッションビジネスは「ライフスタイル提案」を標榜し、現在では多くのファッションブランドやリテールがアパレルの比率を低下させ、生活関連雑貨などファッションを広域に捉えたアイテム展開を行うようになっている。

昨今の消費者は、自らのファッション表現において服飾雑貨、特にシューズやバッグを自らの個性を表現するためのアイテムとして重視するようになっている。

2 繊維製服飾雑貨産業

服飾雑貨産業のうち、繊維製服飾雑貨産業の構造は、基本的にはアパレル産業と同じであり、生産企業、卸企業で構成されていて、卸企業主導の構造をもっている。主な業界を列記すると、次のようになる。

- ネクタイ業界
- 靴下業界（ソックス業界とパンティストッキング業界に分けられる）
- 手袋業界（編み手袋、縫い手袋、革手袋、作業手袋、ビニール手袋などに分けられる）
- 帽子業界（紳士帽子、婦人帽子、登山・スポーツ帽子、作業帽などに分けられる）
- スカーフ業界
- ストール・マフラー業界
- ハンカチーフ業界

3 靴・履物産業

靴・履物業界は、一般的に次のように大別される。

① 紳士革靴産業

紳士靴業界は、製造業を中心にして形成

され、企画段階から工場に至るまでの一貫した生産体制が構築されている。一般に紳士靴業界は、紳士服業界と同様にその歴史は古く、明治時代の軍靴製造から第二次大戦後に至るまで、日本人の履物の洋風化の主導的な立場をとってきたが、1960年代以降は今日のようなファッション化が進行した。

② 婦人革靴産業

これに対して、多品種・少量・短サイクルという商品特性を有する婦人靴業界では、婦人靴卸売業が企画・デザインを行い、メーカーが素材の調達から生産までを行っている。婦人靴卸売業は、東京・浅草、大阪・西成、愛知・名古屋に多く集積している。一方、このような婦人靴卸売業から受注する立場にある婦人靴メーカーは、型紙づくりと生産管理を行い、製甲、底付けなどの生産工程別の職人グループを管理している。

しかしながら、このような特性をもつ婦人革靴産業も近年では、1）素材の手配から外注生産までの一貫した企画管理、2）紳士靴、婦人靴、バッグ、アクセサリーのトータルな展開、3）直営ショップ展開を行う、いわゆるSPA的なMD・販売システムを備えた企業も多くなっている。

紳士革靴、婦人革靴の業界の流通構造は、**図6**のようになっている。

③ ケミカルシューズ産業

合成皮革・人工皮革を素材とするケミカルシューズは、主に神戸・長田を中心にして生産されている。工程数が少ない短サイクル製品であるため、もともと内職を中心とした生産管理体制であったが、最近ではしだいに工場量産システムを構築しつつある。

なお、ケミカルシューズの素材となる合成皮革・人工皮革は、化成品メーカーや合繊メーカーの合成樹脂部門や不織布部門が生産している。

④ ゴム靴産業

小中高校生向けの日常の履物として、大きなマーケットシェアを誇っているゴム靴業

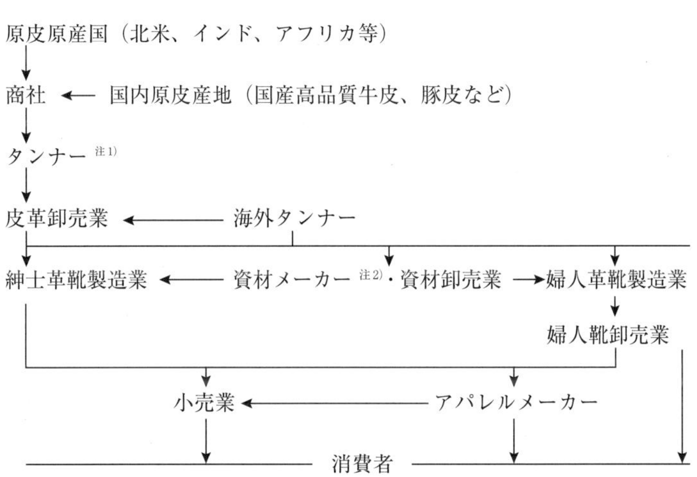

注1) タンナー／なめし業
注2) 資材メーカー／靴のヒール、ソール、芯、靴ひも等を製造するメーカー

図6. 革靴産業の流通構造

界は、大手ゴム靴メーカーと、福山などの産地の中小メーカーで構成されている。全般に、卸売業を通して量販店や靴専門店に流通されている。近年は、消費の高級化に合わせて、この業界からもスポーツシューズを展開する企業も目立っている。

また大手ゴム靴メーカーは、ゴムの製造から始める設備産業であり、ゴム製造業の特性を活かして、タイヤやコンドーム等ゴム関連製品に参入している例も多い。

⑤ スポーツシューズ産業

1980年代以降、飛躍的に伸びた業界がスポーツシューズ業界である。近年では海外企業の進出と同時に、日本の企業の海外進出も顕著である。

4 かばん・袋物・革小物産業

かばん・袋物産業は、一般的に次のように大別される。

① かばん産業

かばん産業は、もともと旅行鞄を製造していた業界で、その商品の特性からも機能性が最重視され、メーカーとして直接工場で生産することも多い（図7）。

② 袋物（バッグ）産業

袋物産業は、前述の婦人革靴産業と同様、企画卸売業がリーダーシップをとっているが、素材調達から外注工場の生産管理に至るまでの企画卸体制を構築している点ではアパレル業界と類似した仕組みになっている。袋物は、靴と比較して、生産工程が少なく生産管理が容易であると同時に、ライフスタイル提案力、デザイン発信力が強く求められることからである。

③ ショッピングバッグ産業

ファッションバッグ業界ともいわれるショッピングバッグ業界は、革を使わず合成皮革・人工皮革等を素材として、実用的なバッグを生産する業界である。この業界

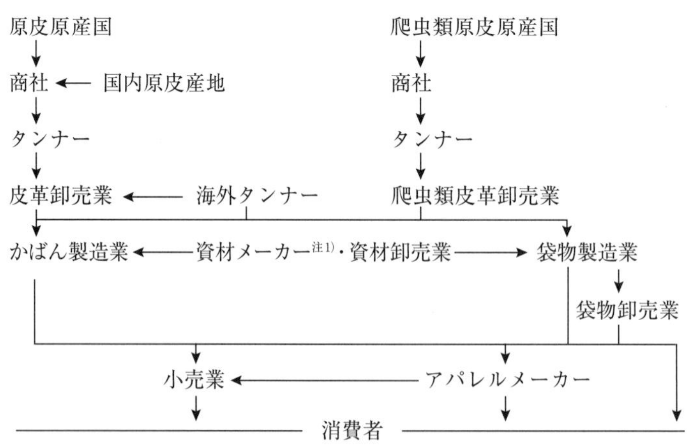

注1）資材メーカー／金具、美錠、ファスナー、芯材、クッション材などを製造するメーカー

図7. かばん・袋物産業の流通構造

は、ケミカルシューズ業界と同様、工程数が少ない短サイクル製品であるため、もとは内職を中心とした生産構造による低廉な物づくりを行っていた。

近年では、ファッション化へのシフトが進みつつあり、袋物業界によるこの分野への進出も目立っている。素材の機能性が靴ほどには要求されないハンドバッグは、デザインの発想から、素材を合皮等に置き換えることも可能であり、低廉であるはずの合皮素材が時には高額商品にもなり得る業界といえる。

5 レザー産業

靴、バッグ、ベルト、レザーウェアなどの皮革素材を提供する産業がレザー産業である。レザー産業は、タンナー（なめし業者）といわれる製造業と、皮革卸売業から構成されている。

製造業であるタンナーとは、原皮をなめして革を製造する企業である。革の原料となる生皮（原皮という）は、そのまま放置すると腐るので、このような生皮をいつまでも腐らず、しかもしなやかさを失わないように加工する必要がある。このように加工することを「なめす」(英語で tan）といい、これを行う企業がタンナーである。

タンナーには、大手タンナーと、姫路や和歌山などの産地の中小タンナーとがある。特に兵庫県の姫路市、たつの市は日本最大の産地で、成牛革の生産は全国の約6割を占める。製品の自社ブランドをもつタンナーも増えている。また豚皮は、国内で自給できる唯一の原皮で、東京都墨田区には豚革製造業者が集中する。ここ数年中国などで需要が伸びており、原皮が不足、高騰して厳しい状況となっている。

皮革卸売業は、東京・浅草、大阪・西成、名古屋など、シューズやバッグの卸売業が集積する集散地にある。

6 装身具産業

装身具産業は、アクセサリー産業ともいわれ、前述の袋物産業と同様に、企画卸売業がリーダーシップをとっており、商品企画、付属パーツメーカー（石細工業、金属加工業）の管理、最終組み立ての管理を行っている。この業界も近年、多角化の動きがあり、本業のイヤリング、ブレスレット、リング、ペンダント、ネックレス、ブローチ、ピアスなどの他に、リボン、スカーフ、ポーチ、ウォッチなどを展開する例も見られる。

装身具でありながらも、アパレルとは一線を引いた独自の販売網を構築しているのが宝飾品（ジュエリー）の業界である。宝飾品は、高額商品であることから、海外高級ブランドの参入が激しいが、日本では老舗の専門店と卸売業がマーケットをリードしている。また、これらの企業から受注する枠メーカーは、山梨県の甲府を中心に産地が形成されており、ここで枠のデザインや加工が行われることが多い。

7 生活雑貨産業

住のライフスタイルを提案する産業は、ホームファッション産業（ホームファニシング産業）ともいわれる。このホームファッション産業のうち、雑貨を扱っているのが生活雑貨産業である。

もとよりホームファッション産業は、生活者の住生活を提案する「業態」である。寝具、カーテン、家具、食器といった品目ごとに分類された業種ではなく、リビング、ベッドルーム、バス・トイレタリー、ダイニング、キッチンといったライフシーンを想定した業態を開発し運営する産業がホームファッション産業である。ホームファッション産業では、モノ発想ではなくライフスタイル発想に基づいて、生活者が自分の空間をコーディネートできるように、テキスタイル、家具、照明、ファブリック、陶器、工業製品（金物、ガラス器など）等の業種横断的なマーチャンダイジングが進められる。

このような生活雑貨産業は、①産地、②産地問屋、③消費地問屋、④小売店、という複雑な流通システムが現在まで続いている。

生活雑貨ビジネスとアパレルビジネスを比較した場合、最も大きな違いは、客単価の安さと商品回転率の低さである。その一方でアパレルと異なる優位点は、商品のファッションサイクルが長いことである。当然、多少の流行はあるものの、シンプルな定番商品に関しては、年間を通して同一の商品を販売できるだけではなく、1年を超えても流行遅れにならないこともある。

生活者の高度化・多様化に併せて、生活全体のファッション化が進展する中で、ファッションビジネスにおける生活関連雑貨の担う役割は、ますます重要性を増していくと予測されている。

8 ファッション関連産業・ファッション関連機関

ファッション関連産業機関とは「ファッション産業の周辺にあって、ファッション企業の業務を支援している産業及び機関」のことである。

① ファッション関連産業

ファッション関連産業には、次のような企業がある。

i）アパレル関連機器産業
- ミシン、アパレル編み機、CAD、裁断機、CAM、その他のアパレル関連機器の製造企業、輸入企業、卸企業
- 織り、編み、染色などの繊維関連機器の製造企業、輸入企業、卸企業　など

ii）物流関連企業
- 運輸企業
- 倉庫企業
- 物流機器・物流資材の製造企業、卸企業　など

iii）表示関連企業
- 織りネーム、タグなどの製造企業、卸企業

iv）ファッションプロモーション・サポート企業
- 広告代理店、販売促進代行企業、コンテンツ制作企業など
- PR 会社
- SNS 関連企業
- イベント関連企業（企画会社、プロデュース会社など）　など

v）店舗設計施工企業
- 店舗設計企業
- 店舗施工企業、店舗内装企業
- 照明器具企業　など

vi）ディスプレイ関連企業
- マネキン、トルソー、陳列什器等の企業　など

vii）販売関連企業
- 販売員派遣会社
- POS システム等の開発・製造企業、卸企業
- E コマース関連企業
- 包装紙、ショッピングバッグなどの製造企業、卸企業　など

viii）ファッションソフトハウス
- 商品等の企画会社
- デザインアトリエ

- 調査会社、情報会社など
- コンサルティング会社　　　　など

ix）ファッションジャーナリズム

- 新聞社
- 雑誌社
- テレビ局
- WEBメディア企業　　　　など

② ファッション関連機関

ファッション関連機関には、繊維ファッション産業・流通業の各業界団体や、第3セクター、学会、研究機関、試験機関などもあるが、行政機関とファッション系教育機関については、次の通りである。

i）行政機関

- 主務官庁である経済産業省、及びその外局としての中小企業庁、特許庁など
- 中小企業基盤整備機構、日本貿易振興機構などの独立行政法人
- 地方自治体
- 地場産業振興センター　　　　など

ii）教育機関

- ファッション分野の専門職大学院
- 大学・短大の服飾系の学部・学科、繊維工学系の学部・学科
- ファッション系専門学校

FASHION BUSINESS

ファッションビジネス知識

第4章

ファッションマーケティング

1. 企業環境の分析方法

1 | マーケティング戦略

マーケティング戦略は、他社との競争環境の中で、特定の目的を達成するために、事業を企画立案していくことである。マーケティング戦略は、一般的に次の3つのプロセスで進められる（図8）。

①**市場機会の分析**／どのような市場をターゲットとするかを定めるために、市場機会を形成する消費者市場、競争相手ブランド、自社及び自社をめぐる環境を分析する

②**ターゲット市場の選定**／最適なターゲット市場（標的市場）を選定し、適切なブランドコンセプトを定める

③**マーケティングミックス**／コンセプトに沿って、最適な商品やサービスを企画し、最適に流通させる戦略を組み立てる

マーケティング戦略とは、市場を分析し、ターゲット消費者の欲求を満足させるための、マーケティングミックスを検討することである。

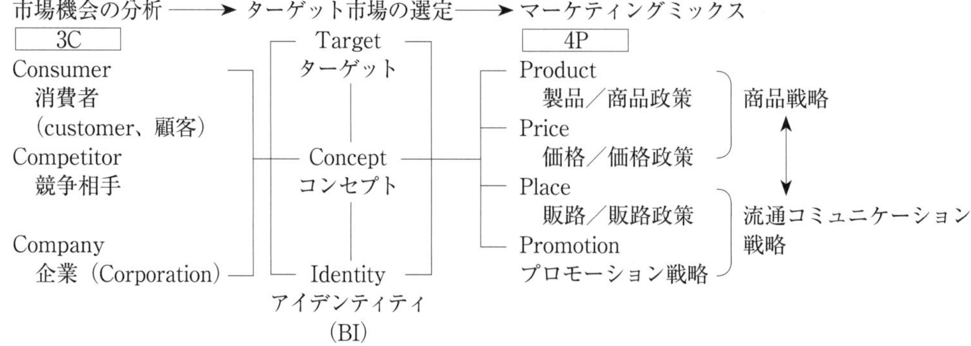

図8. 市場機会の分析、ターゲット市場の選定、マーケティングミックス

2 | 事業環境の分析

市場機会を分析する際の重要なファクターとなるのは3Cである。3Cとは、Consumer（消費者）またはCustomer（顧客）、Competitor（競争相手）、Company（企業）またはCorporationの頭文字である3つのCを指す。

ターゲット市場を選定するには、まず消費者と競争相手企業・ブランドをめぐる環境を知り、かつ自社及び自社が所属する業界状況を知ることが重要だからである。

3Cを分析するにあたっては、次のような点が検討される。

① 消費者環境

消費者（または顧客）は、どのようなモチベーションで、特定の商品（または自社商品）を購入し着用しているのか。

- 消費者（または顧客）は、潜在的にどのような商品、どのようなスタイルを欲しているのか
- 消費者（または顧客）は、今購入している商品になぜ満足しているのか

② 競合環境

- 競合ブランドのポジショニング
- 競合ブランドのマーケティング、マーチャンダイジング活動
- 競合ブランドのSWOT分析

③ 自社環境

- 自社ブランドの実績評価（収益性、成長性、生産性、安定性）
- 自社ブランドのマーチャンダイジング、デザイン、生産背景、チャネル等の分析
- 社内他ブランドとのポジショニング

【SWOT分析】（表4）

企業は、事業の戦略を策定し、マーケティング戦略を導き出すためにSWOT分析を行う。SWOTとはStrengths（強み）、Weaknesses（弱み）、Opportunities（機会）、Threats（脅威）の頭文字を合わせたもの。目標に向けて経営資源の最適活用を図るために自社の外部環境や内部環境をSWOTの4つのカテゴリーで分析する。このように自社を取り巻く環境による影響とそれに対する自社の現状を分析して、自社のビジネス機会を発見するために使用し、他のさまざまな市場調査と合わせて、企業が提供する商品やサービスの対象消費者の意志や感情に基づいた動向を把握する。

3 | 市場調査の意味と特性

マーケティング活動を行う際には、市場調査がその第一歩となる。ブランドの店舗開発や商品市場投入にあたっては、その対象となる市場の特性を知ることが最も重要な活動である。そのため、さまざまな手法で市場調査が行われ、MDや流通戦略、店舗開発に活用される。

消費者は、年齢や属性に関わらず、高度

表4. SWOT分析

	プラス要因	マイナス要因
内部環境	Strengths 強み	Weaknesses 弱み
外部環境	Opportunities 機会	Threats 脅威

化・成熟化しており、市場はますます細分化される傾向がある。ファッション産業で最も重要な要素であるクリエイティブを補完して、さらにビジネスとして成立させるために市場調査がある。

ファッション企業における市場調査の特性は、明確な仮説の立案が求められることである。自動車・加工食品・医薬品等のマスプロダクト製品で行われる市場調査は、大規模に長期間継続して行われることが多い。少品種・大量生産が基本であるため、市場調査の目的は、市場の傾向をつかむことが第一となり、その大枠に沿った製品開発が要求される。しかし、ファッション商品は、多品種・少量生産が原則である。そのため、ターゲットを限定したり、調査目的を限定したり、調査仮説を明確にもったりと、調査手法を多様化させ、商品開発・店舗開発に、より直接的に活用できる情報を得ることを目的とした調査が求められる。

4 市場調査で収集・分析する情報

ファッション企業が市場調査において収集する情報は、①消費者情報、②店舗情報、③競合企業情報、の3つに分けられる。

① 消費者情報

日々変化する消費者の全般的嗜好を把握することを中心に、消費者からの消費行動、好きなファッション・好きなカラー、また店舗・ブランド・服への不満点などの情報を収集する。特定のブランドに対する、認知度・好感度などを調査することも可能である。

② 店舗情報

消費者と直に接している小売りの店頭情報を入手・分析することは、重要である。また、話題の店舗や人気のある商業集積などを調査して、その背景にある消費者ニーズを探ることもできる。

③ 競合企業情報

競合企業情報の分析は、同質化が進む市場の中で、競合に対する優位性を見出す重要な要素となる。競合企業・競合店舗の強み・弱みを把握することが重要である。そのような情報は、マーケティング戦略の根幹をなす情報となる。

5 街頭消費者調査の実施方法

① 観察調査

消費者のファッション傾向を調査するもので、任意写真撮影調査、スタイルカウント、入店退店調査などがある。現在のファッションは、ストリート基点で始まるものも少なくない。ストリートでは、直接的なファッション傾向の他、クラスター別のスタイリングや色の傾向などを把握することも可能である。通常は、先進的なファッションが集中して観察可能なエリア（街）を選択し、一定地点で観察調査を行う。観察調査にはさまざまな方法があり、調査目的に応じて臨機応変に工夫するべきであるが、**表5**（P.49）に代表的な手法を挙げる。

② 消費者アンケート調査

街頭で調査担当者が消費者に直接アンケートを行い、調査したい項目を聞く手法で、最も多く行われる方法の1つ。調査設計によって、多様な分析が可能となる。設計内容の例としては、対象者の年齢・性別・職業・居住地域などの対象者属性や好きな音楽・購読雑誌・よく行く店などの対象者の好み・好きなブランド・好きな店舗

表5. 観察調査の代表的な例

任意写真撮影調査	トレンドカラーや髪型など任意のテーマに基づいて、消費者の写真撮影を行う。時間を決めて、定性的にシャッターを切る方法と、特定の人物を選定して、写真撮影する方法がある。1地点100枚以上など撮影した写真は、テーマに基づいて分類・類型化後、分析する。
スタイルカウント	あるエリアに特定のスタイルの消費者がどのくらいいるかを調査する手法。あらかじめ「ストリート」「モード」などのスタイルを決めて、そのスタイルにあてはまる消費者が一定時間に何人通行するかをカウントする。
入店退店調査	特定店舗を調査する手法。ある店舗を定め、入店客と退店客を数える。退店客がその店舗のショッピングバッグなどをもっているかどうかで、購入客数も推定することができる。その値に推定客単価を乗じることで、売上高を推定でき、競合店調査にも活用できる。

などの目的に応じた項目、また、「あるブランドについてどう思うか」などの目的に応じた自由意見を求める自由回答などがある。**図9**は、アンケート調査の手順である。

③ グループインタビュー

任意の消費者を数人のグループに分け、インタビュー形式で、調査テーマに基づいて話し合ってもらう。その内容を分析し、特定グループの嗜好性の共通項、非共通項を明らかにする。

6 | 競合店調査の実施方法

実施方法はいくつかあり、競合店観察調査、ミステリーショッパーズリサーチ、競合店から退店した顧客へのアンケート調査を行う競合店顧客インタビュー、競合店の取引先担当者にインタビューする取引先インタビューなどがある。ここでは、競合店観察調査とミステリーショッパーズリサーチを詳しく説明する。

① 競合店観察調査

最もよく行われる手法である。①観察によって取扱いブランドやファッションテイストなどを明らかにしたり、店舗環境やディスプレイなどを把握する環境調査と、②観察によって競合店の価格帯を明らかにする価格帯調査、③観察によって競合店の顧客スタイルを明らかにする競合店顧客調査などがある。

② ミステリーショッパーズリサーチ

覆面買い物調査とも呼ばれ、競合店に顧

図9. アンケート調査の手順

客を装って出向き、実際の買い物を行う過程で接客レベルやクレーム処理、顧客サービスの内容などをリサーチする。複数店舗に実施する場合は、比較対照を行う。

7 売上データの分析

小売店やアパレルメーカーの多くがPOSシステムを導入していて、売上データはコンピュータ上に蓄積されている。それらを経年変化で分析することにより、マーケティング活動の資料にできる。

前年との売上比較、前年同月との売上比較、前年同月同日との売上比較など、現時点での売上結果を判断する前年実績対比を行う。現在ではPOSデータに、気温やイベントなど売上げ以外のデータを蓄積することもでき、複数の要素と売上げの関係を把握できる。販売エリアごとの売上げを分析することでエリア間の業績差異を把握するエリア別売上分析、販売担当者ごとの売上業績の差異を把握する担当者別売上分析などがある。

また、入店客数、買上客数、客単価を把握して、計画買上客数や計画客単価から売上げを予測したりする。

8 インターネットを活用した情報分析

インターネット上には、ニュースから個人の書き込みまで、幅広い情報が蓄積されている。この中で自社に有効的な情報を抽出して分析を行う。

インターネット調査は、①質問型の調査、②分析型の調査、の2つに大きく分けられる。①質問型は対象者に質問を投げかけ、回答を収集する調査方法で、②分析型はすでにある情報の中からデータを抽出し分析することで自社のターゲットのニーズやウォンツを見出す調査である。

分析型で取扱うデータは、質問型と比較すると質問への回答と身構えていない状態での発言のため、自然体な生の声の情報を収集できる。また、どこから生まれた情報が、どのメディアを通って、人に広まったかという情報の経路がわかるので、自社でリサーチしたいターゲットへの参考にできるというメリットがある。

2. アパレル企業のマーケティング

1 ファッションマーケティングの特性

アメリカ・マーケティング協会（AMA）では、マーケティングを次のように定義している。

「顧客、クライアント、パートナー、社会全体にとって、価値のある提供物を創造・伝達・配達・交換するための活動であり、一連の制度、そしてプロセスである」

アメリカの経済学者、コトラーは、社会の環境変化に伴い消費者の行動が変化していることを踏まえ、「マーケティング3.0」を提唱している。製品中心のマーケティング1.0、消費者志向のマーケティングであるマーケティング2.0に対し、価値主導のマーケティングをマーケティング3.0と位置づけている。マーケティング3.0は、消費者中心から人間中心へ移行し、世界をより良い場所にしていくという、収益性と企業の社会的責任が両立するマーケティングである。

この考え方をファッション分野に応用すれば、ファッション企業におけるマーケティングの目的は、顧客、取引先、社会全体にとって価値のあるファッション商品を創造し、伝達し、交換する活動であるといえる。

とはいえ、ファッション商品の価値は、モノを所有する満足ではなく、人間の精神的な満足に根ざしていることから、マーケティング活動でも次の点に留意せざるを得ない。

i）ファッションの魅力は、コーディネートされて成立する
ii）ファッション価値は精神的な満足であるため、生活者が求める価値が多様である
iii）ファッション価値は、クリエイション活動によって生み出される
iv）生活者が求める価値は変化する
v）不確実性のもとで、予算設定をしなければならない

これらの問題を解決するために、ファッションアパレル企業では、次のような戦略を採用してきた。

①商品単体では成立しないため、単品を複合させた「ブランド」単位で戦略を構築し、そのブランドコンセプトに基づいてコーディネート提案、ショップ提案をする
②多様性を克服するために、ターゲット戦略に「生活者心理を想定した市場細分化戦略」を採用する
③ブランド単位でデザインコンセプトを設定し、商品デザインからコミュニケーションデザインまで一貫して管理する
④変化を克服するために、ファッションサイクルを想定したマーチャンダイジング戦略を採用する
⑤予算の不確実性を克服するために、ファッション企業らしい個性化と変化に対応できるオペレーション体制を整備する。また売上予算の安定化を図るために、顧客接点である店頭などの現場を想定したマーチャンダイジング戦略を組み立てる

2 ブランドコンセプトとブランディング

マーケティング活動の基軸となるのは、その業態のコンセプトである。それは、アパレル企業の場合はブランドを単位として、アパレル小売企業の場合はショップを単位として表現されることが多い。ファッション提案は、ライフスタイルやスタイリングの提案であるため、単品が集合した商品群（ブランドまたはショップ）としての提案が必要とされるからである。

ブランドコンセプトを的確に消費者に伝達するには、ブランドアイデンティティ（BI）を明確にさせる必要がある。BIとは、他者（実際には消費者や取引先など）から見えるブランドのパーソナリティのことである。

今日のファッション企業にとって、マーケティング戦略の遂行は、ブランディングを実践することである。ブランディングとは、顧客が価値として認識するブランドを構築するための企業活動で、BIにおけるブランドネームやロゴなどが、生活者の頭の中や心の中で、他社ブランドとは異なる価値として認識されるようにする活動といえる。このようにブランディングは、ブランド事業を通してBIを創造し、生活者の信頼感や知名度などの、ブランドがもつ無形の価値、すなわちブ

ランドエクイティを醸成していくことである。

（BI計画の具体的な内容は、第7章-6. ファッション企業のプロモーション、P.125で解説）

3 市場細分化とターゲット顧客の設定

今日のファッション市場では、消費者一人ひとりのニーズやウォンツが多様化しており、また同じ消費者であってもオケージョンに応じて異なる商品を使用する。ファッション企業は、すべての消費者を同時に満足させることができないことから、多様化・個性化傾向にある消費者を、好みや欲求によって属性ごとに細分化して、最適なマーケティング活動を行えるように組み立てる。このように多様化・個性化傾向にある消費者を、年齢・性別・職業・嗜好・使用シーンなどによって属性ごとに細分化することを、市場細分化という。

市場細分化によって細かく分けられた一群をクラスターという。クラスターとは「房」の意味で、似たような属性の消費者が集まった一群のことである。

市場細分化戦略を進めるにあたっては、何よりも生活者のライフスタイルを熟知し、どういった生活シーンでどういったスタイルを提案するかが重要となる。ファッション消費者の分類方法は多々あるが、個性化に対応した市場細分化戦略では、消費者をどういった視点で捉えるかを最初に設定する。

消費者分類の例をいくつか列記すると、次のようになる。

- マインドエイジ別による分類
- 思い入れ度合い（ファッション消費に対する主体性）による分類
- テイスト（キャラクター）による分類
- オケージョン（生活局面）による分類
- モチベーションの違いによる分類
- スタイリングの違いによる分類
- その他

このように消費者を種々の特性に基づいて、いくつかのグループに分類して、それぞれの特徴や相互の差異を明確にすることをクラスター分析という。

ターゲット市場がクラスター分析によって細分化されたならば、どのクラスターをターゲットとするのが適切かを判断し、ターゲットを設定する。ただし、アパレルブランドのターゲットを設定する際には、「イメージターゲット」と「リアルターゲット」の違いにも着目する必要がある。

一般に「リードターゲット」「コアターゲット」ともいわれるイメージターゲットは、ブランドイメージを設定する段階のターゲットである。イメージターゲットとは、デザイナーが「こういった人に、こういったシーンで、こういうふうに着こなしてもらいたい」と願う消費者である。ある意味で、リアルターゲットである多数の消費者が憧れる消費者であり、多数の消費者に影響を与えるリーダーシップをもった消費者である。こういう消費者が購入してくれるからこそ、リアルターゲットの消費者の半歩先、一歩先の、夢を提案できるブランドとなる。

それに対して、リアルターゲットとは、実際の購入客層である。例えば、年齢にズレがある場合は、パターンやディテールにおける違いに注目する必要があり、生活シーンにズレがある場合には、商品構成の比率やVMDにも注意を払う必要がある。ファッションマーケティングでは、商品戦略・価格戦略から流通戦略に至るまで、この差異に留意した戦略構築を行う必要がある。

4 ブランドコンセプトの設定

ターゲット消費者が設定されたならば、そのようなターゲット消費者に対し、どういった満足価値を提案するのか、ブランドコンセプトを設定する。ブランドコンセプトの設定にあたっては、前述した競合環境を分析しておく必要がある。

ファッションマーケティングでは、自社ブランドの特性を明確にするためにも、何らかの座標軸を設定し、競合ブランドや競合店とのコンセプトの違いを明確にする必要がある。縦軸、横軸の設定基準となる、いくつかの分類方法の例を列記すると、以下のようになる。

- ●マインドエイジによる分類
- ●テイスト（キャラクター）による分類
- ●オケージョンによる分類
- ●モチベーションの違いによる分類
- ●グレード（クオリティ）による分類
- ●商品タイプによる分類
- ●ファッションスタイルによる分類（ブリティッシュトラディショナルなど、さまざまな分類方法がある）
- ●ブランド特性による分類
  エレガンス、カジュアル（アクティブ）、ソフィスティケート、カントリー、モダン、エスニック、ロマンティック、マニッシュ、クラシック、モード、ストリート、シンプル、デコラティブなど
- ●その他

このようなブランド分類の手法は、企業によってまちまちであり、またそれでよい。競争相手となるブランドを、どのような座標軸で捉えるか、独自の座標軸を作ること自体が企画の第1歩だからである。

独自の座標軸を設定したならば、次に自社ブランドをその座標軸に位置づけることになる。このように自社ブランドと競合ブランドを、消費者の購買意識を想定したうえで位置づけることを、ブランドポジショニングという。ブランドコンセプトは、このようにブランドポジショニングを明確にしたうえで設定される。

ブランドコンセプトの設定にあたっては、「なぜ、いつ、どこで、何を、どのように、提案するのか」、まずはブランドの主義主張を明確にする。明確なコンセプトがあってこそ、顧客がブランドらしさを感じられ、ブランドアイデンティティ（BI）が形成される。

ブランドコンセプトを設定する際の留意点を列記すると、以下のようになる。

- ●市場や企業内にある多くのブランドの中で、正しく識別できるブランドの知名度
- ●基本的なスタイリングやデザインに表現されるブランドイメージ
- ●縫製・素材の良さ、着やすさ、フィット感などの商品の品質
- ●ターゲット消費者のワードローブ計画に適合した価格編成
- ●ターゲット消費者の購買行動に適合した、販売場所、販売方法、取引形態などの流通戦略
- ●広告、販促などのプロモーション活動で露出されるブランドイメージ

ブランドコンセプトは、ブランドの事業規模にも反映する。事業規模は、当ブランドの商品特性を認識したうえで、今このブランドは導入期にあるのか、それとも成長期なのか、成熟期なのか、といったブランドのライフサイクルを検討し、かつ損益分岐点も考慮に入れながら、最適な規模に設定する。

5 ブランドのマーケティングミックス

マーケティングミックスとは、マーケティング活動における諸要素の最適な組み合わせをいう。マーケティングミックス上の要素は、4P に代表される。改めて詳解すると以下のようになる。

① Product
顧客の求めているニーズを的確に発見し、最適な製品を創造し、提供すること。

② Price
顧客が認める価値を表現する価格を設定すること。

③ Promotion
製品やサービスの特性・価値・価格を市場に伝達し、それを購買につなげるために説得すること。

④ Place
製品をどのような経路にのせて販売するか、流通チャネルの選択を行って実行すること。

アパレルブランドのマーケティングでは、ブランドを1つの単位として進めていくことが多いため、マーケティングミックスにはブランドコンセプトが大きく左右する。具体的には、次のような項目を確認したうえで、最適のマーケティングミックスが展開される。

- ブランドのターゲット消費者（マインドエイジ、テイスト、オケージョン、シーン、スタイリングなど）
- ブランド特性（テイスト、スタイル、グレード、デザイン特性など）
- ブランドの事業規模（目標とする年商、粗利益など）

アパレルブランドのマーケティングミックスとは、想定顧客に対して、ブランドコンセプトに沿って、最適の 4P を組み合わせることなのである。

アパレルブランドのマーケティングミックスには、商品戦略と流通コミュニケーション戦略に大別する考え方もある。

商品戦略とはマーチャンダイジング戦略のことであり、コンセプトに基づいて商品、価格、展開場所、数量、展開時期を検討することである。

アパレルブランドにおける商品戦略には、商品構成と商品開発の2つの側面がある。ファッションビジネスでは、生活者のライフスタイルや購買モチベーションを想定し、スタイリングやコーディネーションを通じて満足価値を提案する必要がある。そのためにブランドコンセプトを基軸にして行われるのが商品構成であり、ファッション予測に始まり、アイデアの発想、デザイン、パターンメーキング、サンプルメーキングから、展示会を経て市場に導入するまでの時系列のプロセスが商品開発である。

また、流通コミュニケーション戦略とは、そのような商品戦略を販売実績として具現させるために、商取引流通（販売経路・出店地域）、物的流通、情報流通（双方向コミュニケーション）を検討することである。最近では、顧客とのコミュニケーションを最重視し、それを達成するためにプロモーション活動、店舗展開（流通チャネル）、物流があると捉える考え方もある。

ファッションブランドのマーケティングミックスは、第1章-1. ファッションビジネスの事業特性（P.10）のファッションアパレル企業の「創」「工」「商」の図表で捉えるとわかりやすい。アパレルブランドのマーケティングは、生活者視点に立って価値を創造することを目的としており、この目的を達成するために、コミュニケーション、商品企画、モデリング、生産管理、ロジスティクス、販売管理の6つの機能が遂行される。

これら6つの機能のうち、コミュニケーション、商品企画、モデリング、生産管理（物づくり）の業務が商品戦略（マーチャンダイジング）に関わる分野であり、生産管理（素材調達、外注）、ロジスティクス、販売管理、コミュニケーションの業務が流通コミュニケーション戦略に関わる分野である。

6 | 新ブランドの開発

ファッションマーケティングでは、既存ブランドのコンセプトも市場変化に合わせて随時更新していくことが多い。その一方で、新しい消費者ニーズを創造すべき新ブランドを開発することも多い。

新ブランドの開発は、中長期的な企業戦略のもとに、市場機会の分析、ターゲット市場の選定、マーケティングミックスの順に計画される。新ブランド開発のプロセスを図示すると**図10**のようになる。

一般に新ブランドは、次のような視点に着目して開発されることが多い。

- 世代変化にともなった、新しいブランドを開発する
- 消費者意識の変化にともなった、新しいライフスタイルを開発する
- 社会の変化にともなった、新しい社会意識に着目する
- 社会の変化にともなった、新しい人間関係に着目する
- 新しいデザインクリエイションを提案する
- 消費者の視点に立って、新しい感動を見つけ出す
- 消費者行動の変化にともなって、新しい機能性を開発する
- 生活者の精神的な利便性を追求する
- 徹底したコストパフォーマンスを追求する

①中長期的企業戦略による
新ブランドの要請
↓
②新ブランドマーケティング方針の策定
↓
③市場機会の分析1／市場の分析
↓
④市場機会の分析2／自社環境の分析
↓
⑤ターゲット市場の選定
↓
⑥ブランドポジショニングの設定
↓
⑦ブランドコンセプトの設定
↓
⑧マーケティングミックス企画

図10. 新ブランド開発のプロセス

3. 小売業のマーケティング

従来のファッションマーケティングは、製品（ブランド）を基準にしたアパレルマーケティングと、店舗を中心に据えたリテールマーケティングに大別されてきた。前者が商品開発から流通、プロモーションまでを主体とするのに対して、後者は店舗売上げの獲得を目的としたエリア対応、ターゲット戦略、さらにインストアマーチャンダイジング（売場ゾーニング、販売促進、VMD）といったマーケティングミックスの連動性に主眼が置かれる。しかし時代の変化とともに、両者を統合したSPAやいわゆる店持ちアパレルの台頭により両者の区分けはあいまいとなり、さらにネット販売の併用が常態化した現在においては、ファッションマーケティングはより複雑になっている。

1 立地とエリアマーケティング

そうした状況の中、逆に消費者と直接触れ合うリアル店舗の重要性が見直される風潮もあるため、リテールマーケティングの基本をしっかり押さえておく必要がある。リアル店舗にとって最も重要な外部環境要因の1つが、立地（ロケーション）選定である。出店立地をどこにするかで、店舗の業績は大きく左右され、また一度出店すれば、容易に変更することはできない。

小売業においては、それぞれのショップコンセプト及びターゲット設定に適合する出店立地選定が大前提となるが、出店するエリアの特性に応じてマーケティングミックスを調整する必要はある。立地は、都道府県、市区、町村、店舗敷地（または館内敷地）と細分化され、それぞれ異なったレベルでのマーケティング情報の収集や調査・分析が行われる。近年では日本のファッションブランドやショップのグローバル進出も盛んであるが、こうした基本に変わりはない。

【A. エリア・立地分類】

① 中心市街地

ファッション店舗にとって最も重要なエリアが、中心市街地である。特に渋谷や新宿などの大型小売店舗が集まる商業立地は、桁外れの商業集客力を有しており、ファッション小売業にとっての魅力は高い。一方、ライバルとの激しい競争を強いられる、高額な家賃を要する、といった要素もともなうため、それらの条件をクリアできるレベルの売上げ確保が求められる。

② 郊外立地

モータリゼーションの普及により、新たな商業立地として活性化したのが、郊外の主要幹線道路沿いである。自動車によるアクセスの容易さに加え、地価の安さから十分な駐車スペース、低層で広い売場面積を確保することも可能である。かつては低価格の最寄り品を展開する小売業態の進出が多く見られたが、近年ではSCを中心としたファッション関連の商業施設の開設が相次いでいる。

③ フリースタンディングと商業集積テナント

フリースタンディングとは、一般的には路面の独立店を指す。立地環境には、路面に単独で出店するケースと、ショッピングセンターなどの商業集積内にテナントとして出店するケースがあるが、それぞれにマーケティング戦略は異なる。

④ トラフィックチャネル

トラフィックチャネルとは、日常の移動、観光、帰省、出張などの人の流れの多い交通機関関連の施設内の販路を指す。具体的には、駅ナカ、高速道路のサービスエリア、空港の商業施設などが挙げられる。基本的に小売業にとって生命線となる店前通行人数の確保をクリアすることができるため、近年、著しく増加している。

【B. エリアマーケティング】

エリアマーケティングとは、自社の店舗をどのエリアに新規出店すべきか、すでに存在している店舗の売上げを立地エリア内で、いかにして拡大させるか、の大きくは2つの課題を解決するためのマーケティング手法である。

① 出店時のエリアマーケティング

新規出店する際のエリアマーケティングでは、綿密な候補商圏の調査を行う。商業統計調査、家計調査年報、住民基本台帳など、政府系機関の発行する各種統計資料から当該エリアに関連した数値を拾い出し、市況、消費者状況、ターゲット年齢分布などを分析する。次に実際に現地を訪れ、「街並み」「生活者イメージ」「競合店舗状況」、さらに候補立地の「人通り」など、定性的な調査を行い、自社の内部条件（商品特性、実績、投資計画など）を勘案し、出店の是非や出店した際の想定売上高などを判断する。

② 既存店のためのエリアマーケティング

既存店の売上げ拡大のためのエリアマーケティングでは、主にエリアの変化に着目する。経済環境を中心とした社会環境の変化は、エリア特性に大きな影響を与える。また都市計画（都市再開発計画、道路計画、その他施設計画）の進展や変更がエリアに及ぼす影響も大きい。新規出店の際とほぼ同じ方法でエリアの基本数値、エリアの定性的特性を改めて把握するようにして、エリア環境の変化を分析し、その結果に対応すべく、より総合的な見地からマーケティング戦略を再構築する。

2 | 商圏

商業活動を実施する領域の呼び名には、「市場」と「商圏」がある。市場とは、需要の集積を指し、主に消費者の細分化により表される。一方、商圏とは、特定の店舗（商業集積）に消費者が来店する、あるいは来店が見込まれる地理的な範囲や要する時間を指し、主に地域の細分化により表される。

◎ 1次商圏と2次商圏

取扱商品の特性によって、その範囲は異なるが、商圏を1次と2次に分けて考えるケースが多い。1次商圏は、当該店舗がまずカバーするべき商圏で、商圏内販売シェアを2次商圏よりも高く設定する。一般に最寄り品の商圏は狭く設定して、高い商圏内シェア獲得を目指し、買回り品は商圏を広く設定し、商圏内シェアは低く設定する。また商圏設定の方法としては、一般的な業態特性から判断する方法と、実際の店舗実績や周辺環境を勘案して個別に設定する方法がある。

ファッション商品では、次のような傾向も見られる。

- 大型店は小型店よりも商圏を広く設定する
- 店舗数の少ない業態は店舗数の多い業態よりも商圏を広く設定する
- 専門性の高い店舗ほど商圏を広く設定する

3 | ショップコンセプトの策定

ショップコンセプトとは、そのショップ運営の指針となる基本方針のことである。実際に店舗を立ち上げる際には、すでに一定のコンセプトイメージは描かれているはずなので、次の3つの点から、より明確なものにしていく。

- **戦略領域**／どのような商品を扱い、どのようなライフスタイルを提案、あるいは利便性を提供するのか
- **ターゲット**／誰に対して、その店舗が機能するのか
- **差別的優位性・独自性**／コアコンピタンス（競合先に打ち勝てる核となる能力）は何か

ファッション小売店舗での戦略領域やターゲットの設定においては、市場細分化戦略を用いることが多い。店舗開設にあ

たっては、誰しも「より多くの人に購入してほしい」という心境になる。しかし、売場面積には限界があり、あらゆる人の要望に応えようとすれば焦点がぼやけ、誰にとっても不満足なショップとなってしまう。「一定の売上高確保」と「良好なショップイメージ」という、一見、相反する2つを高いレベルで両立させるためには、市場細分化戦略によって、一度ターゲットを絞り込み、そのターゲットに向けてバラエティ性を出すことがポイントとなる。

① 戦略領域を定める

戦略領域を定める際は、カジュアル、ビジネス、フォーマルなどのターゲットが着用するオケージョン、エレガンス、ストリート、トラディショナルといったファッションテイスト、ベーシック、トレンディといった商品特性などから検討がなされる。

また、アパレルならワンアイテムからフルアイテム、雑貨なら服飾雑貨から生活雑貨のうち、どこまでを取扱うのかといった商品構成の幅、さらに「古着を売る」「オーダーメイドやカスタマイズを受ける」「カフェを併設する」などの選択肢も多く存在するため、自店のコンセプトと運営の効率性を鑑(かんが)みて検討する必要がある。

② ターゲット設定

上記の戦略領域を踏まえて、より明確なターゲット設定を行う。性別や年齢、収入といったデモグラフィック要因（統計的要因）に加えて、ライフスタイル志向やファッション感度レベルなどのサイコグラフィック要因（心理的要因）も詳細に検討する。その際、ターゲットプロファイリングを作成すると、顧客の潜在ニーズの発見・提案につながる。

③ コアコンピタンスの設定

店舗の新規開設においては、すでに存在している店舗を「なぞる」マーケティング戦略では意味がなく、差別的優位性・独自性の設定が求められる。

オーバーストアが進展する中、現在のファッションマーケティングではマーケットインの考え方が主流となっている。マーケットインとは、供給側主導のプロダクトアウトに対して、消費者のニーズや市場の動向に応じて、品揃えや顧客対応をしようとする、いわば消費者主権のマーケティングの考え方である。そのための情報収集の精度は、インターネットの普及により、以前に比べて格段に上がっている。

ただし、注意すべきはその結果である。「どこの店も同じような商品ばかり」と同質化を消費者が指摘する声も多く聞かれるようになっている。同じような商品であれば低価格競争に巻き込まれ、そこでは商品の生産ロットを大きくすることができる規模の企業による争いとなる。

肝心なのは莫大な量の情報収集は、あくまでも大きな流れを把握するためのものであり、それに対する答えは決して1つではないということである。具体的なマーケティング戦略の立案においては、自店のコンセプトやコアコンピタンスから、独自の予測に基づき差別化を図ることが重要となる。

4 | SI計画

SIとはショップアイデンティティ、あるいはストアアイデンティティの略で、いわば「その店らしさ」を指す。ショップにはSI表現により独自のコンセプトを、一貫性をもって消費者にわかりやすく伝えることが求められるため、綿密なSI計画を立案する必要がある。具体的には次のような要素が挙げられる。

- **ショップ名**／消費者とのコミュニケーション手段となるショップ名の設定は、きわめて重要である。ショップコンセプトに見合うイメージのネーミングを考案し、それを体現するロゴタイプで表現する。その際は商標登録についての確認を行う必要がある
- **環境計画**／店舗の外装・内装、売場づくりなどの計画では、いかにして展開商品を際立たせることができるかを考慮しながら検討する
- **デザイン計画**／環境計画をベースに、ファサードやサイン、POPなど、店内のあらゆる要素に至るまで統一されたテイスト表現が求められる
- **スタッフマネジメント**／スタッフの着装、接客対応方式なども店舗コンセプトと連動した規定を策定する
- **セールスプロモーション**／DM、ルックブック、ショッピングバッグ、ホームページなど、消費者とのコミュニケーションツールに関しても、上記SI計画に基づいたグラフィックアプリケーションを正確に反映させる必要がある

5 | 小売業のマーケティングミックス

小売業のマーケティングミックスは、業態コンセプトによって異なる。具体的には、その業態の対象となるターゲット消費者の年齢層やテイスト、グレード、事業規模といった項目を確認したうえで、最適なマーケティングミックスが展開される。

いずれにおいても、生活者の視点に立って価値を創造し、提供することが目的となる。これを達成するために、MD、VMD、店舗管理、販売管理、ロジスティクス、コミュニケーションなどの機能が遂行される。

6 | 大型店（SCなどの商業集積を含む）のマーケティング活動

大型店舗は、中・小規模の店舗と比較してターゲット層が広く、取扱い商品やブランド（テナント）の幅も広い。そのためマーケティング活動においては、いかにして集客力を高めるかに主眼が置かれる。例えばプロモーション活動では、マスメディアを活用して、店舗や館の知名度や好感度の向上に注力する。さらに定期的にキャンペーンやイベントを開催して、消費者の来店動機を促すことも重視される。

4. インターネットとマーケティング

1 | デジタルマーケティング

有店舗小売業に対する無店舗小売業には、カタログ販売や訪問販売などがあるが、現在の主流はインターネットを介してのEC（電子商取引）となっている。

マーケティングはその歴史を見ても、製品中心から消費者中心へシフトしてきたように、常に進化し続けるものである。特に近年の急速なスマートフォンの浸透は、マーケティングの概念を大きく変え、現在はデジタルマーケティング全盛の時代となっている。

有店舗小売業における顧客接点の中心はあくまでも店舗であるが、ECでは、さまざまなメディアがその役割を担う。そのため、コンピュータを駆使した顧客データベース管理とその活用がマーケティング活動の根幹をなす。

今日の消費者は、スマートフォンで検索すれば簡単に目的の商品やサービスにたどり着ける。「いつでも、どこでも買い物を楽しむ」ことができるライブ感覚の消費スタイルの定着は、マーケティングにおける「時間と場所」の概念を大きく変えた。

2 | O2Oからオムニチャネルへ

O2Oとは“online to offline”のことで、ネットとリアル店舗を連携させる概念を指す。さまざまな調査において、ネットとリアルのどちらかで購入する顧客よりも双方を活用する顧客のほうが買上金額が高い、ということが明らかになっている。

かつては、企業内のEC部門とリアル店舗は競争関係と捉えられていたが、今では売上げになるなら、顧客がどのチャネルで購入してもかまわないという考え方になっている。そのため顧客や在庫などに関する情報の一元管理を図り、社内で共有するという体制が採られている。こうした考え方はさらにオムニチャネル化へと進んでいる。オムニチャネルとはO2O、すなわちネットとリアルに加え、さらにマスメディアやイベント、ワークショップなど、あらゆる顧客接点からのシームレスなコミュニケーションを試み、最終的に販売につなげることを指す。

3 | ダイレクトマーケティング

ダイレクトマーケティングとは、ITを駆使して、ターゲット消費者となる個人と直接コミュニケートして、反応を獲得しながら、継続的な関係性を構築しようとするマーケティング手法である。例えば、ネットショップの場合、消費者が商品を購入したり資料請求をしたりする際には、住所、氏名、連絡先などの個人情報の入力が求められる。こうした消費者の基本情報や購買履歴情報は、次の購買商品や関連商品の提案に結びつけることができる。

数多くのショップが出店している大型ネットモールの場合は、顧客が一度登録した情報を他店でも共有することになるため、消費者はワンクリックで、さまざまなショップでの買い物を楽しむことができる。

一方、そのようなモールに出店していない企業やブランドの単独のネットショップでは、独自の登録フォームに登録してもらう必要がある。ただし、大手のモールやECサービスサイトのIDと連携を図りながら、独自のネットショップであっても会員登録なしで、ワンクリックで購入できるシステムを導入しているケースもある。いずれにしても、消費者が商品やサービスを購買した後には、使用後の感想や評価を踏まえた新商品の紹介ができる。

このように、ダイレクトマーケティングでは、ネットショップ側から顧客側に随時、次の購買アクションへのアプローチが可能となる。もちろん実店舗でもポイントカードやハウスカードなどから顧客情報を得ることはできる。しかし入会するための、その場での記入や入力登録には煩(わずら)わしさがともない、さらに「カードを忘れた、紛失した」といったことも少なからず起きるため、精度の高い顧客情報の活用という点ではネットショップに劣る。

実施段階において重要なのは、ウェブ上の媒体だけでなく、あえて従来のカタログやシーズンのグリーティングなども紙媒体で送付することである。特にファッションアイテムの場合、そのようなデジタルにない温かみが感じられる媒体を併用することで、より効果的なダイレクトマーケティングの実現につながる。

4 ネットショップのダイレクトマーケティング

ネットショップのダイレクトマーケティングでは、従来のマーケティングの4Pをネットの特性に合わせて実施する。商品戦略ではネット上でのマーケティングリサーチの活用が有効となる。また流通戦略においては、直接、消費者からのオーダーを受けて販売することができるため中間コストが省け、消費者に、よりリーズナブルプライスでの商品提供が可能となる。さらに消費者からのフィードバックを直に受け取ることによるメリットもある。例えば、ネット上で商品企画に関するアイデアを募集して商品化し、受注販売すれば、在庫リスクの軽減が図れ、意見が採用された消費者の参画意識の高まりは、より親密な関係性の構築にもつながる。

5 既存会員へのプロモーション

既存会員に対するプロモーションでは、オウンドメディア（P.125の**表17**参照）の活用が重要となる。そこでは、自社やブランドのウェブサイトやソーシャルメディアを活用して、商品情報やブランドの歴史的ストーリー、商品製造の背景などを紹介しながら、ブランドのメッセージや価値を発信していく。

ウェブサイトには地理的範囲の制限を受けずに世界中の人に情報を伝えることができるというメリットとともに、リアルタイムに更新ができるという強みもある。この強みを利用して、特に消費者の閲覧や更新の頻度が高いウェブサイトでは、時間を限定したイベント開催やメッセージ発信が有効となり、そうした情報を拡散した際の特典を設けるとさらに効果が増す。

6 ネットショップ単独の運営

ネットショップのみを運営している場合は、あえて実店舗を開設しなくても効果的な集客が図れる方策もある。ネットショップしかない場合、消費者は運営側の背景や実態がつかみづらく、購入に不安を感じることもあるため、信頼感の獲得に留意する必要がある。これにはフェイス・トゥ・フェイスで話せるイベントの開催や、ポップアップショップの設置が有効である。ポップアップショップとは期間限定店のことで、自社のターゲット層が多く集まるような商業施設に短期間でも出店することで、消費者の認知度を高めたり、消費者の生の声を確認したりすることができる。こうしたイベントの告知やリアルタイムでの実況、ポップアップショップの状況報告などを、サイトやSNSで発信することで、さらに効果が高まる。このようにコストをかけずとも、ネットとリアルの連携を工夫することで大きな相乗効果を引き出すことが大切である。

7 | ネットとプロモーション

ネット上のプロモーションでは、特にファッション分野においては、画像や動画を駆使して視覚的にブランドやショップの世界観を表現することが効果的である。

ネットショップのプロモーションは、新規顧客の獲得と既存客のリピーター化に大別される。新規顧客獲得のためのプロモーションとしては、広告、DMの配布、SEO対策、PPC(Pay Per Click)広告、カテゴリ登録などの検索エンジンマーケティング(SEM)、メールマガジンの発行、プレゼント企画の実施、アフィリエイト、ポータルサイトへのバナー広告などがある。リピーター化のためのプロモーションについては、すでに手元にある顧客情報を活用したメールマガジンの発行、サンクスメール、商品提案メール、還元セール、友人・家族紹介キャンペーンなど、登録会員に向けたよりパーソナルな限定企画が効果的である。

メディアによっては、短くわかりやすく情報を伝えるために商品やネットショップのキーワードを設定することが必要となる。また、消費者が商品やブランドに関する情報を書き込むメディアも多く存在するので、自社のターゲットとなる消費者が、どのメディアをよく利用しているのかを把握したうえで、適切なメディアを選択し露出を行っていく必要がある。

8 | ネット広告

ネットでの広告には、主にPPC広告に含まれるリスティング広告とソーシャルメディアでの広告がある。いずれにおいても、消費者がサイトやアプリの閲覧や検索の際に、目に留まりやすい表現を行い、いち早く自社の情報が出てくるように設定することが重要となり、そのための4P戦略ミックスが重要となる。ネットビジネスでは、必ずマーケティング戦略実施後の効果測定を行い、そこでの課題を抽出し今後の改善を検討する必要がある。この一連のプロセスをPDCAという。

9 | 検索エンジン対策

ネットを活用したリサーチの方法としては、GoogleやYahooのようなポータルサイトでキーワードから検索を行い、該当サイトから情報を得るのが一般的といえる。このようにして消費者は日々、さまざまな商品情報を検索している。そのため企業側は、消費者が検索エンジンサイトで検索した際に、上位に表示されるように対策を講じる必要がある。高額な広告料を支払えば有利なエリアに表示してもらうこともできるが、基本的に自社メディアのコンテンツ内容を深めることが、ブランド名や企業名などをキーワードとして上位にランクさせることにつながる。またGoogleなどの検索エンジンを保有するポータルサイトでは、企業情報やブランド情報に関しても登録ができる。検索エンジン対策では、日々増え続ける新たなメディアに合わせた手法を考慮しなければならないが、大切なのは、その中身の充実を図るための企業努力である。

10 | 消費者購買モデル「AISAS」

消費者購買モデルの一例として「AISAS」(電通)という考え方がある。AISASの「A」はAttention、まず対象に目を留める「注意」や「注意喚起」。「I」はInterest、その対象に対して「興味」や「関心」をもつ。「S」はSearch、検索エンジンなどで詳しい情報を「検索」する。そして「A」はAction、さまざまな「行動」を消費者自ら起こすこととなる。ここでの「行動」とは、必ずしも購入とは限らず、資料請求や企業が開催するイベントなどへの参加、企業のアイコンやキャラクターのノベルティの使用などのコンバージョンも含まれる。昨今の企業では消費者が購入することだけがゴールではなく、自社のブランドや製品に興味をもたせることを先決とし、そこからファンになってもらいLTV（Life Time Value＝顧客生涯価値）を高めることが、最終的に売上げや利益につながるという考え方が主流になっている。従来の消費者購買モデルに必ずあった購買行動がないという点が大きな変化である。最後の「S」はShareで、情報の共有を表す。具体的にはSNSや口コミサイトなどに情報を書き込んだり、載せたりすることであり、このShareが非常に重要なキーポイントとなる。「良い情報も悪い情報も」即座に共有され、一気にウェブ上に拡散される現状を十分に考慮したビジネス運営が求められる。

11 キャッシュレス対応

キャッシュレスとは、物理的な現金（紙幣・硬貨）を使用せずに商品やサービスの売買を行う状態のこと。その支払い手段には、交通電子マネーのようなプリペイド（前払い）、デビットカードのようなリアルタイムペイ（即時払い）、クレジットカードのようなポストペイ（後払い）がある。また、スマートフォンと連携している電子マネーや、スマートフォンの中にあるアプリ上で決済する電子マネーなど多種多様な形態が存在する。

日本では、通勤や通学で電車やバスなどの公共交通機関を利用する多くの人が、交通系電子マネーを所有しており、駅ナカ・駅チカなどやコンビニエンスストア等のチェーン店での決済に使用することもできる。

他方、国外ではスマートフォンと連動した電子マネーの普及が多く見られる。スマートフォン、あるいは店側の端末がリーダーとなり、スマートフォンの中のアプリなどと連動して決済を行うというスタイルである。また訪日外国人の増加にともない、インバウンド対応の決済方式の導入も増えており、今や越境ビジネスには電子マネーが欠かせない要素となっている。

FASHION BUSINESS 2

ファッションビジネス知識

第5章 ファッションマーチャンダイジング

1. アパレルMDと商品開発

1 アパレルマーチャンダイジングの特性

AMA（アメリカ・マーケティング協会）は1948年に、マーチャンダイジングを次のように定義しているが、その考え方は現在も通用する。

「マーケティング活動における、最適な商品、サービスを、最適な場所と時期に、最適な数量と価格で取り扱うことに関する計画」

このことからも、マーチャンダイジング（以下、MDと記述）は次の「5適（five rights）」を基本要素としていることがわかる。

①適品（right merchandise）／シーズンの方針に基づいた、最適な商品の開発と構成
②適所（right place）／ターゲット顧客にとっての、最適な売場の選択とフェイシング
③適時（right time）／販売時期を想定した、シーズン別・月別・週別の納期計画
④適量（right quantity）／売場ごとの適正な数量の設定と、生産ロットの検討
⑤適価（right price）／商品価値とのバランスを考えた価格設定

アパレル企業では、5適のそれぞれが深く関わり合っている。例えば、最適な商品は、消費者が欲しい時期に買える価格で提供されて初めて成立するし、価格は原価と目標利益率も併せて考慮する過程で設定される。もちろん原価は、生産ロットが多いほど低減し、また工場に対する発注が早いほど計画生産が可能となって低減する。工場への発注を早めるには、企画のスタートを早め、より先のシーズンを予測する必要があり、最適な商品を開発するにあたってのリスクは増大する。要は、そういった5適の機能を最適にミックスすることがMDの根幹になる。

2 商品構成と商品開発

アパレルブランドにおける商品戦略には、商品構成と商品開発の2つの側面がある。

商品構成とは、市場のニーズに適合した商品の組み合わせのことをいう。ファッションビジネスでは、生活者のライフスタイル

や購買モチベーションを想定する中で、スタイリングやコーディネーションを通して満足価値を提案する必要があるが、そのためにブランドコンセプトを基軸に行われるのが商品構成である。

商品構成を進めるにあたっては、次のような要素が検討される。

- **商品の幅**／アイテムの広がり、素材の広がり、価格の広がり、オケージョンの広がり、テイストの広がり、スタイルの広がりなど
- **商品の奥行き**／アイテムごとの型数、色数、サイズ展開など

これら商品の幅と奥行きは、価格、展開場所、展開時期、数量、いわゆるマーチャンダイジングの５適を検討する中で決定される。

次に商品開発とは、新しい商品のアイデアを発想してから、実際に市場に導入されるまでのプロセスを指す。アパレル企業においては、ファッション予測から始まり、デザインアイデアの発想、デザイニング、パターンメーキング、サンプルメーキングから、展示会を経て、市場に導入するまでの時系列のプロセスである。アパレル企業は、ブランドコンセプトに次シーズンの予測を掛け合わせながら、シーズンごと月ごとの商品構成を計画する。その商品構成の方針（シーズンMDコンセプト）に基づいて、商品開発が行われるのである。

このように開発された商品の構成も、適正な価格が設定されていなければ、市場に浸透・定着させることができない。価格は企業にとって、売上げを伸ばし、利益を確保するための重要なファクターである。

3 ｜ マーチャンダイジング基本計画

マーチャンダイジング基本計画とは、年度やシーズンを超えたMDの基本的な考え方を設定することであり、具体的には
①ターゲットイメージの明確化
②ブランドイメージの明確化
③マーチャンダイジング方針の設定
が検討される。

① ターゲットイメージの明確化

ターゲット顧客のイメージ（プロファイル）と、着用する際のオケージョンやシーンが設定される。

【ターゲット顧客のイメージを設定する際の項目】

- パーソナリティ（人生の生き方・考え方、美意識、生活観、人との接し方など）
- 性別
- マインドエイジ（年齢）、育った環境
- 職業、階層、年収
- ファッション感度
- ファッションに対するこだわり度
- ライフスタイル（衣・食・住・遊・知・休）
- アティチュード（商品・デザイン・ブランドの好み、情報の取り入れ方、ウェアリング特性、価格に対する反応）など

【着用するオケージョンやシーンを設定する際の項目】

- **オケージョン**／オフィシャル、プライベート（ホーム）、アクティブ、ソーシャルなど
- **着用シーン**／キャンパス、オフィス、ホーム、ワンマイル、パーティ、アウトドア、ウィークエンド・レジャーその他

② ブランドイメージの明確化

マインドエイジ、テイスト、感性、オケージョンの他に、グレード分類やスタイリングによる分類がよく使われる。

グレード分類とは、商品の価格帯による分類方法で、価格帯の高い順に、プレステージ、ブリッジ、アッパーベター、ミディアムベター、ボリューム、バジェットなどと分類されることが多いが、必ずしもそれらの線引きは明確でなく、メディアや業界によっても異なった分類方法がされている。

また、ブランドのスタイリングイメージを明確にする場合は、ファッションスタイリング用語を使うと同時に、言葉だけでは十分に表現できないため、ビジュアルマップを作成することが多い。

ターゲット顧客像やブランドイメージが明確になれば、次にマーチャンダイジング方針が設定される。

③ マーチャンダイジング方針の設定

ブランドのマーチャンダイジング方針とは、シーズントレンドや売れ筋動向に影響されない基本方針で、具体的には秋冬・春夏別に、次のような項目に沿って方針が組み立てられる。

- 基本的なスタイリング特性
- 基本的なデザイン、パターン、縫製特性
- 基本的なアイテム構成、素材構成（布帛、ニット、カットソーの比率）
- 基本的な価格ゾーン
- 基本的な生産特性
- 基本的な販売方法
- 店頭展開時期のガイドライン

なお、MD基本計画は、新ブランドを開発する際には必ず作られるが、既存ブランドのシーズンプランを策定する際にも、再度確認すると同時に、場合によってはそれを機会にコンセプトの見直しをする。コンセプトの見直しは、ヤング対象のブランドほど短サイクルである。学生であるヤング層は、数年経てば卒業し社会人となっているからだ。当然、ヤング層を対象とした場合、今までの顧客ではなく、これまで中高生であった生活者が対象となるが、世代が違えば生活環境も生活意識も異なる。もう一度、ターゲット顧客の特性を見直すことから始まるわけである。

4 アパレルマーチャンダイジングの業務フロー

アパレルメーカーでは、概ね**図11**（P.67）のようなプロセスでマーチャンダイジング業務が進められる。

①**「ブランドコンセプト確認」段階**／ターゲットイメージ、ブランドイメージ、マーチャンダイジング方針などを確認する

②**「シーズンコンセプト設定」段階**／自社ブランドの結果情報やファッション予測情報などの分析結果を参考に、春夏、秋冬ごとに、シーズンイメージ、スタイリング、シーズン・マスターデザイン、テーマカラー、テーマ素材、商品構成（月別アイテム別型数構成とプライスゾーン）の基本方針を設定する。その後、シーズンコンセプトに基づいて、月別（または展示会）のデザインテーマ、商品構成方針、VMD方針などを検討する

③**「デザイン決定、商品構成立案」段階**／シーズンコンセプトと月別コンセプトに沿ってデザインや素材開発を行う。その後、スタイリング計画と並行して、アイテムごとにデザインを決定し、商品構成（月別アイテム別商品構成とプライスゾーン）や店頭フェイシング（商品陳列）を計画する

① ブランドコンセプトの確認と再構築
- ターゲットの確認と再構築
- ブランドイメージの確認と再構築
- マーチャンダイジング方針の確認と再構築
- 店舗立地・規模・ゾーニングの確認
- 商品販売時期の確認
- 業務スケジュールの設定
- 顧客動向、店頭、競合ブランドなど結果情報の収集・分析
- ファッション予測

↓

② シーズンコンセプト、月別コンセプトの作成
- 店タイプ別販売予算計画の作成
- シーズンテーマの決定
- シーズンの基本的なスタイリングとシーズンマスターデザインの作成
- シーズンの基本カラー、イメージ素材の設定
- シーズン商品構成の大枠の作成（アイテム、型数、アイテム別プライスゾーン）
- 月別ゾーニング・商品構成の大枠の作成
- デザイン
- ファブリケーション

↓

③ デザインと商品構成の決定
- デザイン決定、デザイン修正
- スタイリング計画の決定
- 店頭フェイシングを想定したアイテム別 SKU 構成の立案
- 素材構成表の作成、一部素材発注
- パターンメーキング、縫製仕様書作成
- サンプルメーキング

↓

④ 商品と上代の決定、素材調達と生産の決定
- サンプル検討と、商品の決定
- 原価表の作成と上代の決定
- 最終的な素材と素材ロットの決定、素材発注
- 生産数量と納期の決定
- 月別 VMD の基本パターンの作成
- パターン修正、サンプル修正など
- プレゼンテーション準備
- 商品説明会でのプレゼンテーション
- 生産
- 商品の配分と納入

↓

⑤ 店頭販売、期中企画・生産
- 各店別 VMD 計画の作成
- 店頭フェイシング、ディスプレイ
- 店頭販売と、店頭情報の収集
- 期中商品企画と QR 生産

↓

◎次シーズンマーチャンダイジングへのフィードバック

図 11. SPA におけるシーズンマーチャンダイジングの業務プロセス（例）

④**「商品決定・上代決定・生産の大枠と素材の決定」段階**／決定したデザインについて、パターンメーキングを行い、出来上がったサンプルを基に、上代（小売販売価格）と生産数量と納期の大枠を決定する。また素材構成表を作成し、素材ごとのカラー構成、カラーごとの品番構成を検討する。素材構成表では、素材ごとのアイテムコーディネーションと同時に素材ロットと原価も検証し、素材の納期を確定して一部の素材を発注する

⑤**「最終生産数量・納期」決定**／展示会結果や社内の意見も参考にして、最終的な生産数量と納期を決定し、工場に生産発注する

⑥**「店頭販売、期中企画・生産」段階**／生産された商品を店頭に納め、陳列し販売する。最近ではこの段階で、店頭の顧客動向を見ながら追加したいデザインを企画し、生産する期中企画を行う例も多い。

5 | SPAのマーチャンダイジング特性

SPAのMDが展示会MDと異なる点は、顧客と接する場面である店頭を想定して進められることである。①デザインと物づくりを主体にしたメーカーMDと、②店頭に最適な商品を品揃えするショップMDの、両方の特性を併せもつのがSPAのMDである。

SPAのMDは、展示会MDと比較して、次の2点が特徴的である。

①VMDを前提にしたマーチャンダイジング

②マンスリーMD、ウィークリーMDの遂行

SPA型ブランドの基本は店頭にあることから、MDは必然的に、①VMDを前提にしたMDとなる。VMDとは、MDの視覚表現であることから、その範疇は店舗デザイン、導線、ゾーニング、什器構成、フェイシング、ディスプレイ、サイン計画まで多岐に及ぶ。SPAのMDでは、店頭における商品のゾーニング（商品群の配置・レイアウト）と、フェイシング（店頭での商品構成・陳列）を前提に、売場の適正在庫金額を想定しながら、商品構成が組み立てられる。

VMDを前提としたMDを実践するには、②マンスリーMD、ウィークリーMDの遂行が不可欠となる。ファッション小売店がそうであるように、ファッション売場は常に変化しながら売場の表情を変えていくことによって、顧客に旬を感じさせ、新しい発見や感動を生み出す。

SPAのMDでは、

- **適時**／月ごと、週ごとに、
- **適所**／店タイプ別の店頭VMDを想定し、
- **適品**／商品構成と商品配置、具体的にはSKUの構成（品番別色別サイズ別構成）と陳列で、
- **適量**／ストックも加味した適正在庫数量を、
- **適価**／顧客に対して適切な価格で

組み立てていくことになる。

例えば、ヤング対象のファッション変化がやや強いブランドだとする。その商品回転率は月1回転ぐらいが基準とされることが多いが、だとすれば、それぞれの商品は平均30日間店頭に在庫される。週1回納品だとすれば、週ごとに約4分の1の商品が入れ替わり、例えば2週間前に入荷した商品と今週入荷した新商品が組み合わされてディスプレイ（VP、IP）で提案されることになる。ウィークリーVMDを想定した週ごとの店頭投入計画が必要とされ、これを基本にして商品構成や生産の納期が組み立てられることになる。

表6. 月別アイテム別型数構成表（8～10月展開）例

アイテム構成		型数				プライスゾーン
素材	アイテム	8月	9月	10月	合計	
布帛	コート					～
	ワンピース					～
	ジャケット					～
	ベスト					～
	スカート					～
	パンツ					～
	シャツ					～
	ブラウス					
						～
	小計					
カットソー	ワンピース					～
	ブルゾン					～
	スカート					～
	パンツ					～
	シャツ					～
	ブラウス					
	プルオーバー					～
	カーディガン					～
						～
	小計					
ニット	ワンピース					～
	ジャケット					～
	ベスト					～
	スカート					～
	プルオーバー					～
	カーディガン					～
						～
	小計					
雑貨	スカーフ					～
	マフラー					～
	手袋					～
	ソックス					～
	ベルト					～
	バッグ					～
	アクセサリー					～
						～
	小計					

6 ファッションサイクル（流行のサイクル）とマーチャンダイジング

ファッションの変化は、人間の一生と同じように、あるとき新しく生まれたものが、次第に成長し、成熟し、ついには衰えていくが、その歩みをファッションサイクルという。ファッションサイクルは、

①先端ファッション（新しく生まれた時期）

②コンテンポラリーファッション（トレンドとなっている時期）

③マスファッション（市場に広がった時期）

④流行遅れ

といった歩みを見せる。

このようなファッションサイクルは、縦軸を量、横軸を時間としたとき、上昇カーブを描いていき、頂点に達した後に下降する。一般に上昇時には需要が供給を上回り、ファッショントレンドとコンセプトが合致し

たブランドが一世を風靡する。しかし、マスコミ等で注目されるに至った段階から、売れ筋メーカーが大挙して同じトレンドのファッション商品を展開し、マーケットは同質化して、供給が需要を上回る傾向がある。

この大きな理由の1つは、売れ筋追求メーカーが多数存在することである。仮に先進的な提案ができたブランドであっても、急激なマーケット拡大に合わせて人員や生産背景、多店化など、組織の規模をファッションサイクルの頂点に合わせたならば、急激にマーケット規模が下降していく際に、固定費を維持するためにコンセプトとは合わない売れ筋商品を作らざるを得ない羽目になる。

もちろん、いくらトレンドが変化しようと、自ブランドの提案内容に共鳴する生活者は必ずいる。ファッションマーチャンダイジングでは、ブランドコンセプトを維持することを前提に、適正なマーケット規模で展開することが、ターゲット顧客の信頼を勝ち得ることになる。

7 アパレルメーカーの商品構成の留意事項

アパレルメーカーが商品構成を進めるにあたっては、①デザイン・スタイリング、②生産との関係にも留意しなければならない。

① デザイン・スタイリングとの関係

服飾表現とは、複数のアイテムをコーディネートして、その時々に応じて頭の先からつま先までの装いを創ることであり、アパレルブランドにとってはスタイリング計画である。複数のアイテムを組み合わせるスタイリング計画を進めるには、ブランドコンセプトに基づいて多種の商品を揃えることが必要となるが、それが商品構成の最大の役割となる。

しかし、いくら素晴らしい商品構成であっても、商品のデザインや品質の精度が低ければ、生活者から十分な満足を得られない。だからこそ、スタイリングを形成するためにアパレル商品の開発計画を組み立てるのである。

デザイナーは、デザイン画と製品図（絵型）を作成するが、商品構成では製品図を活用して、月別商品構成表を作成する。月別商品構成表では、月ごとのスタイリングを想定して、最適な時期に最適なコーディネーションが店頭で提案できるように、店頭のフェイスを想定する中で最適な型数、色数、サイズ数を設定し、アイテムごとのデザイン展開を計画する。

もちろん、アイテムによっても、また商品によっても、販売期間は異なる。顧客が長く着たいとするデザインは店頭で陳列される期間が長く、旬を味わいたいとするデザインは陳列される期間が短い。アパレルデザインの着装意図によって、販売時期・販売期間、陳列場所、陳列数量・ストック数量、販売数量・生産数量、追加フォローの有無が異なるため、デザイナーはそれぞれのデザインが着装される場面や意図をマーチャンダイザーに伝達して商品構成に反映させている。

② 生産との関係

商品構成を決定する時点で、商品ごとの上代と生産数量が検討されるが、その時点では常にｉ）販売数量の予測と、ii）生産ロットと生地ロットに留意しなければならない。

特にSPAは、店頭での顧客満足を達成するために、坪数に応じた品番数・SKU数が必要となり、しかもマンスリーに品揃えを変化させていく必要があるため、ロットが少なく原価が上がる危険性も秘めている。

しかし、小ロットのため原価が上がるからといって、生産数量を増やせばその分、販売店舗を増やす必要に迫られる。販売店舗を増やすということは、それだけ大きなマーケットを対象とすることである。しかしブランドコンセプトに見合ったマーケット規模を想定しないで販売店舗数を増やすと、売れ筋を追いかけざるを得ない羽目になる。SPAでは、自ブランドのターゲット顧客に合った適正価格を先に検討し、そのうえで原価率が多少上がっても粗利益やキャッシュフローが確保できるように、消化率の向上を第一に考えた商品構成が必要となる。

8 | 店頭商品構成の留意事項

① VMDとの関係

顧客満足を達成するためには、ブランドの提案内容（コンテンツ）を店頭でいかに顧客に伝えるか、店頭での伝達力が重要な意味をもってくる。店頭でどのような商品を揃え、どのように陳列、ディスプレイをするか、「店頭での品揃えと見せ方」を企画することがショップMDである。

ショップMDは、店頭での商品の陳列やディスプレイがベースとなっていることから、VMDを想定したMDである。

VMD表現をするには、次のような点が配慮される。

- ショップ提案の魅力が増幅するような導線計画
- デザインイメージ、スタイリング、商品構成に配慮した什器構成
- 月ごとのスタイリングが形成しやすいような、フェイシング提案
- 週ごとの最適なスタイリングを伝達する、ディスプレイ提案
- カラー提案が意図通りに伝達できるような、照明の検討
- デザインコンセプトを反映した店舗デザイン・サイン計画
- DM、ショッピングバッグなどにも、デザインコンセプトを反映させる

② 販売計画との関係

店頭で商品を構成するにあたっては、見せる商品、売る商品、売れる商品、味付け商品の違いに着目し、適正なフェイスを構成していくことが重要となる。

- **見せる商品**／主にウインドーディスプレイなどのVPで扱われる商品で、その時々のブランドのスタイリング提案が最も強く打ち出されている。売上げはそれほど高くないが、最も顧客の目に入ることから、ブランドイメージの向上や集客に貢献する
- **売る商品**／今シーズン、今月、今週に最も売っていきたい提案商品。フェイスの面積も広くとり、この商品群が多く売れることが業績の良し悪しに反映する
- **売れる商品**／フェイスの面積は狭いが、結果的に大きな売上げを上げる商品(ロゴ入りTシャツなど)。ただし、売れるからといって、この商品を追いかけ過ぎるとブランドイメージは低下し、ブランドを愛してくれているコアとなる顧客が離れていくことになる
- **味付け商品**／見せる商品、売る商品、売れる商品のどれにも属さないが、ブランドが提案したいコーディネーションを完成させるには、ぜひとも揃えなければならない商品

③ 生産との関係

1つの売場で構成される商品にも、販売期間が長い商品もあれば短い商品もある。

特に、販売期間の短い短サイクルトレンド商品は、常に「ファッションの旬」を提案していくことが必要とされ、店頭の変化を把握しながら、他社に先駆けて新商品を売場に提供しなければならない。そのため、短サイクル商品は、SPAでは期中、すなわち商品展開期にデザイン開発・生産されることが多い。

ファッション店舗では、ベーシックな商品やシーズン提案商品に代表される先物企画商品と、このような短サイクル商品とが、合わせて構成されている。

2. リテールMDとバイイング

1 | リテールMDの基本計画

ファッションリテールのマーチャンダイジング（以下、MD）は、マーケティング戦略の中核をなす、商品構成に関わる政策である。リテールMDの基本計画では、店舗開設を目標として、オープン後は次シーズンに向けて、ショップコンセプト&ターゲットをベースに、具体的な商品構成を構築していく。ただし、その実施においては、取り巻く環境やトレンドの変化、さらには異常気象など、ファッション商品に影響を与える要因も多く存在するため、常に基本計画に対して可能な範囲での対応戦術にも留意する必要がある。

一連のMD活動は、ファッションテーマ、カラー、アイテム、価格といった「分類」で成立している。さまざまな切り口からの分類を行うことで、漠然とではなく、自店の展開商品を正確に把握・コントロールすることを可能にする。

2 | リテールMDにおける商品調達方法

リテールMDの商品調達は、完成品を仕入れる方法と、自ら商品を企画・生産する方法に大別される。しかし昨今では、セレクトショップ企業のオリジナル開発、あるいはSPAブランドの製品買いといった具合に、ハイブリッド化している。こうした傾向の背景には、ビジネスとしての効率性への考慮もあるが、最終目的は顧客ニーズを満足させる品揃えを提供することにある。

3 | シーズンMD計画

アパレル商品は、とりわけ季節との関わりが深い。ファッションビジネスでは、S/S（2月～8月）とA/W（9月～1月）の2つのタームで大きくMDが切り換えられるが、リテールMDでは月ごとのテーマ設定、週ごとのディスプレイ変更、さらにその日の天候対策と、きめ細かい対応が求められる。

シーズンMD活動では、いつ、どのような商品を、どれだけ売るか、という販売計画を作成する。

具体的には、当該シーズンのMDコンセプト及びストーリー、代表的ウェアリング、注目素材、重点アイテムなどを設定し、昨シーズンの実績や自店の現状を鑑（かんが）みて、適正な売上げ、仕入れ、粗利益、在庫、ロスなどの計数予算を作成する。

表 7. 秋冬物シーズン MD カレンダー

シーズン	初秋物		秋物		冬物	
	8月	9月	10月	11月	12月	1月
モチベーション	サマーリゾート	ビジネス	スポーツ ハロウィン	防寒	クリスマス ギフト	晴れ着
在庫サイクル	晩夏物	初秋物	秋物		冬物	梅春物
営業期設定	晩夏物 実売期 初秋物 提案期	初秋物 実売期 秋物 提案期	秋物 実売期 冬物 提案期	冬物 実売期	梅春物 提案期	梅春物 実売期 春物 提案期

4 | バイイング

バイイングとは「仕入れ」のことである。セレクトショップに代表される品揃え型専門店の場合は、MDの基本計画をベースに仕入先（ブランド）編成を行う。MDの方向性が決定するとバイイングに入る。実際に国内外の仕入先に出向き、商品発注を担当するのはバイヤーであるが、その能力しだいで店舗の売上げが大きく左右されるという大きな責任を担う職種である。バイヤーは、単に「自分の好きな商品や売れそうな商品をかき集めればよい」のではなく、常にMD計画に沿って「計数とイメージ」を考え合わせながら適品を厳選する必要がある。

とはいえ、実際には多くの困難がともなう。例えば「冬物展示会」は真夏に開催されることが多く、その際は半年先の真逆の季節を想像しての商品発注となる。しかも営業時間中の限られた時間内に多くの仕入先回りを強いられるため、すべての商品を一覧で検討することはできず、その都度、瞬時に商品セレクトのジャッジをしていかなければならない。一見、華やかなイメージのバイヤー職であるが、発注した商品が売れなければ「在庫過多」に陥り、そうした苦い経験から慎重になり過ぎると、今度は商品不足となり「機会ロス」を招く。当初はこうした失敗を繰り返しながら、バイヤーとしての「予測の精度向上」に努める必要がある。

商品計画表の例（4 月度）

ニット＆カットソー部門

MD 方針

①さわやかな初夏の提案
G/W に向けてマリーンルックで鮮度アップ

②エレガンスタイプの最終展開
春の売れ筋を絞り込み値頃化

③オリジナルＴシャツ投入
気軽に買えるアイテムのバリエーション

展開ポイント

①別注マリーンルックで差別化
白紺、ボーダー、セーラーカラー、ワッペン付き

②素材・カラー変更、半袖・フレンチタイプ
フリル、レース、タッサーシルク、ペールトーン

③ストレッチＴシャツ
綿天竺、フライス、リブ

品揃え計画

企画テーマ	中心アイテム	価格ライン	型数	ウエイト	スパンNO	展開期間
マリーンルック	ボーダーカットソー、セーラージャケット、セーラーパンツ、ワンピース	¥7,900 ～ 13,000 ¥9,900 ～ 23,000	15 10	35	Ⅱ	中旬
エレガンスニット	フリル、レース使いデザインニット	¥5,900 ～ 7,900 ¥6,900 ～ 12,000	15 10	40	Ⅰ	上旬
オリジナル T シャツ	ロゴ、転写、絞り染め	¥3,800 ～ 4,900	20	25	Ⅲ	下旬

売場ゾーニング計画（例）

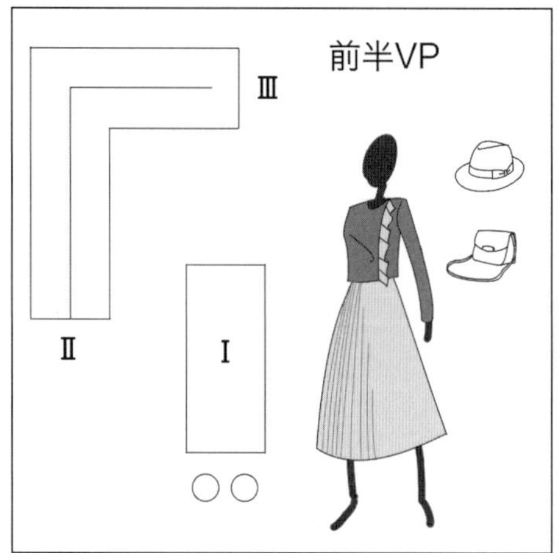

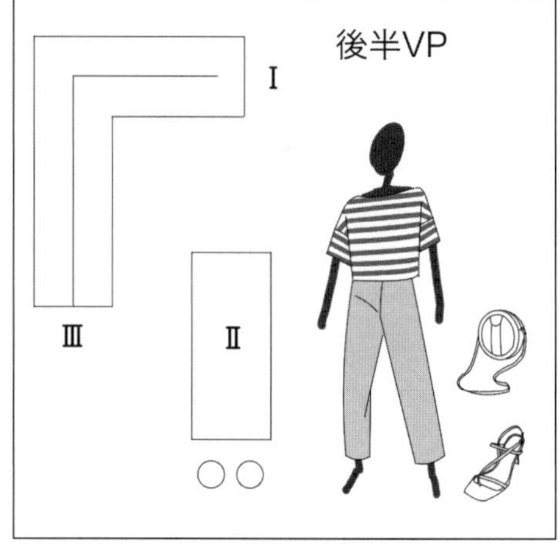

5 | バイイング実務

仕入先との展示会での商談においては、その場の雰囲気に流されず、次のようなポイントをしっかり押さえながら、効率良く的確な商品発注を心がける。

- ●レイヤードルック全盛の今日では、必ずコーディネートを意識する
- ●自店での実績にとらわれ過ぎず、トレンド変化も考慮しながら、仕入先の新鮮な提案に先見性と柔軟性をもって挑戦する
- ●デザイナーから商品企画の意図を聞き出し、販売スタッフに伝えるようにするとセールトークの充実につながる
- ●迷ったときは、顧客の顔を思い浮かべながら、モデルに着せるなどしてサイズやバランスをチェックする
- ●納期、上代、下代などの条件を冷静に確認する
- ●1社終えたら、発注総額、総型数、総点数などを仕入台帳に記録するようにして、常にMD全体のバランスを把握しておく

6 | さまざまな商品調達方法

近年、ファッション市場が成熟化する中で、オーバーストアが進展している。さらにエコやエシカルといった概念の台頭もあり、リテールMDにおいても商品の差別化、独自のメッセージの発信が求められるようになっている。そのため今日のバイヤーは、従来のバイイングに加えて、次のような商品調達手法にも精通する必要がある。

① 別注（特別注文）

独自性のある商品で他店との差別化を図るには、オリジナル商品開発が最も有効であるが、これには一定の生産ロットがともない、さして企業規模が大きくない小売業の場合、高いリスクを負担することになる。

これを回避する方法に「別注」がある。別注とはブランドが企画した商品を、より自店に適合するようにマイナーチェンジしてもらうことである。メーカーもオリジナル開発に比べて小ロットの依頼にも対応してくれる。例えば、スカート丈を3センチ短くしてもらう、本来のカラーアソートにない「黒」を加えてもらう、といった小幅な変更が基本になる。

それぞれのショップには固有の「売れる商品のポイント」がある。一方、いずれのブランドにも得意なラインやアイテムがあり、それらのテイストを崩さない範囲で、自店の要望を反映してもらうと、より高い訴求力を有する商品に生まれ変わる。

② コラボ企画（コラボレーション企画）

コラボ企画とは、他者との「協業」によりシナジー（相乗）効果の獲得を目指す手法である。具体的には、ショップとブランドやアーティストが互いの強みを活かしながら新鮮で魅力的な商品を共同開発する、あるいは、ショップと地方の産地がダイレクトにつながり、高付加価値・リーズナブルプライス商品の「ものづくり」を実現させるなどである。

コラボ企画では、両者はあくまでも対等な関係であり、双方にビジネスメリットが見込めることが大前提となる。例えば近年、グローバルSPAとデザイナーズブランドのコラボ企画が話題となったが、前者には若者人気や膨大な店舗網、後者にはブランドのステイタス性やデザイン力があり、そうした強みを互いに活用し合うことでシナジー効果が生まれるのである。

その他の商品調達方法としては、海外仕入れやハンドメイド商品の導入、若手クリエイターの発掘などの方法があるが、いずれにしても今日のMD活動においては「他者との連携」が求められる局面が増えている。そのため、バイヤーは日頃から広く「ものづくり」に関する知識を得て深めながら、人脈ネットワークづくりにも努めることが大切となる。

7 インストア・マーチャンダイジング

インストア・マーチャンダイジング計画は、基本的にシーズン前の売場のVMD計画と連動する形で構築される。これに関しては、ゼロから自社で商品企画を行うSPAに優位性がある。バイイングにより商品調達を行う品揃え型専門店の場合は、ブランドの展示会で初めて見た商品のセレクトとなるため、シーズン前のVMD計画の作成には限界がある。このことが「何が飛び出すかわからない」という意外性の魅力につながるとはいえ、その場の気分や感性だけに頼ってビジネスを成立させることは困難である。SPAほど綿密にはいかないまでも、一定のVMDストーリーを想定したMD戦略を展開する必要がある。

ショップの取扱商品は、ショップコンセプト及びターゲット設定に基づいて構成されるが、ビジネス視点に立つと、全体を戦略的に分解する必要性が生じる。顧客はショップの明確なコンセプトに共鳴するものであるが、「意外性」にも期待する。また、ひと口にターゲットといっても、そこには幅があり、さらに1人の顧客の買物の動機でさえ常に一定ではない。つまりコンセプトから大枠に商品を絞り込み、その中でのバラエティを出すことで、MDのバランス化が図られ、顧客対応力の高い売場が実現する。

ここでは、全体商品を大きく3つに分けて管理する方法を紹介する。

① 提案商品

ファッション専門店では、常に店のメッセージとなるエッジの効いたスタイリング提案が必要である。「ディスプレイするモノがない」となれば、入店客数が減り、売上低迷につながる。新鮮なテーマで飾られたインパクトのあるメインディスプレイを目にすることで、顧客は思わず「あのショップに入ってみたい」と感じる。また、その店なりのハイエンドラインも必要である。価格が多少高くても、それに見合う良質の商品はショップに対する信頼感を生み出し、顧客は安心して他の商品にも手を伸ばす。

このように提案商品とは「魅せる」ことを目的とした商品である。次々と新しい提案を打ち出していくことで、間断なく顧客に刺激を与えることがポイントとなるため、こうした商品は基本的に売り切りとする。

② 主力商品

特にシーズンインの売場では、提案商品の構成比率を高める必要があるが、実売期に向かい主力商品へのスライドが図られる。必ずそのシーズンのマストアイテムを設定し、売場のメインにある程度のボリューム感をもって展開する。必ずしもアイテムではなく、季節にジャストフィットするウェアリングでもよいが、なんとなく来店した顧客に「今はこれを買うべきなんだ」と思わせることが目的となる。「一押し商品」を明確にしておくことは、売上げの安定につながる。主力商品は機会ロスを起こさないようにバックストックも十分に用意する。

③ 普及商品

ショップのリピーターは「あの店に行けば、いつでもあの商品がある」といったニューベーシックアイテムもしっかりと情報としてインプットしている。シーズンを通して気軽に買える良質のTシャツやソックス、エコバッグなどがこれにあたる。こうした商品の展開は売場の片隅でかまわないが、色切れ、サイズ切れを起こさない手立てを講じておく。

POSレジの普及により、いつでも商品の売れ行きランキングを見られるようになった。ただしそのため、売れ筋商品の追求に奔走する傾向が蔓延し、そのことが商品の同質化に拍車を掛けている。実は売場のすべての商品がまんべんなく売れるということはない。リアル店舗のMDには、2割の商品で店全体の売上げの8割を生み出す「パレートの法則」があてはまるといわれている。とするならば、初めから「外し」や「崩し」といった、良い意味での無駄も必要ということになる。

当然、3つの商品群のバランス設定は、例えばハイブランドを取扱うセレクトショップショップでは提案商品の、低価格のカジュアルストアでは普及商品の比率が高まるといった具合に、店の性格によって異なる。大切なのは、常にそれぞれの商品群の役割と全体バランスを意識しながらMDを展開するということである。

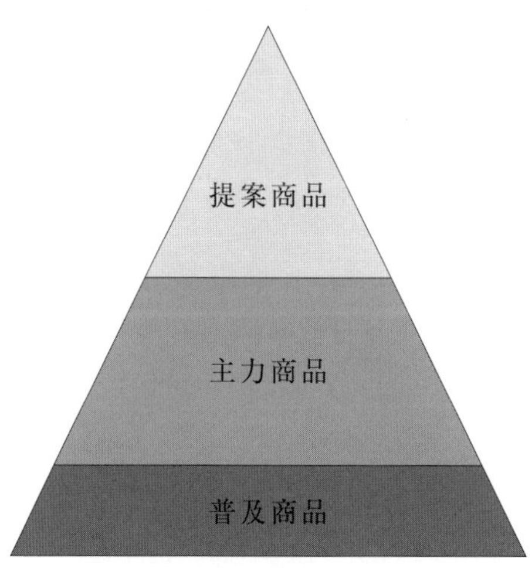

図12. 商品構成バランス

8 ネットショップのマーチャンダイジング

従来の消費者は、自身のニーズに適う商品を探し出すためには、多くのショップを巡ることになり、途中で疲れ果て、妥協して購入することもあった。また、販売スタッフとの交流が購入を促進する要因にもなり得る。一方、ネットショップの場合は、クリック1つで次々とサイトを渡り歩くことができ、そこには販売スタッフとの煩(わずら)わしいやりとりもない。

ネットショップには、リアル店舗と異なり、商圏や売場面積、営業時間などに制約がない。商品バラエティが豊富なほど検索にヒットしやすくなるという要素も加わり、ネットショップのマーチャンダイジングでは、「とりあえず商品をラインナップして、反応の良いものから拡大していけばいい」ということになりがちだ。そのため、商品数を増やすことに専念し、売れなければ価格を下げるというパターンが多く見られる。こうした傾向はネットショップのMD特性ともいえるが、総花的な品揃えで競争に打ち勝つには、企業スケールがものをいう。したがって、ファッション性を訴求するサイトでは、リアル店舗と同様に、明確な商品コンセプトを設定したうえで、商品バラエティを拡大するというステップが重要となる。

① ロングテール現象

売場面積に規定されないネットショップでは、膨大な商品アイテム数を、しかも低コストで展開することができる。このネットショップの特性は、リアル店舗とは異なる商品の売れ方を生み出す。

その1つに「ロングテール現象」が挙げられる。ロングテールという呼称は、**図13**のように、縦軸に販売数量、横軸に販売品目を設定したグラフに、売れた商品を左から販売数量の多い順に並べると、販売数量の少ない商品を示すラインが右に長く伸びていき、あたかもlong tail、すなわち動物の「長い尻尾」のようになることから生まれた。

② コミュニケーション戦略

ネットショップのマーケティングミックスのうち、顧客とのコミュニケーション戦略、そのための顧客データ分析は、とりわけ重要となる。コミュニケーション戦略では、個人の属性や購買履歴などの情報を維持管理しながらの「ワントゥーワン・マーケティング」が基本となる。ユーザーの好みに合う商品を薦めるにはレコメンド機能を活用したレコメンドサービスが有用となる。これはユーザーが過去にどんなサイトを閲覧しているか、どんな商品を購入したかなどの情報を自動的に分析し、ユーザーが購入する可能性の高い商品を推奨するサービスである。

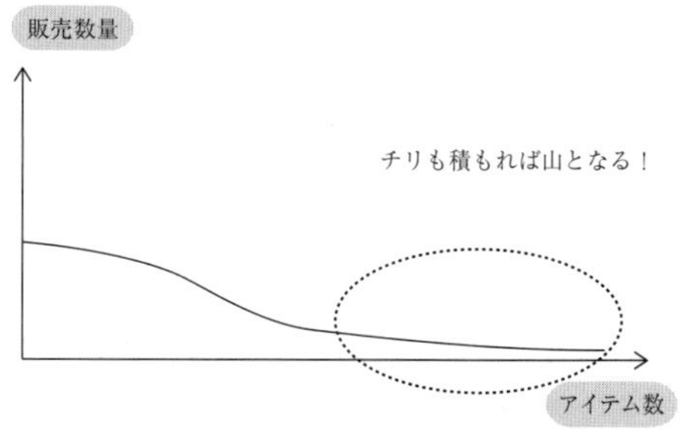

図13. ロングテール

3. 商品構成とVMD

1 | VMDとは

ファッション店舗の生命線は、あくまでも商品であるが、もはや商品だけでライバルとの差別化を図ることは難しくなってきている。そのため、主役である商品の魅力を引き立たせる舞台装置としての店舗で、顧客を非日常の世界へ誘う（いざなう）空間演出が重要となる。

VMDとはMDの視覚化、すなわちファッションリテールの理念といえる商品計画を、顧客に見える形で提示することを目的とする概念である。商品をディスプレイしたり、売場を飾りつけたりすることはVMD活動の一部にすぎず、その実施においては店舗内外のあらゆる要素を通して、より統合的な展開が求められる。

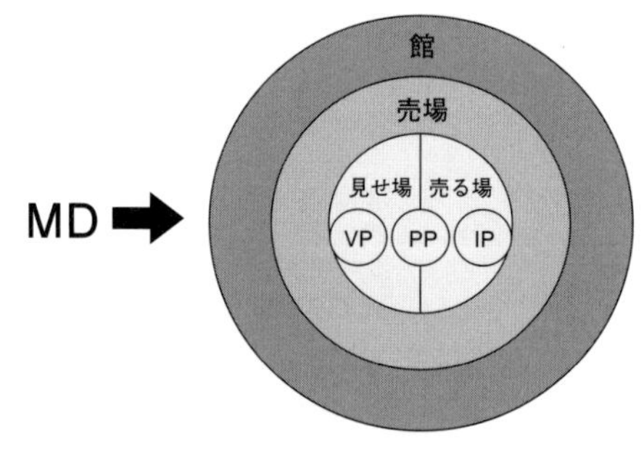

図14. MDとVMD

VMDの対象は、店舗のエクステリア、ファサード、インテリア、照明、什器といったハード面、さらに売場におけるPOPやショップカードなどの販促ツール、加えてBGMや店内に漂う香りなど、視覚を超えた要素にまで及ぶ。これら多岐にわたる要素に統一性をもたせることが、店舗の世界観を創出する基本となる。

2 売場レイアウト・売場動線計画

売場づくりは売場レイアウト計画の作成から始まる。売場レイアウト計画では、あらかじめ想定した動線計画をベースに、レジカウンターやフィッティングルーム、ミラー、什器などを配置していく。動線には客動線（導線）とスタッフ動線があるが、客動線は、顧客が売場の隅々まで巡るように長く設定される。回遊性が高まると、顧客がより多くの商品に出会うことになり、また滞留時間も延びて買上率の上昇につながる。他方、スタッフ動線は客動線を邪魔することなく、最短距離でレジカウンターやストックルームへ移動して効率的に作業にあたれるように短く設定される。

売場レイアウトが決まると、ゾーニング計画に入る。ゾーニングとは、売場をいくつかのブロックに分けて、さまざまな切り口から商品を分類・配置していくことである。切り口にはテーマ別、ブランド別、アイテム別、カラー別などがあり、それらをミックスして訴求力の高い売場を構築していく。近年では、ファッションテーマやオケージョンを設定したフルアイテムミックスによるライフスタイル提案型のゾーンニングが主流となっている。

ゾーニングはシーズン前に計画されるが、実際には商品の売れ行きによって各ゾーンに予定外の偏(かたよ)りが生じることもあり、そうした場合は切り口を変更してゾーニングを再編成し、売場の活性化を図る。特に2月や8月といった端境期(はざかいき)の売場では、より頻度を要する。

3 「見せ場」と「売る場」

売場は便宜的に「見せ場」と「売る場」に分けられる。「見せ場」はショーウインドーやメインディスプレイを中心に、インパクトのある魅力的なVP（ビジュアルプレゼンテーション）を展開する場で、旬な着こなし提案による顧客へのアピールが主な目的となる。特に店のメッセージを体現するような独自性の高い商品をしっかり打ち出すことにより、他店との差別化が図れ、入店客数や売上げの上昇にもつながる。

一方「売る場」は、商品陳列におけるIP（アイテムプレゼンテーション）展開の場であり、顧客にサイズやカラーなどのアソートが「わかりやすく、買いやすい」と感じられる、整然としたフェイシング表現を行う。ただし、IP展開はハンギングやシェルビング陳列となるため、顧客からは商品の全貌は見えていない。それを補うのがPP（ポイント・オブ・セールスプレゼンテーション）である。PPとは、IPの中から商品をピックアップして、コーディネート演出でエンド陳列するなどして、その魅力をアピールする手法である。

4 フェイシング、ディスプレイ

売場動線とゾーニングに基づき、月ごと、週ごと、日ごとにフェイシング（IP）及びディスプレイ（VP、IP）管理が行われる。

フェイシングは、顧客にとっての見やすさ、わかりやすさを重視して、販売効率の上昇を目指すが、同時に美しさも考慮して検討する必要がある。具体的には、次のような項目を検討し、一定の基準を設ける。

- カラーやサイズ、素材、デザインなどの配列の仕方
- アイテムのたたみ方、掛け方
- 什器ごとの陳列数量

ディスプレイは、VMD計画に沿って変更していく。常に顧客に感動を与えるような美しさやカッコよさを目指すことが大切となり、そのことは顧客の購入動機にも大きな影響を与える。完成度の高いコーディネートは、顧客の衝動買いを誘い、また買上単価の上昇につながるといった具合に、ビジネスへの貢献度も高い。具体的には、次のような項目を検討する。

- テーマ設定
- ウェアリング、スタイリング
- 場所ごとの役割
- ディスプレイテクニック

5 | 店頭とストックスペースの在庫管理

商品在庫には、顧客から見える店頭在庫と、顧客には見えないストックスペースの在庫があり、それぞれの管理手法は異なる。

店頭における商品陳列は、顧客にとってのわかりやすさに配慮しながらも、顧客から見たファッション的な魅力が重視される。一方、ストックスペースの在庫は、あくまでも日頃から商品補充を行うスタッフの誰が見ても、即座に目的の商品を探し出せるように一覧性を重視して管理する。

6 | 百貨店のゾーニング

百貨店とは「衣・食・住」の商品を扱い、主に対面販売を行う大型小売店である。基本的に多層階となる百貨店では、婦人服、紳士服、子供服、生活用品、インテリア、雑貨など、客層や品種ごとにフロア展開されており、各フロアは、箱型ショップ、コーナー、平場の３タイプで構成されている。

フロアゾーニングは、全館のシャワー効果・噴水効果を考慮して、フロアごとに次のような特徴をもたせている。

- **上層階**／顧客が全館を回遊するように、上層階には坪効率は低いものの集客力が高いレストラン街やイベントスペース、ギャラリーなどを配置することが多い
- **中層階**／高い坪効率が見込めるアパレルが中心となるが、近年の価格の二極化傾向により、中心となる中間価格帯商品の伸び悩み傾向も見られる
- **１階**／顧客を招き入れる１階フロアでは、良好なイメージ、かつ高い坪効率が望める化粧品や服飾雑貨のブランド品などが配置されることが多い
- **地階**／話題のスウィーツや総菜などをはじめ、購買頻度の高い食品で集客を図るケースが多く見られる

4. 価格と原価

1 | 価格の基礎知識

価格とは、「商品やサービスを購入するときに支払う、商品やサービスの値打ちを金銭で表現したもの」であり、アパレル商品の価格は値札や価格表示サインなどによって表現されている。

価格には、卸売価格と小売価格がある。卸売価格とは、卸売業が小売業に納める価格をいい、小売価格とは小売業が消費者に販売する価格をいう。商業の世界では、前者の卸売価格を下代ともいい、後者の小売価格を上代ともいう。

現在では、アパレル商品の価格は企業側、すなわち小売業もしくはアパレルメーカーが設定し、消費者はその価格に納得すれば購入する、納得しなければ購入しない、といったように判断できるようになっている。このような方法が採られるようになったのは、日本では江戸時代、ヨーロッパでは19世紀以降であり、それまで価格は売り手と買い手の交渉によって決まることが多かった。同じ商品でも、安い価格で売買されることもあれば、高い価格で売買されることもあったのである。しかしながら、それでは顧客に対して不平等が生じたり、顧客が不安に感じたりすることから、近代以降は値札等で価格を表示して、顧客に分け隔てなく同じ商品を同じ価格で売るという"一物一価制"となっている。

このように誰に対しても同じ価格で販売することを伝えるために、値札等で表示された価格を定価という。

【基準価格の設定方法】

販売価格はさまざまな要因によって値下げされたり、割引きされることもある。そのため、値引きされる以前の価格を基準価格（建値、プロパー価格）と呼んでいる。基準価格とは、生産や販売の目安となる単位当たりの価格で、値引きされる以前の本来の価格をいう。

基準価格を設定する方法は、
①原価から算定する方法
②需給均衡から設定する方法
③競争構造を考慮して設定する方法
に大別できる。

① 原価から算定する方法

- **マークアップ法**（コストプラス法）／製品１枚当たりの原価に、販売費、一般管理費とマージンを加えて価格を設定する方法
- **損益分岐点から設定する方法**／企業の固定費と変動比率を想定したうえで、最低売らなければならない損益分岐点売上高に目標利益を上乗せし、価格を設定する方法
- **投資に対する利益から設定**／投資金額を回収すべき目標利益高を設定し、原価、販売費、一般管理費に目標利益を加えて価格を設定する方法

② 需給均衡から設定する方法

- **パシーブドバリュー法**／顧客から見た商品の価値を基に価格を設定する方法
- 上記価格より、あえて高価に設定したり、低価にしたりする方法

③ 競争構造を考慮して設定する方法

- ゴーイングレイト法／競争相手企業のブランドと等しい価格に設定する方法
- 上記価格より少しでも低い価格に設定する方法

以上、さまざまな基準価格の設定方法があるが、現実のアパレル企業では、これらの要素、特に①の原価と②の顧客から見た商品価値と③の競争ブランドの価格の３点に留意して設定することが多い。

しかしながら、このように基準価格を設定する際にも、若干の調整を加えて価格設定をすることもある。5000円とするところを4900円に設定するなどの端数価格はその最たる例である。

2 マーチャンダイジングと価格

① 顧客から見た価格

顧客が価値と認めるアパレル価格は、

ｉ）品質や機能性などのハード価値
ⅱ）デザインやスタイリングなどのコンテンツ価値
ⅲ）消費者の利便性

が複合されて成立している。デザイナーズブランドなどの高付加価値商品ほどコンテンツ価値の比率が高く、反対に最寄り品はハード価値の比率が高い。

デザイナーズブランドが一般に高価格なのは、企画コストの比率が高いためであり、反対に１つの品番を大量に生産する商品は、相対的にデザイン料等の企画コストの比率が低くなる。デザイナーズブランド等の高付加価値商品は、消費者が企画コストに対する価値を価格に認めているわけであり、その点では芸術文化商品やデジタルコンテンツを購入するときの価格認識と共通する部分がある。

また利便性とは、消費者にとって便利かどうかであり、シーズン性（季節感、トレンド性）、豊富な品揃え（品番、色、サイズなど）、VMDのわかりやすさ、店舗立地などがある。このような利便性も、消費者の価格に対する認識に大きな影響を与える。例えば、期末時のバーゲン価格は、着用回数の減少やトレンド性の低下、商品の不揃いなどが起因している。その点では、ファッション商品は生鮮品の価格認識と共通する部分もある。

② 商品のライフサイクルと価格

価格設定は、商品のライフサイクルによっても異なる。ファッションビジネスでは、そのシーズンのヒット商品はシーズンの立ち上がり期（導入期）に高付加価値ブランドによって提案され、次に売れ筋追求ブランドが追随し（成長期）、さらに量産ブランドが展開され（成熟期）、最後は期末バーゲン（衰退期）となっている。導入期はコンテンツ価値が高く、成長期から成熟期に向かうにつれてハード価値の比率が高くなっていき、最後は利便性が低くなってしまうわけである。

③ アパレル価格設定のプロセス

アパレルブランドでは、ブランドマーチャンダイジングの方針に、年度予算、シーズン予算（目標売上高、目標売上原価、目標粗利益、目標営業利益高など）を加味して、価格計画が進められる。

具体的には、アパレルブランドの価格は、次の３段階で検討される。

ｉ）ブランドコンセプト設定時点／ブランドの基本的なプライスゾーンをシーズンごと、アイテムごとに設定する
ⅱ）シーズンコンセプト設定時点／シーズ

ンの基本的な価格ゾーンをアイテムごとに設定し、デザイン、ファブリケーション、生産計画の指針とする

iii）上代決定、生産数量・納期決定時点／決定したデザインがサンプル化された後、店頭の月別商品構成を想定して、品番ごとの価格を決定する

3 アパレルメーカーの原価

基準価格設定の1つの条件となるアパレルメーカーの原価は、本来、製造コスト、企画コスト（デザイン・MDなどに要する費用）、流通コスト（流通費）、販売コスト（販売費）、管理コスト（管理費）からなるが、会計上のアパレルメーカーの原価は製造コストのことである。一例として、アパレルメーカーが外注工場に発注する場合、製造コストの算出方法は次のようになる。

外注工場に生産委託するアパレルメーカーでは、布帛製品の場合、アパレルメーカーが生地を購入し、自社の商品仕様書とパターンに基づいて外注縫製工場に生産委託することが多いため、製造コストは、生地代（m単価×要尺）＋縫製工賃＋付属代からなる。なお工場が付属を調達する場合、付属代は工賃に含まれ、業界ではこれを通称「属工」といい、反対に含まれない場合を「純工」という。属工の場合の原価は、生地代＋縫製工賃となる。

委託賃加工ではなく、工場自身が素材を調達することが多いニット製品やカットソー製品の場合は、工場の出荷価格がそのまま製造原価となる。

アパレルメーカーが上代を設定する場合、マークアップ法では、原価に対していくらの上代を設定するかが計算される。原価に対して何％の上代を設定するか、その比率を業界では上代率という。上代率は、次のような計算式で算定される。

$$上代率 = \frac{上代}{原価} \times 100$$

一方、上代に対する原価の比率を原価率という。

$$原価率 = \frac{原価}{上代} \times 100$$

アパレル商品の原価は、品番によって使用する生地や副資材、縫製仕様が異なるため、品番別にコスト計算がされる。商品の仕様が複雑で工程数が多くなったり、型数が多いため生産ロットが少なくなったときに、相対的に工賃は上昇する。生地値に関しても、生地ロットが少ないほど上昇する。また、納期が短サイクルであるほど、工場の生産効率を低下させ、相対的にコストは上昇する。

近年、多くのアパレル製品が海外で生産されているが、輸入商品の価格は、原価となる輸入価格に対する上代率が設定される。輸入価格には、FOB価格、CFR価格、CIF価格などがある（詳細は、第9章−5. 貿易に関する基礎知識、P.161 ～ 164で解説）。

輸入価格に対して、いくらの上代を設定するかは、FOBかCFRかCIFかによって異なると同時に、輸入製品の関税の税率によっても異なってくる。

4 上代・下代・掛率

アパレル業界は、他産業と比較して、小

売業ではなくアパレル企業が価格設定をすることが多い。SPA 型小売業の商品や PB（プライベートブランド）を除いては、アパレル企業が上代を設定し、小売業はその何％で仕入れるかという掛率取引が多い。

$$\text{掛率} = \frac{\text{下代}}{\text{上代}} \times 100$$

一方、小売店から見れば、上代とは売価（販売価格）であり、下代とは原価（仕入先であるメーカーから買い入れる価格）である。小売店が価格を設定する場合、メーカーから買い入れた価格である原価に、一定のマージンを上乗せして売価が決定される。このマージンのことを値入高といい、売価に対するマージン（利幅）の比率を値入率という。

$$\text{値入高} = \text{売価} - \text{原価}$$

$$\text{値入率} = \frac{\text{値入高}}{\text{売価}} \times 100$$

以上、アパレル商品の、アパレル企業の原価、下代、上代、小売業売価、小売業原価の関係を図示すると、次のようになる。

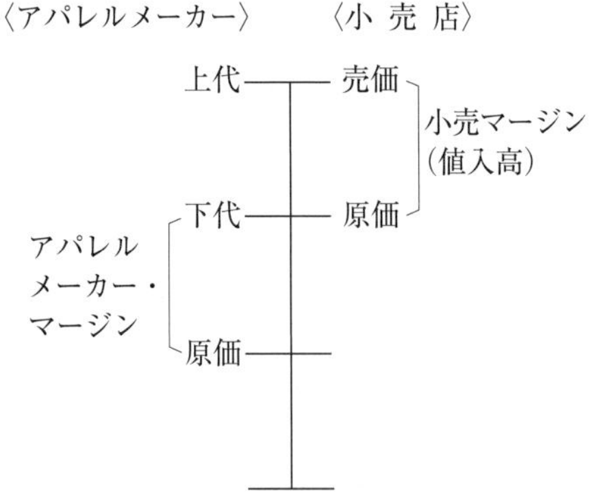

このように、アパレルメーカーのマージンは、下代から原価を差し引いた金額であり、マージン率とは100％から（100％－掛率）と原価率を差し引いた比率である。

一方、SPA などのショップ型アパレルブランドでは、消費者に直接販売することから、上代から原価を差し引いた金額がマージンとなり、100％から原価率を差し引いた比率がマージン率となる。ただし、消費者にダイレクトに販売する SPA 型企業であっても、百貨店インショップの場合は、賃貸借契約でなくて売上仕入方式になっている場合が大半であり、その場合、形式上は百貨店に対して掛率納品する方式を採っている。そのため、マージンは下代から原価を差し引いた金額となる。

アパレル企業が下代のみを設定し、小売業が上代を設定する方法もあるが、このような取引きを下代取引という。またメーカーが参考上代を設定せずに、小売業が設定した売価（上代）をオープン価格という。

なお、独占禁止法はヤミ再販を禁止しており、メーカーや卸売業が小売業に対して小売価格を順守するように強制することは違法だが、アパレル業界の場合、消化仕入れのようにアパレル企業が商品所有権を保有していたり、派遣販売員などが小売活動を代行していることが多いため、単純な再販価格の拘束には該当しないといわれている。

5 ｜ 値下げ価格について

ファッション企業は、できる限りプロパー価格で販売して消化率を上げるように努力しているが、現実には、売れ残り商品も発生することから値下げ、割引きなど、さまざまな調整が施される。

① **季節変動による値下げ**
- **期末バーゲンセール**
- **ファミリーセール**／従業員家族招待を原則としているが、現実には期末バーゲンセールに入る前のクローズドバーゲンセールである
- **キャリー品**（前年からの持ち越し商品）などの値下げ販売

② **割引／事前に設定してある価格から一定の比率で安く販売すること**
- **現金割引**／クレジットカードを使用せず、現金で購入したときの割引き
- **数量割引**／同じ商品を２着購入したときの割引き、ユニホーム使用などグループでまとめて購入したときの割引きなど
- **会員割引**／顧客カード会員等、特別の顧客に対する割引価格

③ **商品ミックス上の価格調整**
- セット販売価格など

5. ファッション情報の収集と分析

1 ファッションMDの情報の収集と分析

①**マクロ環境レベル**／社会経済動向、文化動向、技術革新動向、業界動向、消費経済動向、ライフスタイル動向など
②**ファッション市場環境レベル**／ファッション予測情報、ファッションメディア情報、競合ブランド情報、国内海外店頭情報、ストリート情報など
③**自社環境レベル**／自社ブランド店頭販売実績、前年展示会実績、素材企業の情報、販売スタッフの情報、自社ブランド購入顧客情報（直営店等の情報）など

2 店頭情報の収集と分析

自社ブランド（ショップ）に関する情報には、前述したように自社店頭販売実績、前年展示会実績、素材企業の情報、販売ス

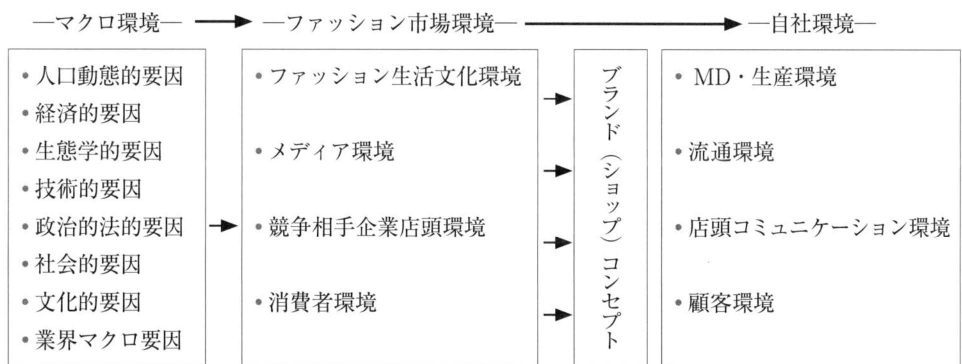

図15. ファッションマーチャンダイジングに必要とされる情報

タッフの情報、自社ブランド購入顧客情報（直営店等の情報）などがある。以下、①自社ブランド店頭販売実績、②自社ブランド購入顧客情報の収集・分析の要点を解説する。

① 自社店頭販売実績の分析

自社の各ブランド・各業態別に、POSデータまたは商品台帳に基づいて、売上データを収集・分析する（オケージョン別、ブランド別、アイテム別、スタイリング別、色別、素材別、サイズ別、チャネル別、月別・週別、曜日別、時間帯別など）。ただし、POSデータは、あくまで売上結果であることから、分析においては販売スタッフの意見を加味して修正することが必要である。自社の販売スタッフから、数字に表れない販売動向の情報を収集・分析する。

② 自社ブランド購入顧客情報の収集・分析

自社ブランド（ショップ）顧客の購買傾向を、顧客カルテ等を通して、顧客タイプ別に収集・分析する（年齢別、購入店舗別、居住地域別、職業別、アイテム別など）。

3 ファッション情報の時系列フロー

ファッションの世界では、特定の時期にさまざまな流行が発生するが、このような流行の傾向をトレンドという。ファッショントレンドは月ごとに変化していくが、大きくは春夏、秋冬を1つの単位として発生する。このような春夏、秋冬シーズンの次なるファッショントレンドを予測する情報が、ファッション予測情報である。

ファッション予測情報は、ヤーン製造業、テキスタイル製造業・レザー製造業、アパレルメーカー・服飾雑貨メーカー、小売業の、それぞれの商品企画段階に合わせて発表される。

おおまかにいえば、**表8**のようなスケジュールでファッション情報が発信される。

表8. 時系列にみたファッション情報

ファッショントレンド情報			ビジネスの現場	
24カ月前〜	インターカラー	→	24〜18カ月前	ヤーンの企画
18カ月前〜	JAFCAカラー情報 素材団体のカラー素材情報 情報会社のトレンド情報（サイト） ヤーン見本市	→	18〜12カ月前	ヤーン、テキスタイル、レザーの企画
12カ月前〜	テキスタイル見本市 レザー見本市	→	12〜6カ月前	アパレル、シューズ・バッグ等の企画
6カ月前〜	ファッションウィーク アパレル見本市 シューズ・バッグ見本市 ファッショントレンド専門情報、ファッション専門情報、ファッション業界情報の専門紙誌・サイト	→	6〜0カ月前	小売業のMD、バイイング
実シーズン	ファッション誌 女性誌・男性誌、一般誌（紙） テレビ ウェブサイト	→	実シーズン	消費者の購入

4　世界のファッションウィークと見本市

ファッション予測情報を発信する機関には、カラー情報機関、素材団体、素材見本市、情報会社などがある。また、ファッショントレンド情報発信機関ではないが、ファッショントレンドに大きく影響を及ぼしているものとして、アパレル見本市（アパレル合同展示会）、デザイナーコレクション、ファッション系メディアがある。

このようなファッション予測情報は、レディスウェア、メンズウェア、テキスタイル、ヤーン、服飾雑貨（シューズやバッグなど）などに細分化される。具体的には次のような機関がそれぞれのファッション情報を発信している。

- **カラー情報機関**／インターカラー（国際流行色委員会）、日本流行色協会（JAFCA）など
- **素材団体**／ザ・ウールマークカンパニー、コットン・インコーポレーテッドなど
- **テキスタイル見本市**／プルミエール・ヴィジョン、ミラノウニカ、JFW-JCなど
- **ヤーン見本市**／ピッティ・イマジネ・フィラティ、エキスポフィル
- **レザー見本市**／リニアペッレ
- **ファッション情報会社**／ペクレル・パリ、プロモスティル、ネリーロディ、トレンドユニオン、WGSNなど
- **アパレル見本市**（合同展示会）／トラノイ、フーズネクスト、ピッティ・イマジネ・ウォモ、D&A、コーテリー、MAGIC、ルームスエクスペリエンスなど
- **シューズ・バッグ見本市**（合同展示会）／プルミエール・クラス、MICAM、MIPELなど
- **ファッションウィーク**／パリ、ミラノ、ロンドン、ニューヨーク、東京など

5　ファッションメディア

実需に近い時期に発信される情報として、ファッションメディア情報が挙げられる。ファッションメディアは、①産業人向けのメディアと、②消費者向けのメディアに大別される。特に後者の消費者向けのメディアは、月ごと半月ごとに短サイクルに情報が発信されると同時に、消費者の購買動機に大きな影響を与えている。ファッションメディア情報には、次のようなものがある。

① 産業人向け専門紙誌・サイト
- ファッショントレンド専門誌
- ファッション業界紙
- ファッション業界誌
- ファッション専門情報サイト

② 消費者向けファッション誌・サイト
- ファッション専門誌
- 海外ファッション誌
- 国内ファッション誌
- ファッション情報サイト

③ 女性誌
- ライフスタイル分野
- 生活実用分野

④ 男性誌
- ライフスタイル分野
- ホビー&カルチャー分野

上記②、③、④に挙げた消費者向け雑誌は多種多様にあることから、このような雑誌情報を収集するにあたっては、雑誌の特徴と購買読者層を把握して、自社が対象とする客層や利用目的に合ったものを選択する必要がある。一般に消費者向け雑誌はマインドエイジを明確にしており、また

ファッション性の高い雑誌の場合はさらにテイストも明確にしていることが多いが、そのコンセプトは往々にして変化する。ファッション雑誌の情報を収集するに際しては、ファッション雑誌のコンセプトがどのように変化しているか、常にその動向を把握しておく必要がある。

6 ファッションリソース

一方、ファッション企画を進めるには、このような時代変化を認識するための情報の他に、企画開発のリソースとなるべきベーシックな情報も必要となる。ファッションリソースには、次のようなものがある。

- 色見本帳、素材スワッチ、図案など
- 過去のデザイン画、商品写真、パターンなど
- アート、デザイン、服飾関係の図版、写真、専門図書、ビデオなど

このような情報は、次シーズンの予測に活用されてこそ価値が生まれる。収集された情報は、取捨選択、整理蓄積（近年ではデータベース化することもある）、分析、加工（マップ化、図表化）されて活用される。

第6章 アパレル生産と物流

1.アパレル生産管理、素材調達管理

1 アパレル生産管理の特性

生産管理とは「生産を計画し、交渉し、準備し、指示し、チェックする」ことである。

- **計画**／何を、どこで、どれだけ生産するか
- **交渉**／いくらで、いつまでに
- **準備**／主資材（生地、ニットの場合は糸）と副資材（裏地、芯地、ボタン、ファスナーなど）の投入
- **指示**／生地の上がる日と数量の指示、縫製仕様書に基づく裁断・縫製の指示
- **チェック**／途中の進捗状況のチェック、完成品のチェック

このような生産管理にも、アパレル業界では2つの側面がある。

1つの側面は、アパレル工場（アパレルソーイング企業など）における生産管理であり、もう1つの側面は、製造機能をもたないアパレルメーカー（ファッションメーカー）における生産管理である。

前者のアパレル工場における生産管理には、工程管理、技術管理、設備管理などの業務があり、後者のアパレルメーカーの生産管理には、外注工場管理や素材調達管理を中心とした業務がある。ここではアパレルメーカーの生産管理を中心に解説する。

2 アパレルメーカーの生産管理業務

① 機能

アパレルメーカーの生産管理も、前述した「生産を計画し、交渉し、準備し、指示し、チェックする」ことであるが、具体的には次のような機能を有する。

- **外注工場の選定**／商品構成に基づいて、商品タイプ別・品番別に生産する工場を選定する
- **数量管理**／品番ごとの生産数量を決定する
- **素材調達**／商品構成に基づいて、アイテム・品番ごとに、使用する生地を選択し、テキスタイル企業等から生地を調達する
- **副資材調達**／アイテム・品番ごとに、

使用する副資材を選択し、副資材企業から副資材を調達する

- **原価管理**／製品ごとの生地代と工賃を算出し、原価を管理する
- **納期管理**／各製品をいつまでに自社に納めるか、納期を計画・管理する
- **品質管理**／各製品の品質（クオリティ）を管理する
- **外注工場管理**／生産途中の進行状況をチェックすると同時に、仕上がった時点で完成品の品質等をチェックする

② 生産管理部門の業務

アパレルメーカーにおいて、このような生産管理業務を担当するのは、生産管理部門である。一般に、アパレルメーカーの生産管理部門は、ブランドごとにコンセプトが違っていても、生地の発注先や工場が重複する場合もあり、効率的に生産を行う必要から、1社1部門とすることが多い。

とはいえ、このような生産管理部門の個々の業務、具体的には商品ごとの、生地の納期と生地代、工賃、納期、生産数量などの決定をするのはブランドのMD部門である。マーチャンダイザーが、素材企業や工場の窓口となっている生産管理部門と綿密なコミュニケーションを図りながら、最適な商品が、最適な原価、最適な数量で、最適な時期に、上がるように管理することになる。

生産管理部門の業務は、概ね次のような流れで行われる。

i）生産計画・発注計画の立案／商品企画部門の商品計画・価格計画に基づいて、シーズン別・月別の生産計画を立て、各工場の技術力や生産能力を考慮しながら、工場別の発注計画の大枠を作成する

ii）商品企画部門からの依頼／商品企画部門によるシーズン別・月別の商品構成・数量計画に基づいて、素材、副資材の計画、アイテム別・品番別の生産計画の依頼を受ける

iii）素材発注書の作成／ii）の計画に基づいて、素材や副資材を発注する

iv）生産工場の選定／ii）の計画に基づいて、アイテムごと品番ごとの工場を選定する

v）パターンメーカーへの依頼／パターンメーカーに対し、縫製仕様書の作成を依頼する

vi）工賃、納期の交渉と、生産工場の決定／iv）で選定した工場に対し、工賃（製品1着当たりに工場に支払う費用）と納期の交渉をして、交渉がまとまれば工場を決定し、縫製仕様書やパターンを正式に工場に渡す

vii）資材の投入／iii）で発注した資材（生地、副資材）を調達する企業に対し、その資材の納入先、数量などを指示し、工場に納入されるまでを管理する

viii）生産段階でのチェック／工場で生産が始まった後、製品の納期と数量をチェックする

ix）物流部門への納品／生産された製品は物流部門に納品されるが、このときマーチャンダイザーや営業部門スタッフと連携しながら、指定した商品が、指定の量、指定の期日に納まっているかどうか、仕上がった製品がデザイナーやパターンメーカーの指示通りに上がっているかどうか、チェックする

x）その他／生産途上での企画変更への対応、追加発注など

③ 素材調達管理

素材調達は、企画構想段階において、そのブランドのデザイン特性、プライスゾーン、納期スケジュールを検討し、最適な調

達ルートが選択される。素材調達ルートには、国内と海外があり、国内の場合でも商社、合繊メーカー、テキスタイルコンバーター、産元商社、機屋など多種である。

近年では、ブランド独自のオリジナル素材を開発することも多いが、この場合はアパレル企業のテキスタイルデザイナーなどがテキスタイルを企画し、テキスタイル企業に別注することが多い。後染めの色の別注、プリント柄の別注、さらには緯糸の変化によるオリジナル素材など、さまざまな別注の方法がある。

またニットの場合は、ニッターから製品買いで進めるケースが多い。その場合でも、原料となる糸を自ら調達してニッターに売上げを立てるか、ニッターに調達してもらうか、ブランドの生産方針によって大きく異なってくる。

④ 外注工場管理

アパレルメーカーによる外注工場に対する書類は、大きく分けて2つある。加工方法を示す「縫製仕様書」と、色・サイズ別の生産数量や、使う材料の使い方を伝える「加工指図書」(加工依頼書、加工指示書などともいう）である。

布帛製品はアパレルメーカーが自社でサンプルを作成し、それを基にして仕様書を書くのに対し、ニット製品の場合は、アパレルメーカーが自社でサンプルまでを作る企業は少なく、ニッターに糸の設計からサンプル作りまでを任せることが多い。そのため仕様書もニッターが社内で作成し、自社の製造現場に提示することが多い。

なお、アパレルの外注生産は、海外生産比率（特に中国をはじめとするアジアでの生産比率）が高くなっており、それに応じて後述する商社等を通したOEMが増えている。

その一方で、日本製のアパレルにも注目が集まっており、染色、織り・編み、縫製、企画・販売のすべての工程が日本国内で行われる純国産の衣料品を認証するＪ∞クオリティー認証制度がある。

⑤ 数量管理、コスト管理

生産数量は、次の３点から検討される。

ｉ）売上数量の予測（営業部門、店頭販売部門の販売計画により算出されたもの）

ⅱ）受注予測（時代背景を考慮した、展示会の受注予測）

ⅲ）生産ロットと生地ロット／生産数量は、最終的には展示会後に調整されるが、海外素材や海外生産にともなって展示会前に見込みで生産をかけることも多くなっている。展示会前に数量を決定するにあたっては、店頭の販売予測の確率をいかに高めるかが重要となってくる。また生産ロットが少ないと、原価が上がる危険性があることに留意する必要がある。

⑥ 納期管理

納期管理とは、指定した時期に、指定した数量の製品を、指定した品質で、指定した場所に、納入させるための一連の活動をいう。

具体的には、アパレルメーカーが準備するパターン、縫製仕様書、加工指図書、その他工場に渡す生産情報などを工場に届け終えるための作業管理を行う。

納期については、市場ニーズサイド（得意先や営業部門）と、生産現場サイド（外注管理部門や工場）の両者から希望が出されるが、最終的には商品企画と商品の供給に責任をもつべき商品企画部門が決定する。

⑦ 品質管理

品質管理とは、製品化にあたって、顧客満足度が十分に得られるように、買い手の要求に合ったクオリティの製品またはサービスを経済的に作り出すための手段の体系のことで、QC（Quality Control）ともいう。

アパレルメーカーの品質管理は、素材の品質管理と、生産の品質管理に大別できる。素材の品質管理は主資材・副資材のすべてが対象であり、品質管理の責任者は素材を決定するマーチャンダイザーである。また生産の品質管理は、デザイナー、パターンメーカー、工場スタッフが関わるが、技術責任者を定め、JIS（日本工業規格）など公的な品質基準に加えて自社の品質基準を設定し、総括的に品質管理を行う必要がある。

3 | OEMとODM

近年のアパレルメーカーでは、海外生産比率が高くなったこともあって、商社やOEM生産管理会社などから製品買いをする生産管理方式が増えている。これはブランドが展開する布帛製品からニット製品に至るまでの全製品の生産管理業務を、商社などが担う方式である。

この場合、アパレルメーカーが、マーチャンダイジング、デザイン、素材企画、VMD、販売活動などを担い、商社などが素材調達、生産工場の管理、ロジスティクス、輸入実務等の機能を担う。そのためアパレルメーカーには、素材在庫が発生せず、製品原価は商社からの仕入値になる。

また、商社やOEM生産管理会社に生産管理を依頼するだけでなく、デザイン、パターンメーキングまでを依頼するケースもある。つまりODM（相手先企業のブランドを付けて販売される商品の設計・生産のこと）の活用で、商社やODM会社などが、アパレルメーカーに対して、商品のデザイン、使用する素材、生産背景までを決めて、商品を提案する取引きである。この場合、アパレルマーチャンダイザーは、ブランドコンセプトとシーズンコンセプトに合致したデザインの商品を、商社やODM会社の提案商品の中からセレクトしたうえで、生産を依頼することになる。アパレルメーカーブランドが展開する商品は、自らデザインし開発した商品とODM活用型セレクト商品がミックスされていることになる。

アパレルメーカーのOEM・ODMが増える一方で、仕入商品を展開するケースも見かける。アパレルメーカーの商品は、本来はすべてオリジナル開発商品のはずであるが、シューズ、バッグ、アクセサリーなどの服飾雑貨などの商品を仕入れるケースもある。服飾雑貨のすべてをオリジナル開発しようとすれば、商品ごとに相応のロットが必要とされる。そのため、原価は上がるものの、生産ロットを必要としない仕入商品を品揃えする方法が採用されるのである。

4 | 自社工場での生産

ブランドを有し、企画・販売機能を有するアパレルメーカー（ファッションメーカー）の多くは、外注工場管理や素材調達管理といった生産管理業務が中心であるが、下着やスポーツウェアなどの一部のアパレルメーカーでは、素材調達管理から工程管理、技術管理、設備管理などの工場内の生産管理業務も行う。

工場でのアパレルの生産は、概ね次の順序で行われている。

i）グレーディング／サイズのバリエーションを作るために、型紙を拡大・縮小すること

ii）マーキング／実際に使用する生地の幅に合わせて、裁断をするときのパターンの並べ方を決める作業

iii）延反（えんたん）／生地は反物の状態で工場に入荷するが、その生地を台の上に広げて、必要な長さだけカットし、それを何枚も積み重ねていく作業

iv）裁断／延反した生地を切ること

v）縫製／裁断した生地を縫い合わせて製品を作る作業

vi）仕上げ／製品そのものの形状を安定させ、風合いを良くするために、熱処理や蒸気処理などを行う作業

vii）タグ作成、包装／タグ（下げ札）には、ブランドのネームや、社名、商品番号（品番）、色、サイズなどが表示されている。タグ作成とはタグを作り製品に付ける作業。包装とは、製品を1点ごとに包む作業

2. アパレル物流

1 | 物流とロジスティクスの概念

物流とは、商品の移動や保管、それらに関連する諸活動のことである。JIS（日本工業規格）の定義では、「物資を供給者から需要者へ，時間的及び空間的に移動する過程の活動。一般的には，包装，輸送，保管，荷役，流通加工及びそれらに関連する情報の諸機能を総合的に管理する活動。調達物流，生産物流，販売物流，回収物流（静脈物流），消費者物流など，対象領域を特定して呼ぶこともある」と記されている。

物流は経営活動に必須となる機能であるが、生産と仕入れ・販売をつなぐ副次的な機能と認識され、企業経営のうえでも傍流の業務という位置づけしか与えられていなかった。しかし、CS（顧客満足）やマーケットインが重視されるようになり、多品種少量生産と多頻度小口納品が一般化してきたことから、これらに戦略的かつ効率的に対応するための「戦略的物流」という考え方が、“ロジスティクス”という言葉とともに注目を浴びるようになった。

JISではロジスティクスを「物流の諸機能を高度化し，調達，生産，販売，回収などの分野を統合して，需要と供給の適正化を図るとともに顧客満足を向上させ，あわせて環境保全及び安全対策をはじめ社会的課題への対応をめざす戦略的な経営管理」と定義している。

ロジスティクスはもともと軍事用語であり、兵站（へいたん＝戦闘部隊の後方にあって、軍需品や車両・食料などの輸送・補給・修理、後方連絡ルートの確保などを担当する機関）のことである。この発想をビジネスに取り入れたものであり、JISの定義からわかるように、戦略的な物流を示す言葉であることが理解できる。

インターネット通販の飛躍的な増加にともなう小口配送の増加に端を発し、物流費の高騰が続いているが、アパレル産業における企業経営にとっても物流業務の高度化が重要な戦略の１つとなることは論を待たない。

2 アパレル産業の物流構造

アパレル産業の物流業務は、一般的にアパレルメーカーと小売企業の間の物流を意味することが多い。具体的な内容は後述するが、アパレル産業の物流構造は**表 9** のようになる。

調達物流、生産物流、販売物流を総じて「動脈物流」と表現することもあり、返品物流、廃棄物流を「静脈物流」と表現することがある。循環型社会の重要性が高まる中、静脈物流の高度化も重視されている。

表 9. アパレル産業の物流構造

物流構造	内容
調達物流	商品や原材料、副資材を自社に運び込むための物流である。
生産物流	調達した物を社内の必要な部署や倉庫などに移動するための物流である。「社内物流」とも表現される。
販売物流	販売先企業や消費者に納品するための物流である。納品先が消費者に限定される場合は「消費者物流」とも表現される。
返品物流	販売先企業や消費者からの返品や回収に関する物流である。下記の廃棄物流と合わせ「回収物流」とも表現される。
廃棄物流	廃棄する際の物流である。近年、資源として再利用する活動も増加しており、その場合は「リサイクル物流」とも呼ばれる。

3 物流業務

アパレル産業における物流業務の特徴は、ハンガーでの保管や輸送が挙げられる。また、プレスやネームの付け替え、縫製不良等の補修作業、検針など、流通加工が必要になることも多い。アパレル産業の物流業務をまとめたものが**表 10** である。

表 10. 物流業務

物流業務	内容
保管	倉庫や物流センターに物資を保管する業務である。どこに何があるのかを明確にするロケーション管理がある。
輸送	商品や原材料を移動するための配送業務である。物量やリードタイム、コストを勘定し、最適な輸送方法を決定する。
荷役	商品や原材料を倉庫や物流センターに運び入れ、仕分けや出荷を行う業務である。指示された商品を保管場所から取り出す「ピッキング」も含まれる。
包装	商品や原材料を衝撃や汚れなどから保護するための業務であり、個別にパッケージングする個装と段ボールなどに詰める外装に大別される。
流通加工	商品や付加価値向上に資する加工業務であり、通常は倉庫や物流センターで行われる業務のことを示す。
情報処理	情報システムにより物流業務全般を管理していく業務である。代表的なシステムとして、倉庫管理システムや輸配送管理システムなどが存在する。

中小のアパレルメーカーにおいては、仕入れや出荷のミスなども頻発し、棚卸差異が多く発生することがある。荷役や保管業務における業務フローを精査し、精度を向上させていく必要がある。

4 | アパレルメーカーの物流業務

アパレルメーカーにおける具体的な物流内容を、以下、確認していく。

① 調達物流

アパレルメーカーが調達した製品が倉庫や物流センターに届くまでの物流業務と、素材や副資材を手配し縫製工場に届くまでの物流業務が中心である。

しかし、実際はアパレルメーカーが行う物流業務は少なく、前者は生産委託先や仕入先が、後者は素材企業や副資材企業が、それぞれの運送手段とコスト負担で指定場所に納入することが多い。ただし、前者では発注時に生産管理部門が生産指示書、製品仕様書、パターンなどとともに織りネーム、品質表示ラベル、タグなどを生産企業に送付する物流業務が発生することがある。

② 生産物流（社内物流）

縫製工場などから納品された商品を検品・仕分けして所定の場所に保管するまでの物流業務である。直営店や支店などへ転送する場合も含まれ、倉庫や物流センターなどにいる物流スタッフが、次の販売物流の業務とともに一貫して担当する。

③ 販売物流

保管されている商品を営業部門からの出荷指示に基づいて、他社の小売企業もしくは直接消費者に配送する物流業務のことである。荷役、包装、流通加工などがあり、物流スタッフが担当する。調達した商品の保管業務を含め、アパレルメーカーの中心的な物流業務となる。

効率化や精度向上が課題になることが多く、出荷指示のシステム化や保管や入出庫など倉庫運営業務全般を管理する倉庫管理システム（WMS：Warehouse Management System）、在庫管理システム、輸配送管理システムなどを、企業規模に応じて組み合わせながら業務に取り組んでいる。

百貨店などへの販売物流には、指定する独自の値札付けや専用伝票の使用、他のアパレルメーカーからの納品を集結させた流通センターへの納品指定などが発生することが多くある。

④ 返品物流

返品や商品交換で返ってきた商品に関する物流業務である。これも物流スタッフの業務で、返送された商品と返品伝票を照合したうえで、キズや包装状態の点検や販売先指定の値札を外し、生産物流（社内物流）と同じ手順で保管する。返品された商品は、他店への販売やアウトレット、セールでの販売が中心となる。

⑤ 廃棄物流

キズなどの不良品や売れ残り品の処分に関する物流業務のことである。処分方法は金融品卸商（通称「バッタ屋」）への販売や廃品回収業者の利用、焼却処分などが中心である。

地球環境の保護という観点から、資源としての再利用システム（リサイクル物流）の構築の重要性が高まっているが、再資源化や廃棄物流に関するコスト効率が大きな課題となり、思うように進んでいない状態である。

5 アパレル小売業の物流業務

① 調達物流

小売企業が調達した商品がアパレルメーカーなどから小売企業に届くまでの物流業務である。配送は納品側企業が運賃を負担し、運送会社に委託して実施することが多い。GMSなどに見られるセンターフィー(多店舗展開している小売企業が物流センターを設置している場合、各店への配送コスト負担という位置づけで支払われる手数料のこと）は、この商慣習から派生したシステムである。

② 生産物流（社内物流）

納品された商品が売場に並べられるまでの物流業務である。輸送はもとより、荷役、流通加工、保管業務が中心となる。これらは商品管理スタッフが担当する。多店舗展開している場合、店舗間振替（店振）も発生する場合が多くなる。

③ 販売物流

販売にともなって発生する物流のことである。消費者に対する配送が中心となるが、小売業独自によるインターネット販売も増加したことから、販売物流は増加している。

④ 返品物流

返品や商品交換の場合に発生する物流業務である。返品する商品に対し、販売員が返品伝票を作成し、商品管理スタッフが商品と伝票を照合した後で梱包し、送り状を作成して運送会社に配送依頼を実施する。取引契約の内容にもよるが、返品理由が商品不良でない限り、運賃は小売企業が負担することが多い。

⑤ 廃棄物流

廃棄に関する物流業務であるが、アパレルメーカーの廃棄物流とほぼ同じ内容となる。

6 物流アウトソーシングと3PL

アパレル物流において、企業規模が一定の大きさを超えるにしたがい、物流業務をアウトソーシングする傾向が強くなる。大手企業では自社で物流業務を高度化し、差別的優位性を確保している企業も存在するが、輸送業務に関しては専門業者に依頼するところが多数を占める。

近年、ロジスティクスと同じように「3PL(サードパーティ・ロジスティクス)」という言葉が多く用いられるようになった。国土交通省は3PLを「荷主に代わって、最も効率的な物流戦略の企画立案や物流システムの構築について包括的に受託し、実行すること」と定義づけている。ノウハウをもった第三者団体（サードパーティ）が荷主の立場に立って物流業務の全体最適を実現していくサービスといえる。現状、物流業者や運送業者がサードパーティの立場を担うことがほとんどである。

ちなみに、3PLには倉庫や輸送車両などの資産をもたず物流サービスを提供する、ノンアセット型の企業もある。対して物流倉庫や車両などを保有する物流業者をアセット型という。

7 | 輸配送管理

輸配送管理とは、配送効率を高めるための管理業務全般のことである。具体的には、配車計画から運行計画までを管理する配車管理、ドライバーの業務など輸配送業務の管理、運賃の計算や請求、支払いを管理する運賃計算管理、貨物がどの状態にあるのかを管理する貨物追跡管理などが主となる。

実際は、自社で輸配送管理をシステム化しているアパレル企業はほとんどなく、専門業者に委ねている状況といえる。各アパレル企業において、配送コストは物流コストの50%以上を占めている場合が多く、近年の物流経費増の要因となっている。

8 | 販売情報管理と物流

アパレル産業においてもインターネット通販の売上げが拡大し、売上シェアを伸ばしている。今後もインターネット通販のシェアが拡大することが予測されており、販売情報管理と物流業務をシームレスに連動させていくことが必要となる。

インターネット通販の付加価値向上へ向け多様な試みがなされているが、その1つとして注文確定から消費者の手元に商品を届けるまでの配送スピードの短縮が挙げられる。物流業務を最適化し、注文後数時間で消費者が商品を受け取ることが可能なサービスも実現されている。また、現段階では実用化に至っていないが、従来の輸送手段ではなく、ドローンを用いた配送方法なども盛んに実験されている。顧客の利便性向上のため、宅配ボックスの設置、コンビニエンスストアなどでの受け取り、自社直営店舗での受け取りなど、注文した商品の受け取り方法も多様化している。

従来型の物販とは異なり、新たなビジネスモデルとしてシェアリングサービスの成功事例も出てきており、返品時に発生する顧客の作業負担軽減に対する工夫も重要となる。

今後も販売（サービス提供）・物流を一体化させた新たな付加価値の提供が重要となり、物流サービスの機能はビジネスにとって重要なプラットフォームとなる。

9 | グローバルロジスティクス

日本のアパレル産業における物づくりは、中国を中心とした海外生産に依存してきた。中国の人件費高騰もあり、生産地は東南アジアなどにも広がっている。商品の輸入においては以前からグローバルな取り組みを実施してきたといえる。

販売面においても、絹の輸出から合繊、価格競争力のある商品の輸出など、一時期は繊維産業が国の産業を担う役割を務めていた。日本国内の人件費の高騰や貿易摩擦により繊維の輸出は減少したが、国内市場の縮小は確実視されていることから、日本のアパレル産業の繁栄には海外市場の獲得に向けた働きかけの強化が必須となる。

輸出入におけるロジスティクスでは、フォワーダー（貨物利用運送業）と呼ばれる、荷主から貨物を預かり、他の運送手段（船舶、航空、貨物自動車など）を利用し運送を引き受ける事業者が、重要な位置を占めている。相手国の状況により、フォワーダーを使い分けていく必要も生じるが、FOBやCIFなどの取引条件や運送手段（船便、航空便）によりコスト負担が大きく変動し、決済手段や為替に関する対応も重要となっている。最適な方法を選択するためには、一定の貿易知識を身につける必要がある（第9章-5. 貿易に関する基礎知識、P.161参照）。

今後、自由貿易協定による関税の撤廃が拡大することが予測されており、商品の輸出入の増加が見込まれる。また、取引額の増加が進んでいる越境ECもさらなる発展が期待でき、ますますグローバルロジスティクスが重要な役割を担うことが想定される。

3. SCMの知識

1 製販連携とSCM

SCM（サプライチェーンマネジメント）とは、供給業者から最終消費者に販売するまでのサプライチェーン全体の流れを統合的に見直し、プロセス全体の効率化と最適化を実現するための経営管理手法のことである。在庫削減と販売機会ロスの極小化という、二律背反した内容に対する最適解答を見出すことで、キャッシュフローの最大化を目指す働きかけであり、日本語訳として「供給連鎖」と表現される。1社単独で実施する内容ではなく、製造から販売までの各企業が連動し、生産から販売までの情報を迅速に共有することが極めて重要な要素となる。

2 SCMの基本

① 歴史

SCMは、アメリカのコンサルティング企業であるブーズ・アレン・ハミルトンが1983年に提唱した概念である。当時は、作れば売れる時代が過ぎ去り、何が売れるのかが予測困難な不確実性の時代になり、売れ残った不良在庫が経営を圧迫する状況に突入していた。在庫は資産ではなくリスクと捉えられ、製造及び販売の各企業において在庫削減が課題となり、どのプロセスで中間在庫をもつべきなのかを問う経営管理手法が流行することとなった。そうした時代に登場した概念が、SCMである。

② 部分最適から全体最適へ

SCMは、サプライチェーンの全体最適化によりキャッシュフローの最大化を実現することが目的となる。各企業における部分最適の積み上げは全体最適をもたらさないことも多い。製糸、紡績、染色整理、縫製工場、アパレルメーカー、小売りといった、サプライチェーンを構成するプレーヤーが情報を共有化し、中間在庫を削減しつつリードタイムの短縮を実現することによる販売機会ロスの削減を両立していく試みが重要となる。

③ 規模の経済性からスピードとネットワークの経済性へ

経済学や経営学の世界では、以前から規模の経済性や範囲の経済性という言葉が多く用いられてきたが、1980年代後半から速度の経済性、ネットワークの経済性を活かしたビジネスモデルで成功を収める企業も多く現れた。**表 11** で、それぞれの言葉を説明するが、SCM は速度の経済性、ネットワークの経済性を実現していくための手法といえる。

表 11. 経済性の説明

項目	内容
規模の経済性	生産規模の拡大にともなってコストが下がり、効率が上昇すること
範囲の経済性	取扱う製品の種類が増加すると、個別に生産するより安く済むこと
速度の経済性	仕事や取引きのスピードを上げることによって得られる経済的な便益のこと
ネットワークの経済性	複数の人や企業がネットワークとして結びつくことで、経済的な効果が発生すること

3 | QR システム

QR（クイックレスポンス）とは、1980 年代にアメリカのアパレル業界で提唱された言葉であり、SCM のルーツといえる。

当時、アメリカの繊維産業は、不況による消費の冷え込みと、低価格競争、輸入増加や生産現場の海外移転などによる国内生産の空洞化などに見舞われていた。当時の実態調査では、糸の生産から小売店舗での陳列・販売までの期間が 66 週間に及び、このうち 55 週間が在庫あるいは移動に費やしている時間であることが明らかになった。そこで、リードタイムを短縮できれば、予測の的中率が高まり、生産・流通段階での無駄な在庫を削減でき、結果的には消費者に良質廉価な商品を提供できるようになるという考え方が生まれ、これが QR と呼ばれた。

日本では、1993 年に通商産業省（現在の経済産業省）が主導する「新繊維ビジョン」で QR の必要性が提唱されたのが発端である。翌 94 年に「QR 推進協議会」（現在の繊維ファッション SCM 推進協議会）が発足し、同協議会が中心になって環境整備に取り組んできた。アパレルメーカーにおいては、短納期生産を軸とし、期中追加生産の比率を高めることで在庫精度の向上を目指す企業が増加した。

QR 推進協議会の功績としては、JAN コードの導入や企業間データ交換を標準化するための EDI（電子データ交換）標準メッセージ方式の制定などが挙げられる。これらは SCM の基盤を構築する役割を果たした。

4 | SCM と管理業務

SCM では企業間の連携強化が不可欠であり、その手段として後述する EDI やソースマーキングなどの情報処理技術が導入された。また、顧客を起点とした需要予測を軸に、販売計画と生産計画を連動させることが必要となる。顧客に対する販売実績を共有化し、サプライチェーンに参画する企業が、次の需要を精度高く予測する必要が生じるが、そのためには商品を購入した顧客の属性を紐づける必要も生じ、POS システムから得ることができるデータは重要な役割を担ってきた。

5 | POS システム

POS システムとは、小売店で用いられる商品の販売情報システムのことである。通常はレジ機能も兼ね備えており、購入された商品の情報取得だけでなく、顧客カードなどの利用により購入した顧客の情報を関連づけることが可能となった。同システムは 1960 年代にアメリカで急速に普及し、その後、日本においても業務効率化と販売商品の情報管理が重要な役割を担ってきた。優れた情報取得機能を保有するため、SCMになくてはならないシステムの1つといえる。

6 顧客管理システム

顧客管理システムとは、顧客情報を管理するためのシステムである。POSシステムを有効に機能させながら需要予測の精度向上を実現していくための重要な役割を担う。一方、顧客との関係性強化により収益性の向上を図るCRM（カスタマー・リレーションシップ・マネジメント）の実現に向けた役割としての意味合いも大きい。

CRMの成功例として、優良顧客により良いサービスを提供していくFSP（フリークエント・ショッパーズ・プログラム）が挙げられる。RFM分析という、最終購入日（Recency）と一定期間の購入回数（Frequency）、一定期間の購入金額（Monetary）から顧客を層別に分類する手法を活用し、それぞれの層別に最適となるサービスを提供することで優良顧客の囲い込みを図ることがFSPの本質といえる。それゆえ、顧客データを管理していく必要があり、顧客管理システムは重要な機能となっている。

顧客管理システムでは顧客ごとにIDを貼り付け管理していくことが多いが、店舗で使用する場合は会員カードの活用が中心であり、インターネット通販の場合は直接、顧客IDで管理することが多い。管理している情報を基に、メールマガジンなどによる情報提供に加え、クーポンなどによる特典の提供など、再来店や再購買を促す仕掛けを提供している。

7 取引情報システム

SCMにおける情報共有化の基盤として、JANコードの活用やEDIの導入が重要な役割を担う。どちらも経済産業省の外郭団体である、（一財）流通システム開発センターが取りまとめている。同団体は、国際的な流通システム標準化機関「GS1（ジーエスワン）」に加盟し、商品や企業・事業所の識別コード、各種のバーコード、EDIなど、グローバルな視点に立った流通システムの標準化とデータベースサービスを推進している。

① JANコード

JANコードとは、日本共通商品コード（Japan Article Number Code）のことであり、「どの事業者の、どの商品か」を表す、世界共通の商品識別番号である。ブランドをもつ事業者が、（一財）流通システム開発センターから貸与されたGS1事業者コードを用いて、商品ごとに設定していく。通常、バーコードスキャナーで読み取れるように、下図のようなJANシンボルというバーコードシンボルによって商品パッケージに表示される。

JANコードは、標準タイプ（13桁）と短縮タイプ（8桁）の2つに分けられ、標準タイプもGS1事業者コードが9桁のも

のと7桁のものに分けられる（JANコード申請企業の増加により、2001年1月以降の新規登録分から9桁の事業者コードが採番され始めた）。バーコード体系は**表12**の通りである。

標準タイプの13桁にSKU（在庫最小管理単位）レベルのデータを組み込み、POSシステムと連動させることで、売上げや受発注、出荷指示、検品などの単品管理が可能となった。

② EDIの導入

EDIとは、Electronic Data Interchange（電子データ交換）の略で、異なる企業間における取引きのためのデータを、通信回線を介してコンピュータ間で交換すること。取引きの迅速化や正確化をもたらすだけでなく、ペーパーレス化に役立ち、アパレル業界の多くの企業がEDIを導入している。

電子取引を行うためには、事前に情報をどのようにやりとりするかを定める必要があり、通信プロトコル（コンピュータ同士が正しくデータをやりとりするための取り決め）やメッセージ（やりとりするデータの書き方の取り決め）の方法を規定している。その方法として、経済産業省の主導のもと、流通業界では通信プロトコルやメッセージの「標準規約」を定めた国内標準の「流通BMS（流通ビジネスメッセージ標準：Business Message Standards）」を推進している。

8 物流情報システム

物流の情報システムに関しても、標準化が推進されており、グローバルロジスティクスを鑑みた世界標準が重要となっている。EDIを活用し、サプライチェーンの可視化が進められているが、ここでは税関手続きのオンラインシステムであるNACCS（輸出入・港湾関連情報処理システム）と貨物に貼り付ける集合包装用コードであるGTIN-14を説明する。

① NACCS

NACCS（ナックス：Nippon Automated Cargo and Port Consolidated System）は、入出港する船舶・航空機及び輸出入される貨物について、税関その他の関係行政機関に対する手続き及び関連する民間業務をオンラインで処理するシステムである。

航空貨物の手続き等を行うAir-NACCSと海上貨物の手続き等を行うSea-NACCS

表12. JANコードの体系

	GS1事業者コード		商品コード	チェックデジット
	国コード	事業者コード		
標準タイプ（13桁） 9桁GS1事業者コード	2桁	7桁	3桁	1桁
標準タイプ（13桁） 7桁GS1事業者コード	2桁	5桁	5桁	1桁
短縮タイプ（8桁）	2桁	4桁	1桁	1桁

は、それぞれ独立したシステムとして稼動していた。その後、システムの見直しを行い、Air-NACCSとSea-NACCSを統合するとともに、国土交通省が管理・運営していた港湾EDIシステムや経済産業省が管理・運営していたJETRASなどの関連省庁システムについてもNACCSに統合し、統合版NACCSとして稼働を開始した。現在、海上貨物の総輸出入許可件数のうち約95%、航空貨物の約99%が、NACCSによって処理されている。

② GTIN-14

GTIN-14（集合包装用商品コード）は、企業間の取引単位である集合包装（ケース、ボール、パレットなど）に対して設定される商品識別コードのことである。主に受発注や納品、入出荷、仕分け、棚卸管理等において集合包装の商品識別コードとして使われている。

集合包装用商品コードは、集合包装の内容物である単品を表すJANコード（チェックデジットを除いた12桁）の先頭に1桁のインジケータを付け、最後に改めて計算し直したチェックデジット1桁を付け作成する。

9 RFID

RFIDとは、Radio Frequency Identificationの略称であり、ICと小型アンテナが組み込まれたタグやカード状の媒体から、電波を介して情報を読み取る非接触型の自動認識技術のことである。値札への活用が徐々に進んでいるが、鉄道関連企業やコンビニエンスストアでの決裁で利用が進んでいる決済用のICカードもRFIDの仕組みによるものである。この仕組みを使用したタグを総称し、電子タグと呼んでいる。

特徴は、非接触においても複数の情報を一括して読み取れることや、内蔵されたICへの新たな書き込みが可能であることから情報を上書きして何度も活用できることなどが挙げられる。

アパレル産業における活用としては、これまでのJANコードに代わる位置づけとして単品管理への活用が進んでおり、入出荷業務や決済時、棚卸業務などの効率化が実現している。不具合に備え、RFIDタグの表面にJANコードを印刷して使用していることが多い。1枚当たりの単価も下がっており、現在は約10円程度である。

経済産業省は「コンビニ電子タグ1000億枚宣言」を策定し、2025年までにコンビニエンスストアのすべての取扱商品（推計1000億個／年）に電子タグを利用することで、サプライチェーンに内在する社会課題の解決に向け取り組みを進めている。宣言の留保条件として、タグの単価を1円以下とすることや、メーカーが商品に電子タグを取り付けるソースタギングが定められている。

第7章 ファッション流通とコミュニケーション

1. アパレル流通戦略と商取引

1 流通戦略とコミュニケーション戦略

流通戦略とは、消費者との円滑な関係を築くために、「マーケティング活動における最適な商取引流通、物的流通、情報流通の仕組みを計画し実行することに関する戦略」である。

アパレル企業の流通戦略では、ブランドコンセプトを販売実績に具現させるために、商取引流通、物的流通、情報流通を計画する。従来のアパレル企業では、

- どのような流通チャネルを構築して、商取引に結実させるか（販売戦略：商流）
- 販売戦略に見合った物的流通を、どのように組み立てるか（物流戦略）

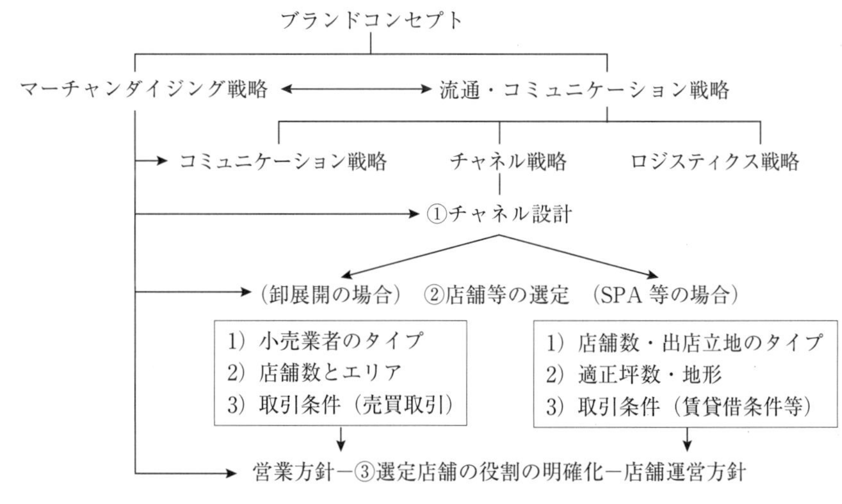

図16. 流通戦略とコミュニケーション

- 販売活動を促進させるために、どのように情報交流していくか（プロモーション戦略、情報収集：情流）

が主たる内容であった。しかし、アパレル企業が顧客とのコミュニケーションを重視するためには、

- ショップなどのメディアを通して、顧客からどのように情報を収集し、どのように情報を発信するか（コミュニケーション戦略またはプロモーション戦略：情流）
- 顧客との最適なコミュニケーションを達成するために、どのように流通チャネルを構築して商取引に結実させるか（チャネル戦略、販売戦略：商流）
- 顧客のニーズに合ったマーチャンダイジングの5適を達成するために、どのように物流を組み立てるか（ロジスティクス戦略：物流）

といった捉え方が必要とされる。

2 アパレル企業のチャネル戦略

アパレル企業のチャネル戦略は、次のようなステップで検討される。

①流通チャネルの設計
②流通チャネルに参加する店舗等の選定
③選定された店舗の役割の明確化

① 流通チャネルの設計

i）ブランドの方針とチャネル環境

アパレル企業がチャネル設計を進めるには、まずブランドの方針とチャネル環境を明確化する。

- **ブランドの方針**／ターゲット、ブランドのマーケティング方針、マーチャンダイジング方針（ライフスタイル特性、商品特性、デザイン特性、価格特性、VMD特性、売場の条件、展開時期特性、予算など）
- **チャネル環境**／競合他社のチャネル、小売構造変化、商業立地変化、マクロ環境要因など

以上を認識したうえで、実際のチャネル設計に入る。

ii）オムニチャネル

近年では、チャネル設計においてオムニチャネル戦略が重視される傾向にある。オムニチャネルとは、顧客とあらゆる接点（店舗、PC、スマホ、タブレット、SNSなど）を統合して運用することで、より快適な購買体験を演出し、顧客満足度を向上させ、顧客と強い関係を構築しようという概念である。

顧客は、実店舗、スマホ、PCなど、あらゆる接点でブランドや商品を認知したり、興味をもったり、比較検討したり、購買したり、商品を受領したりする。そのため、オムニチャネル戦略では、実店舗とECでの顧客情報や在庫情報の一元化が必要となる。

iii）チャネルの選択

次にチャネル設計方針に基づいて、最適なチャネルを選択するわけだが、アパレル企業の流通チャネルは、百貨店、量販店、専門店、一般小売店、無店舗小売業、そして直営ショップ（リアル店舗、ネットショップ）など多種多様である。

アパレル企業の流通チャネルは、

- 直営店、百貨店インショップ展開、直営ネットショップなどの、オンリーショップ展開が適切か
- 百貨店や専門店のコーナー展開、ネットショップへの卸販売が適切か

●百貨店平場や品揃え専門店、ネットショップに単品を供給するのが適切か
●小売業のPBを企画し、特定の小売業に独占的に供給するのが適切か
●価格訴求業態へ商品供給するのが適切か

などを検討し、自社ブランドのコンセプトに基づいて設計される。

また一部のアパレル企業では、自らセレクトショップというべき編集型直営ショップを開発するケースがある。ここではショップ独自のコンセプトが設定され、それを基本にして、社内外のブランドミックスが検討される。直営店の長所である、

●ブランドコンセプトの徹底
●顧客とのコミュニケーション
●粗利益率の確保
●売上げの安定性

と、セレクトショップ形態の長所である、

●立地特性に応じたブランドミックス
●坪数を広くとったメガショップ展開

が、共生したチャネルといえる。

次に、直営小売りと卸販売を併用するファッションブランドのチャネルは通常、直営店と百貨店インショップを中心に、セレクトショップへの卸、ファッション通販サイトなどで構成され、概ね次のタイプに分類できる。

ⅰ）直営店（オンリーショップの場合）

●直営店・路面出店
●ショッピングセンター（以下、SC）、ファッション通販サイトへの出店

＊両者とも、純然たる直営店の他に、販売業務を他の小売店に委託する販売代行店舗がある。

ⅱ）百貨店展開

●百貨店インショップ
●百貨店新平場やコーナーでの展開

ⅲ）専門店への卸

●セレクトショップへの卸
●ファッション通販サイトへの卸

ⅳ）自社の複数のブランドを編集した、編集型直営ショップの開設

＊ⅰ）と同様の出店形態

ⅴ）その他

●海外への輸出
●現地生産による海外直営店展開、または海外セレクトショップへの卸
●海外通販サイトでの販売
●他業種に対するロイヤリティ・ビジネス（自社ブランドのライセンサーとして、他業種例えばバッグ、時計、寝具などのライセンシー企業にブランドのライセンスを供与し、ロイヤリティ収入を得るビジネス）

②流通チャネルに参加する店舗等の選定

流通チャネルを設計した後、アパレル企業は、最適な店舗等を選定する。リアル店舗についていえば、卸展開の場合は自社ブランドを卸す小売業者や売場、直営店展開の場合はSCや路面など出店先を選定する。

A. 卸展開の場合

卸販売における小売業者の選定は、a.小売業者のタイプ、b.小売店舗数と販売エリア、c. 取引条件の3つの要素から検討される。なお販売エリアについては、自社ブランドを購入する消費人口を前提に、

●オンリーショップやコーナーが可能なエリア

●品揃え専門店展開（または百貨店平場展開）が適切なエリア

●展開不適切なエリア

に分けられる。

またネットショップについていえば、卸展開の場合は自社ブランドを卸すべきネット小売業者、直営店展開の場合は自社ホームページの他、出店するファッション通販サイトを選定する。

以上の方針を基にした取引きを締結した後は、それぞれのショップの役割を明確化して（③**選定された店舗の役割の明確化**）、最適な営業活動を進めるための「営業方針」を決定する。

B. 直営店展開

一方、SPAなど直営店展開の場合は、

●店舗数・出店立地のタイプ

●適正坪数・地形

●取引条件（賃貸借条件）

の3つの要素から検討され、出店するSCの選定やインショップ展開する百貨店の選定が行われる。そして取引締結後は、その店舗の役割を明確化して、最適な店頭販売を進めるための「店舗運営方針」を決定する。

【店舗数・出店立地のタイプ】

店舗開発を進めるにあたって、どの地域のどの場所に出店するのか、立地戦略はきわめて重要である。立地の特性いかんが売上げを左右することはもちろん、店舗開発には投資がともない、一度出店すると容易に撤退しづらいからである。

出店立地は、**図17**のように分類できる。

出店立地を選定するにあたっては、当該立地の環境を分析し、自店のターゲットに合致するか、十分な需要が期待できるかを分析する必要がある。具体的には、次のような情報を収集・分析する。

ⅰ）出店する商圏特性

●**人口属性**／エイジ別・性別・職業別人口分布、年収、家族構成、学歴特性など

●**地理特性**／出店立地の都市・界隈の特性、気候、交通アクセスなど

●**商業特性**／立地間競合（中心商店街

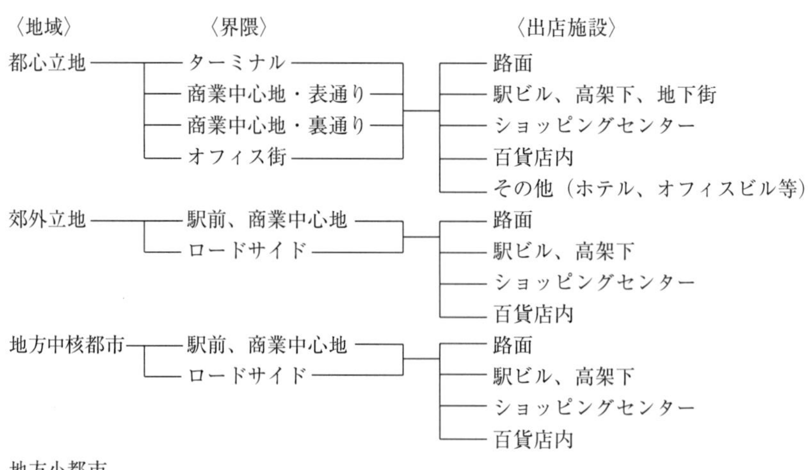

図17. 出店立地の分類

とロードサイドの競合、隣接商業集積地との競合など）

- **商店街特性、商圏規模など**
- **競合特性**／大型店の競合関係、ブランド・ショップ間の競合関係
- **法的規制**／用途区分、営業時間など

ⅱ）SC、百貨店内の立地特性

- SC、百貨店のターゲット客層とコンセプト
- フロア、ゾーンの客層・コンセプトと、テナントミックス（ブランドミックス）
- SC、百貨店の販促、運営体制
- SC、百貨店の営業時間、休日など

【適正坪数と地形】

立地選択の次に検討しなければならないのは、規模と地形である。規模については、ショップのコンセプト、MD、VMDを考慮したうえで、坪効率や販売員数も考慮しながら検討する。また、地形についてもショップコンセプト、MD、VMDを考慮したうえで、

- 間口が広いか、奥行きがあるか
- 道路や通路に対する面数（一面、二面、三面など）

などが検討される。

3 | SCに対する出店戦略

SPAなどのファッション小売店の出店立地は、路面、ファッションビルなどのSC、百貨店（厳密には直営店ではない）に大別できるが、SCに出店する場合は、ディベロッパー自体の開発・運営コンセプトから契約条件に至るまで、出店に適切かどうか検討しなければならない。SC出店のチェックポイントを列記すると、以下のようになる。

- **ビルのコンセプト**／地域や地域生活者に対する生活文化提案力、ビル自体のターゲット客層とコンセプト、キーテナントの有無（キーテナントがある場合はそのMD特性）
- **ビルの集客力**／ビルの立地環境、ビルの規模、ビルの形状（ビル形式か高架下か、モール形式かどうか。モール形式の場合はオープンモールかエンクローズドモールか）、駐車場の収容台数など
- **ビルのMD**／フロア構成、フロアごとのコンセプト、テナントミックスの特性
- **オペレーション**／ビルのアイデンティティを表現するような販促活動の実態、運営室の実態、ビルのメンテナンス状況、共有スペースの顧客満足度など
- **マネジメント**／ディベロッパーのビル運営に対する意識と姿勢、ビルの経営体制（ディベロッパー組織、ディベロッパーの人材など）、テナント会運営体制など
- **出店する物件の特性**／ビル内立地、地形、坪数など
- **家賃形式、賃料、保証金・敷金、工事費用**

4 | ネットショップでの展開

近年、注目されているネットショップについて、リアル店舗と比較して、次のような強みがある。

- 世界中から集客できる
- 24時間ショッピングができる
- スペースが無限にある
- 開設資金が少なくてすむ
- 人件費が少なくてすむ
- 立地に左右されない

などがある。

一方、リアル店舗は、ネットショップと比較して、次のような強みがある。

- 商品に直接ふれたり、試着したりすることができる
- 高度な接客サービスができる
- すぐに持ち帰ることができる
- 3次元のリアル空間の感動がある
- お客様のファッションスタイルなどのビジュアル情報が収集できる

ネットショップには、このような強みと弱みが同居しているものの、今日のファッション流通チャネルの中で重要な位置を占めつつある。

ファッション企業が消費者に対してネットで販売するには、

- BtoC（ダイレクトに消費者に販売）
- BtoB（ネット小売事業者に卸販売）

がある。

BtoCでは、自社独自サイトを開設する方法と、通販サイトに出店する方法がある。

通販サイトに出店する場合は、通販サイト運営企業に手数料（出店料）を支払う。

BtoBでは、ファッション通販サイトを運営するネット小売事業者に商品を卸すことになるが、ダイレクトに卸販売するだけでなく、BtoB向け卸売サイトに出店する方法もある。

5 アパレル企業と小売企業で交わされる取引条件

① 取引条件

アパレル企業と小売企業で交わされる取引条件の要素には、商品、数量、価格、仕入方式、発注方式、引き渡し、支払いの各項目の他、いくつかの付帯条件がある。

- **商品**／品番別色別サイズ別数量。他にバーゲン品の協力など
- **数量**／SKU別・納期別の数量。他に納品の最低ロットなど
- **価格**／参考上代、掛率制か下代取引か。参考上代の場合は掛率
- **発注**／発注日。展示会発注か期中発注か、両者の併用型かなど
- **引き渡し**／納期
- **支払い**／即金か掛売りか。現金支払いか手形支払いか。請求日（締め日）。支払日

以上の他、一般に取引慣行といわれる付帯条件には、次のようなものがある。

〈派遣販売員の有無〉

- **運賃の負担**／納入業者負担か仕入業者負担か。返品の際の運賃負担
- **サービス**／販売ノウハウ提供。値札付け。店頭販促物提供など

② 買取仕入、委託仕入、売上仕入

日本の小売企業、特に百貨店の仕入形態には、買取仕入、委託仕入、売上仕入（消化仕入）の3種類がある。

買取仕入とは、アパレル企業から小売企業に商品が納入されたときに、商品の所有権が移転する仕入形態である。この形態では、小売企業が商品を発注し、納品されたら、商品にキズや規格外の欠陥がない限り、返品せずに買取り、全量の代金が支払われる。しかし日本のアパレル産業では、買取仕入であっても、小売企業の都合で発注・納入商品の一部、すなわち店頭での売れ残り商品等を返品し、代金を支払わないで済ませる返品制や、他の商品と取り替える商品交換制が、かなり定着している。そのため買取仕入の中で、いっさい返品・交換しない取引方法を、完全買取りと呼ぶこともある。

委託仕入とは、小売企業がアパレル企業から商品を預かる（委託される）形の仕入方法で、小売企業は納品額から返品額の差

額分を仕入れる。そのため小売企業は、棚不足（万引き、レジ打ちの間違いなどによる減耗）による責任はもつが、売れ残り商品はアパレル企業が引き取り、アパレル企業側が商品企画リスクをもつ。商品企画リスクをアパレル企業が負うため、掛率は買取仕入と比べて高くなる。

売上仕入（売仕〈うりし〉ともいう）は、消化仕入ともいわれ、店頭で売れた商品だけを小売企業が仕入れる方法である。この形態では、売れ残り商品のリスクはもちろんのこと、店頭の棚不足の責任もアパレル企業がもち、販売活動もアパレル企業の側で全面的に行う。アパレル企業から見れば、直営店に準ずる形として捉えられ、どれだけ小売機能を有しているかが問われる方式である。当然、掛率は買取仕入、委託仕入と比べて高くなる。

③参考上代・掛率制、派遣販売員制

一般に、現在の日本のアパレル業界では、量販店やSPA、専門店のPBを除けば、アパレル企業が価格決定権を有していることが多い。アパレル企業が参考上代を設定し、その上代の何%で小売店に納品するかという掛率によって、納入価格を決定する方法である。

アパレル企業が参考上代を設定せず、小売企業が下代で仕入れ、自己の裁量でマージンを上乗せして上代を設定する取引方法を、下代取引という。

派遣販売員制とは、アパレル企業が店頭に販売員を派遣する仕組みのことで、日本の百貨店に多く見られる形態である。実質的に直営店化している売上仕入によるインショップ展開はもちろん、委託仕入のコーナーや平場においても多く見られる形態である。

6 | テナントとSCで交わされる取引条件

① 取引条件

テナントがSC（ディベロッパー）と契約する取引条件は、立地やディベロッパーの経営方針によって異なるが、一般的には、

- 保証金・敷金
- 家賃
- 共益費、共同販促費
- その他（テナント会費など）

などの経済的条件がある。

保証金は通常、預り金として預ける金額であり、敷金は賃料・共益費などを補う性格のもので、賃料の6～12カ月の設定が多い。

家賃については、固定家賃と売上歩合家賃（テナントの売上げに一定の歩合を掛けた家賃）があり、次のような家賃方式がある。

- **固定家賃**／SCにおけるファッション系テナントでは少ない。路面や共同ビルに出店する場合はこの方式である
- **完全歩合家賃**／成長途上の提案力のあるテナントに採用されることが多く、テナントにとっては固定費を気にせずコンセプトを追求できるメリットがある
- **固定＋歩合家賃**／固定家賃と完全歩合家賃を併用する方式で、ディベロッパーにとっては最低賃料が保証されると同時に、売上げ増加に伴う賃料の増収が期待できる制度である
- **最低保証付き歩合家賃**／上記と同様のメリットがディベロッパーにあるが、最低保証金額以上の売上げの場合は完全売上歩合と同様であるため、ディベロッパーは売上げ増加にともなう賃料の増収が期待できる
- **最低保証付き売上逓減（ていげん）家賃**／最低賃料を設定したうえで、売上効率の良いテ

ナントに歩率を減じる制度で、テナントの努力が報われる形態である

以上、経済的な契約条件について解説してきたが、契約条件には上記以外にも、管理規則、工事区分表、売上金管理規定、テナント会規約などがある。

- **管理規約**／定休日、営業時間、売場管理、苦情処理、売上金管理、商品の搬入・搬出、警備保安、衛生、広告宣伝、従業員の遵守事項
- **工事区分表**／一般に、区分ごとの施工、費用負担は、**表 13** のようになっている
- **売上金管理規定**／売上金預かり制度かどうか、売上金預かり制度の場合の期間・精算方式

表 13. SC の工事区分

工事区分	工事内容
A工事	主体的建物の躯体及び主たる設備の工事
B工事	ディベロッパーとして統一的にまとめたいもの、及びC工事に属さない設備工事
C工事	テナント専有面積内の内装工事

これらの契約内容は、ディベロッパーとテナントの交渉によって決定する。そのため、市場で評価されており、また自店以上の MD 力を有する競合店もなく、SC 側がどうしても入居してほしいと願うテナントであれば条件も有利に運ぶ。

また、ディベロッパーによっては、高い坪効率は期待できなくても、集客力があるテナントや、ビルのイメージが向上するようなテナントに対しては、有利な条件を提供しているケースも多く見られる。

② 通販サイトとの取引条件

ファッション通販サイトに出店する場合は、アパレル企業は、通販サイト運営企業の物流拠点に商品を預け、消費者に販売された時点でアパレル企業の売上げが発生する。

出店者であるアパレル企業は、手数料あるいは出店料等を支払う。手数料の金額は売上げに歩率を掛けることが多い。また出店料等を支払うケースでは、初期費用、月額出店料、システム使用料、決済手数料、その他（アフィリエイト等）を支払うことになる。

7 | チャネル別取引特性

チャネルに参加する店舗を選択する際に、取引条件を検討して決定すると解説したが、前述の各チャネルの取引特性を解説すると**表 14** のようになる。

表 14. チャネル別の強みと弱み

チャネル	強み	弱み
①-1 直営店（リアル店舗-路面店）	●店頭上代売上高がアパレル企業売上高になるため、売れたときの粗利益率が高い ●顧客に密着していることにより、売上げが予測しやすい	●出店に関する初期投資額（保証金・敷金、内外装費等）が大きい ●そのため、多店舗化による売上げ拡大が短期間で見込めない
①-2 直営店（リアル店舗-SC 出店）	●路面店と比較して、SC の商環境の力を借りた売上げが期待できる ●路面店と比較して、初期投資額が少ないことが多い	●路面店と比較して、ブランドイメージを露出するフラッグシップショップとなりづらい ●路面店と比較して、売上げが良好なときの経費率（売上歩合家賃・共同販促費・共益費）が高い
②直営ネットショップ	●リアル店舗の出店と比較して、初期投資額が少ない ●店舗ごとに在庫をもつ必要性がないことから、消化率が高い	●無名のブランドが売上数値を確保するまでに時間とコストを有する
③百貨店インショップ展開（売上仕入のケース）	●保証金・敷金がなく、内外装費も少ないことから、直営店に比べて初期投資額が少ない ●短期間で多店化が可能である	●場所の確保・移動・大小が、シーズンごとの百貨店側との交渉に委ねられる ●急速な売場減少の可能性もあり、売上げの安定感には欠ける
④セレクトショップへの卸（買取仕入）	●店舗への初期投資額がかからず、売上げを確保できる ●ステータスが高い専門店と取引きする場合はブランドイメージが向上し、宣伝効果がある	●自社ブランドのコンセプトを提案しづらい ●粗利益率が低くなる

2. アパレル営業とチャネル管理

1 | 営業部門の役割

卸販売を主とするアパレル企業は、いかに小規模であっても営業部門をもっている。アパレル営業部門の業務は、基本的には小売企業に商品を販売し、企業を支える営業利益を上げることである。そのためには需要を創造し、最適な流通チャネルを創造しなければならない。具体的には本章の「1. アパレル流通戦略と商取引」で解説した「流通チャネルの設計」(P.104) の方針に基づいて、次のような機能を担うことになる。

- ●需要の創造
- ●チャネル開発
- ●予算作成と管理
- ●販売管理
- ●デリバリー管理

なお、ショップ型アパレル企業にも営業

部門があることが多いが、この場合、店舗開発業務と店舗運営業務、それにデリバリー管理業務（チェーン小売店ではディストリビューターが担う業務）を主たる業務としている。

2 アパレル営業方針／取引先（得意先）の選定と、営業方針の設定

卸機能を中心としたアパレル企業では、流通チャネル計画を設計し、小売業者のタイプと小売店舗数と販売エリアを決定したうえで、具体的な“先（得意先）”を選定し、その店舗に対する営業方針を設定する。“先（得意先）”の選定にあたっては、次の視点から検討される。

① 自社ブランドとの適合性から見た基準

- 取引店舗のターゲット顧客との適合性
- 取引店舗のショップコンセプトとの適合性
- 取引店舗の立地・地形・規模との適合性
- 取引店舗のショップ空間との適合性
- 取引店舗で品揃えされる他社ブランドとの適合性

② 取引店舗の店舗力から見た基準

- マーチャンダイジング能力
- 販売・サービス能力（接客能力、ホスピタリティ、プロモーション力等）
- 店舗空間の情報発信力（ゾーニング、フェイシング、プレゼンテーション力等）

③ 経済性から見た基準

- 可能な取引条件
- 取引小売店の販売実績（坪効率、商品回転率、客単価）
- 取引小売店の在庫負担能力、物流能力
- 取引小売店の金融力、信用度
- 取引小売店の経営組織

以上のうち、②取引店舗の店舗力については、**表 15** のような分析項目がある。

マーチャンダイジング、販売・サービス、店舗空間についてを、地域競合店や取引小売業の他店と比較してどれだけ優位性をもっているか、販売目標と比較してどれだけ達成できているかが、その店舗の店舗力になる。

店舗力を分析するには、さまざまな側面から情報を収集する必要がある。情報源としては、販売実績の分析データ、消費者調査の分析データ、SC に出店している場合はディベロッパー側の分析結果、チェーン店の場合は本部による他店との比較分析結果などが活用される。なお、チェーン店の各店舗の販売実績を分析する際は、月別及び年間の販売目標と実績を比較して検討することが多い。また情報は本部からのみならず、顧客を熟知している店長からも入手する。

表 15. ファッション店舗の店舗力の判断基準

	感性的側面	技術的側面
マーチャンダイジング	●個性的な提案力 ●時代の提案力	●商品構成 ●価格と価値のバランス
販売・サービス	●ホスピタリティ ●スタイリング提案力 ●プロモーション企画力	●接客の専門性 ●売上予算達成能力 ●顧客管理
店舗空間	●空間デザイン提案力 ●界隈との共生	● VMD ●売場のメンテナンス

3 アパレル営業方針／小売店舗に対する営業方針、営業組織

① 営業方針

小売店舗に対する営業方針を設定するにあたっては、次のような内容が検討される。

- チャネルタイプごとに選定された店舗の役割の明確化と販売目標
- 販売店舗ごとの予算と仕入れ・販売・演出方針
- 取引小売店舗との情報コミュニケーションのシステム化
- 取引小売店舗における販売スタッフのモチベーションの向上
- 新規取引店舗の開拓と、実績不良店舗の改廃

営業部門では、上記の内容を基にして、それぞれのチャネルや販売店舗に対する営業方針を設定し、日々の営業活動を進めていくことになる。

② 営業組織

アパレル営業方針に基づいて営業活動を行うのは、アパレル営業組織である。アパレル営業組織には、一般に次のようなタイプがある。

- **テリトリー制営業組織**／専任区域別に営業部門を分割し、その区域に関しての全ブランドを販売する組織。地域に密着できるという点に加えて、出張費が少なくて済むという利点がある
- **ブランド別営業組織**／ブランドごとに販売特性が異なることに留意し、ブランドごとに営業スタッフを配し、全国に販売する組織。ブランド特性を専門的にプロモーションできる、という利点がある
- **小売タイプ別営業組織**／例えば既存得意先と新規得意先を分ける、専門店と百貨店を分ける、オンリーショップ（フランチャイズ店など）と品揃えショップを分ける、などの組織で、得意先の業態特性に応じて密着した営業活動ができる、という利点がある

現在、日本のアパレル企業は、企業規模やマーケティング特性に応じて3つのタイプが併存している状況にあり、これらをミックスしている例も見られる。

営業部門の方針・組織が決まれば、次に営業担当者の選定・教育、評価の問題を検討する。営業部門は、セールスというきわめて人間的な行為を実践する部門であるため、スタッフの選定と教育が重要な要素となるからである。

4 営業担当者の業務内容

卸機能主体のアパレル企業の営業戦略について解説してきたが、次にこのようなアパレル営業部門の営業担当者の業務内容について解説する。アパレル営業担当者の業務内容は、企業のチャネル戦略によって異なるが、次の内容は一般的なアパレル企業における営業担当者の業務内容である。

① デイリー営業業務

- 商品フォローと在庫チェック（新規商品受注、店頭欠品対応、店頭在庫チェック、追加受注、バーゲン対応、値引き処理）

●担当得意先巡回（売れ行き動向チェック、追加・交換・返品対応、情報交換、ディスプレイアドバイス、接客アドバイス、リテールMDアドバイス）
●クレーム対応、お直し対応
●店頭情報・競合店（競合ブランド）情報の報告
●マーチャンダイザー、デザイナー、生産管理スタッフ、営業スタッフとのミーティング、商品説明会議への出席と概況報告
●営業企画商品の企画・受注、定番商品のカタログによる受注
●月別販売予算管理

② **デリバリー管理業務**
●物流部門に対する出荷指図、納品管理
●受注書・納品書・請求書などの作成・発送

③ **売掛金回収、売掛金等の債権管理**

④ **チャネル計画・管理業務（管理職、もしくは現場の2、3年経験者）**
●情報収集・分析
●販売予算作成（売上高・粗利益・営業利益／通期、半期、月別、展示会別）
●販路計画作成（地域別、業態別など／取引条件設定を含む）
●商品企画検討会議、サンプルチェック
●取引条件交渉（掛率、売場スペース、買取り・委託等の条件、展開時期、販促協力）

⑤ **展示会業務**
●展示会準備（得意先へのDM配布、新規得意先開拓、受注票作成）
●展示会（来訪者応対、商品説明、受注）
●反省会、展示会フォロー受注

⑥ **その他**
●新規得意先開拓
●派遣販売員管理

一般に営業部門の業務は、このように多岐にわたるが、自社のチャネル特性を踏まえたうえで、どこまでの業務を営業担当者が行うのか、デイリーワークと営業計画・管理業務や新規得意先開発の業務バランスをどうするか、営業担当者1人当たりの予算はいくらに設定するか、などといった点を考慮に入れて業務設計が行われる。

なお、小規模企業や小規模ブランドを担当する営業担当者は、場合によっては他部門の業務を兼任することも多い。例えば、次のような機能を担うこともある。

●**商品企画機能**／情報収集、シーズンプラン作成、月別MD計画等
●**生産管理機能**／外注工場管理、素材調達、納期・原価・生産数量管理等
●**プロモーション機能**／広告宣伝、販促、パブリシティ、展示会設営等
●**物流機能**／在庫管理、配送管理、受注管理等
●**輸入・ライセンス管理機能**

また、直営店・FC・百貨店インショップ指向が強いアパレル企業では、以上の業務の他に次のような店舗開発業務がある。

① **店舗開発業務**
●出店計画策定
●立地・敷地・SC選定（商圏、顧客特性・競合店状況、コンセプト・ゾーニング／SC出店の場合、地形、規模等の分析）
●取引条件交渉（保証金・敷金、家賃、共益費・共同販促費、契約期間等）
●店舗の設計・施工管理
●オープニング販促計画
●販売員の採用と育成、管理

② **販売代行店開発・管理業務**

③ **百貨店インショップ開発業務**

5 | 掛売り、売掛金の回収

アパレル企業が小売企業に商品を販売する場合、掛売りが一般的である。またBtoBの取引きでも掛売りのケースが多い。

掛売りとは、売買契約を締結し、商品を引き渡してから一定期間経過後に、現金や手形などで代金の支払いを受ける販売方法である。また、売り手企業が掛売りをした場合の債権（未回収分の金額）を売掛金という。この売掛金は、買い手企業から見れば、買掛金（未払い分の金額）である。

掛売りは、まず売り手の企業が買い手の企業に対して信用調査などを実施して、買い手の企業ごとに売掛金の限度額を設定し、その限度内で行われることが多い。

このような売掛金を回収するのも、アパレル営業担当者の業務である。アパレル企業と小売企業の間では通常、契約時に締切り期日（締め日）と支払期日が取り決められており、アパレル企業は、締め日までの売掛金の請求書を作成し、小売企業に代金を請求する。小売企業は、買掛金の帳簿と照合し、支払期日に支払いをする。

3. 単独店舗運営

1 | 単独店の販売計画の立て方

「小さくてもよいので自分の店をもちたい」という声をよく聞く。個店の運営は一見手軽に思えるが、実はチェーン店舗や商業施設などで分業化されている業務のすべてを自己完結しなければならない。つまり単独店の店長は、商品管理、売場管理、販促管理、販売スタッフ管理、売上管理、顧客管理といった多岐にわたるマネジメント業務を担うことになり、これらの1つでも怠ると、たちまち店のパフォーマンスは低下していく。

そうした意味で単独店の店長には、たとえ経営者ではないとしても、常に自店のアイデンティティの確立とともに、競合店に打ち勝つ商品力、販売力といった対応策にも十分に留意し、それらを通じて店舗運営の全体最適化を目指すことが求められる。

店の各業務を円滑に推進させるには、常に店長の明確な意思決定が要求される。その判断・指示により部下であるスタッフの動きが決まる。とはいえ、懸案事項は「今日の売上確保vs.将来のイメージ確立」といった微妙な問題である場合も多く、結果がともなわなければ店の士気も下がる。このように店長の責任はきわめて重いが、逆に目標達成時には高い満足感が得られる「やりがい」のある職務でもある。将来のキャリア形成を見据え、強いリーダーシップとモチベーションを維持することが大切となる。

2 | 商品管理、在庫管理

商品にはライフサイクルがあり、通常、導入期、成長期、成熟期、衰退期の4つの段階からなる。品揃え販売計画を立案する際は、商品のライフサイクルを踏まえ、5段階の期間に分けて管理する販売カレンダーを作成する。そして販売カレンダーに自店の主なファッションテーマやアイテムを落とし込んでいく。そうすることで、展開期間や販売数量のベースプランの目途が立ち、そこにさらに販促や販売スタッフのシフトなどの詳細なプランを加えていけば、より精度の高い計画となる。

ただし、特に商品管理で注意すべきは、品揃え曲線と売上曲線は「ずれる」という点である。想定した時期に売場の商品構成を実現するには、商品ごとに異なるリードタイムを計算しながら商品手配の動き出しのタイミングを図る必要がある。

一方、在庫管理で肝心なのは、各アイテムの販売数量を見極めたメリハリのある商品発注を行うということである。提案商品はストックをもたず売り切り体制で、主力商品は十分にストックをもち機会ロスを起こさないように発注することが基本となる。ところが、実際には「売れ筋商品」と見込んで大量発注した主力商品が売れ残り、不振在庫と化すケースも多い。その原因はさまざまあるが、特に情報化社会においては、売れ筋商品の情報も集約化されるため、市場全体が同質化しやすい。同じような商品ばかりであれば当然価格競争となり、自店の価格設定が競合店よりも高ければ売れ残ることになる。こうした点でも、独自性のある商品による差別化戦略の重要性がわかる。また、昨今では夏と冬の２回のクリアランスセールで不振商品を一気に処理するのは難しくなったため、売れないものは順次、値下げしていく方式が主流となっている。

店が在庫オーバー状態になると、次の仕入れ枠が減少してしまうため、売場の新鮮味が失われ、ますます売れないという悪循環に陥る。そうならないためには、商品発注はもとより、適切なタイミングでの販促イベント開催やディスプレイ変更、常に一覧できるようにストックスペースの整理整頓を行うなど、さまざまな手立てを講じての販売強化が求められる。

また、商品管理業務で大切なことは、商品ロスの克服である。商品ロスとは、あるべき帳簿上の在庫と実在庫の差異を指す。その原因としては、検品チェックの漏れ、伝票の記載ミス、万引きなどがあるが、店長は具体的な商品ロス対策を立て、あらゆる商品ロス排除に努めなくてはならない。

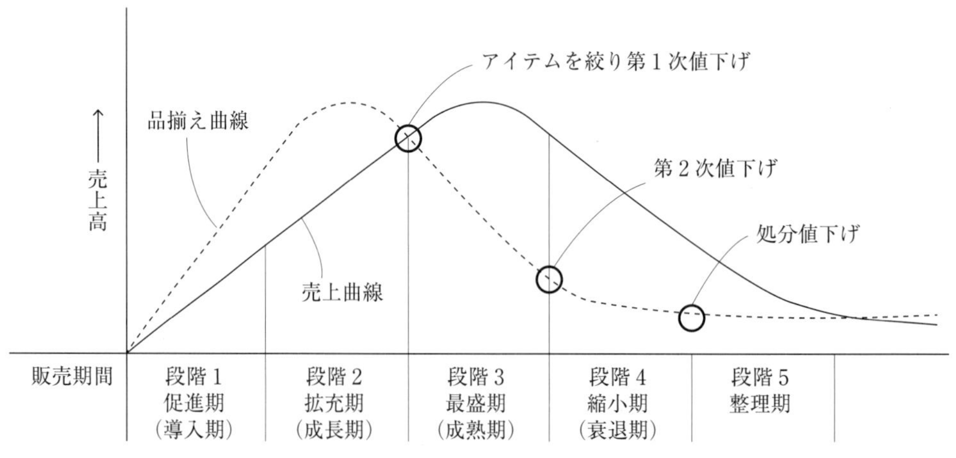

図 18. 品揃え曲線と売上曲線

3 | 売場管理

売場は「お客様に素晴らしい購入体験を提供する場」であり、その基本となるのが、常に清掃が行き届いた清潔感あふれる空間であること、そしてお客様にとって見やすく、わかりやすい状態を維持することである。

売場には、①陳列機能、②整理機能、③販売機能、④在庫機能の４つの基本的機能がある。

これらの機能をバランス良く組み合わせることで売場は活性化する。さらに、常にコスト意識をもって、適切な数量の備品や消耗品、ショッピングバッグなどのストックをチェックすることも大切な売場管理である。

4 | 販売スタッフ管理

日頃から直接、顧客に接するのは販売スタッフであり、販売スタッフの印象が企業全体の印象を左右しかねない。ましてSNS全盛の今日においては、良くも悪くもそうした情報が即座に拡散するため、販売スタッフ管理の重要度はますます増している。

販売スタッフ管理は、

①各販売スタッフの掌握
②仕事の割り当て
③教育・訓練

の３つに大別される。

店長は、それぞれの販売スタッフに「頑張れば達成できる売上げや接客レベルの目標」を設定し、日頃から成果に対するフィードバック及びコーチングを行いながら、モチベーションを維持させることに努めなくてはならない。各ポイントを列挙する。

① 各販売スタッフの掌握

各販売スタッフの資質、性格、能力の掌握。シフトコントロール調整。出勤・健康状態のチェック。接客態度や作業状況のチェックなど。

② 仕事の割り当て

5W1Hに基づいた具体的な指示、各販売スタッフのキャリアアップを考慮した仕事の割り当て。仕事内容の意味の相互理解。与えた仕事に対する報告の徹底など。

③ 教育訓練

OJT及びOFF-JTの実施。

5 | 売上管理

売上管理は、①日常の金銭管理と、②レジスターに記録されたデータ分析に大別される。

① 日常の金銭管理

納金チェック、レジ閉め、過不足金チェック、防犯対策、レシートの授受などで、これらの徹底した管理体制の構築が求められる。

② データ分析

時間帯別、日別、週別、年間別の売上動向のデータをあらゆる角度から分析して対策を講じる。また売上予算作成にあたっては、前年実績と当該シーズンの環境変化や商品、人員構成などの総合的な販売力の予測を鑑(かんが)みて、より適正な数値を設定するようにする。そしてその売上予算を、月別、週別、日別、さらに販売スタッフ別にブレイクダウンしていく。

6 顧客管理

顧客管理では、固定客づくり、サービス体制、顧客データの収集・分析、クレーム処理が、主な業務内容となる。

店の売上げは「買上単価×買上客数」で表すことができる。オーバーストアが進展する今日のファッション市場において、足りないのは商品ではなく顧客であり、多くの流動客が望める一部の店舗を除いては、リピーターの獲得で不足分を補うしかない。

そのための方策として「CRM」が注目されている。CRMとは、Customer Relationship Managementの略で、日本では「顧客情報管理」と訳されている。これは1人の顧客との関係を長きにわたって維持していこうとするマーケティング手法で、そのためにはITを駆使した綿密な顧客データ管理が前提となる。

ファッション店舗には差別化された個性的な商品展開で顧客の共鳴を得ることが求められている。しかし個性的であればあるほど、顧客の「好き嫌い」がはっきり分かれることも事実である。そのためCRMの活用により、自店を気に入ってくれたお客様には、とりわけ親密なサービスを施して長期間、顧客でいていただく必要があるということになる。

4. 多店舗運営

1 多店舗運営のメリット

小売業は単独店舗運営から多店舗運営に成長することにより、さまざまなスケールメリットを得ることが可能となる。

① 売上げ拡大

多店舗化すれば当然のように販売拠点が増え、企業としての売上げの絶対額が増加する。

② 仕入れ規模拡大による粗利益率の上昇

店舗数が増え売上げが拡大するに従い、各仕入先との取引高も増加する。これにより仕入先への影響力が強まり、取引条件緩和などの交渉に優位性が生まれる。

③ 販売促進の効率的運用

単独店舗で広告や販促を行う際は、制作物のロットも限定される。店舗数が増えれば増えるほど、制作物の印刷代やデザイン料などの相対的コストの軽減が図れ、プロモーション活動の効率的な展開が可能になる。

④ 店舗内外装コストの圧縮

各店舗の内外装の標準化を図り、多店舗分を一括発注すれば、費用を大幅に低減することができる。

⑤ スタッフ編成の効率化

本部を設置して、少人数のバイヤーやVMDなどの担当者が全店をカバーするようにすれば、人員効率が高まる。またスタッフの採用コストも低減することができる。

⑥ 店舗間商品移動による機会ロスの減少

売れ筋商品は、エリアや時期によって異なる。多店舗化することによって、売れている店舗への商品移動が可能となり、不振在庫の発生を防ぐことにつながる。

2 チェーンストアの方式

ひと口にチェーン店舗といっても、現在は、さまざまな方式が存在している。

① レギュラーチェーン

最も基本的な多店舗化形態。1つの企業が同じ店名で、ほぼ同じ商品を、11店舗以上で展開する小売店やフードサービス店である。

② フランチャイズチェーン

フランチャイザー（チェーン本部）が、フランチャイジー（加盟店）に、一定地域内での独占販売権を与え、店舗運営のノウハウを提供する形態。本部は加盟店側からロイヤリティを徴収する。

③ ボランタリーチェーン

小売り主体と卸売り主体があるが、どちらも「共同仕入れ機構」を母体としており、独立した各店舗が協調して、仕入れや販売促進などを共同化して実施する。

3 チェーンストアの組織と運営

チェーンストア理論における組織は、基本的に経営スタッフを頂点に据えた明確なピラミッド型になっており、本部によりチェーン運営の標準化が追求される。

① 経営チーム

チェーン店全体の戦略を、取締役を中心とした「役員会＝ボード」により、意思決定する。

② スタッフ部門

経営チームの意図・指示を的確に把握し、指定された業務を実施する部門。経営計画室、総務部、人事部、経理部などが、これに当たる。

③ ラインスタッフ部門

商品仕入れ、VMD、販売促進、店舗開発など、経営陣の意思決定に基づいて、チェーン組織全体の戦術レベルの業務を遂行するが、1つの部局を構成する場合はスタッフ部門と呼ばれる。通常は店舗ではなく、本部に配置される。

④ ライン部門

店長、副店長、店舗内のマネジャー、販売スタッフ、パートタイマー、アルバイトと、店舗のスタッフは階層化されている。

⑤ 中間部門

スタッフ部門とライン部門をつなぐ、スーパーバイザー、エリアマネジャーなどで、一定のチェーン規模を超えた企業に置かれる。この中間部門は、本部が決定した戦術に対する各店舗の運用状況をチェックし、必要があれば指導する機能を担う。

4 | チェーンストアの販売計画の立て方

チェーンストアは、原則として「本部集中管理」が特徴である。すべての活動を本部スタッフが決定し、すべての店舗において同一の商品、内装、販売促進、サービスを実現することが基本である。とはいえ市場の成熟化、さらにグローバル化が進展する今日では、多種多様な消費者ニーズへの適応が求められる。そのためITによるデータ分析を駆使して、エリアや店舗ごとに固有の戦術を組み込むケースも増えている。

多店舗運営とはいえ各店舗で、いかに顧客満足を提供するかが企業の命題となる。そのため本部は、全体コンセプトから逸脱することなく、常に店舗ごとに異なる詳細な情報を収集・分析し対応するという難しい舵取りを迫られる。

5 | SPAの組織と運営

SPAの業態特性は、多店舗化を前提として成立している。SPAではPB生産・販売が基本となるため、商品ロットが小さければ価格競争力を失う。同じ商品であっても、店舗数が増え、生産ロットが大きくなればなるほど、商品の質を維持しながらの低価格化が実現する。

SPAには小売業出身のものとアパレル企業出身のものがある。前者はスタート時には仕入商品を中心に多店舗化を進め、次第に一部商品をオリジナル化し、その後、全面的にオリジナル商品政策へと切り替える。後者は、当初は卸売りをしながら、自社ブランドの認知度が高まるにつれて、商品アイテムのバラエティを増やして直営店を開設し、その後、卸売りを取り止め全面的に自前の店舗運営に切り替える。これがそれぞれの基本パターンといえる。

6 | セレクトショップの多店舗化

本来のセレクトショップは、ショップのオーナー独自のコンセプトに基づき、立地や商品の選定、空間演出、接客応対の仕方といったことに、とことんこだわるのが本分であり、基本的に多店舗化を想定した業態ではない。

ただし、日本ではセレクトショップ企業の多店舗化が目立つ。そうした企業も当初は、ハイエンドのインポートブランド商品を展開する単独店舗からスタートしているが、商品価格が高いうえ、追加供給も利かないため、特に実売期のビジネスが難しくなる。そのため不足分をオリジナル商品で埋めるケースが生まれる。インポート商品のエッセンスを取り込んだリーズナブルプライスのオリジナル商品は当然よく売れるため、構成比率が高まり続け、やがてSPAとの境界線がきわめて曖昧(あいまい)なものとなり、多店舗化に向かうというのが基本的なストーリーである。

市場がフラット化している日本では、もはやセレクトショップとSPAの差異はないに等しいといえ、多店舗化による売上げ拡大追求が共通の命題となっている。

7 | POSシステムの活用

POSシステムとは「Point Of Sales System」の略で、販売時点情報管理システムと呼ばれている。売場における商品情報を単品ごとに収集、登録、蓄積、分析することができるため、正確な情報を瞬時に把握することが可能となる。そのメリットはハード面とソフト面に分かれるが、特にチェーン店舗においてはなくてはならないシステムとなっている。

① POSのハードメリット

バーコードやICタグの読み取りだけで商品選別が可能なため、棚卸しの簡略化、レジミスの回避などにより、商品管理の精度が向上する。

いつでも売上げや在庫の状況を知ることができるため、顧客の要望する商品の在庫のあるなしが即時にわかり、商品補充の判断なども迅速にできる。

値引き情報などを本部のコンピュータ上で一括管理できる。

② POSのソフトメリット

売れ筋・死に筋商品を常に把握することができ、次の仕入れや値引きの判断に役立つ。

単品ごとの前年実績などの分析ができるため、営業評価が簡易にできる。

天気、気温、イベントの有無、担当販売員名をはじめ、その他の付帯情報（コーサルデータ）を管理することで、販売計画立案時の基礎資料として活用できる。

ポイントカードなどと連携させれば、自動的に顧客のインセンティブ管理が可能となる。

8 | テナントとしての実務

小売業が多店舗化する際には、フリースタンディングでの出店以外に、ショッピングセンターにテナントとして出店する場合がある。テナントとしての実務の中心は、自社の売上げ増加を図るための販売活動が基本となるが、SC全体の売上げ増加が、自社の売上げ増加につながるという視点も大切である。そのため、SC全体の販促（イベント、キャンペーン、セール）にも協力する姿勢が求められる。テナント会（テナントによる組織）に積極的に参加するようにして、館全体の売上げ向上やテナント間の相乗効果といった方策にも留意する必要がある。

5. ネットショップの運営

1 | ウェブサイトの構築

サイトの構築工程は、UIサイド、アプリケーションサイド、サーバーサイドの3段階になる。UIとは、ユーザーインターフェイスのことで、画面自体と画面に表示させる処理が含まれる。UIサイドには画面デザインとコーディングの2つの作業がある。デザインには、一般的なグラフィックソフトが使用され、コーディングには、HTML、CSS、JavaScriptなどのプログラム言語が使用される。アプリケーションサイドとは、サイト上でのデータ処理を実践するためのソフトで、C言語、PHP、Javaなどのプログラミング言語が使用される。サーバーサイドは、データを保存・管理するための部分である。サーバーをコントロールするための言語はMySQLやApacheになる。

また、UIとともによく挙げられるのが、UXである。UXとは、「サイトのデザインが素敵」「フォントが読みやすい」「問い合わせから購入までの流れがわかりやすい」などのサイト上の見える部分から、「注文したらすぐに商品が届いた」「対応がとても丁寧だった」「商品のクオリティが高い」などの消費者が製品やサービスを通じて感じる体験のことをいう。UIは、UXを高めるための1つの要素である。

ファッションのウェブサイトは、そのブランド・店・企業の世界観を、視覚的に他者へ伝達できる良い場所である。文字・写真・動画を使い、消費者に情報発信したり、消費者の声を集めるプラットフォームとしての役割も果たす。また、さまざまなウェブサイトやメディアを組み合わせて、ターゲットへの情報発信を行うことができる。

2 | ネットショップの開設

ネットショップは、実店舗と比べると低コストで、立地を問わず、商圏も広いことから、気軽に始めることができる。プログラミングやデザイン知識がなくても、さまざまなサービスがインターネット上には存在していて、それらを組み合わせて使用することで、誰でも簡単にネットショップを開設することができる。

開設するにあたっては、すでに集客力のある大手オンラインモールに参加するか、自分でネットショップを運営するかの選択肢がある。モールに入らない直営の場合は、ロイヤリティなどを払わず、自由に運営を行えるが、集客から販売・発送まで自己完結する必要がある。モールへの参加は、月々の販売手数料やシステム利用料などの経費が発生する。その一方で、モール自体の高い集客力による新規顧客との出会いや、充実した販促システムを利用しての知名度アップなどが期待できる。ある程度の規模が必要になるが、自社の直営ネットショップと複数のオンラインモールへの同時出店を行い、それらすべての情報を統一的に一元で管理・運営するスタイルが理想の形として、主流になっている。

3 | ネットショップのMD

実店舗の場合、店舗の立地選択や内外装の造作、VMDや販促、接客サービスといった、それぞれの戦略が構築され、MDコンセプトこそがマーケティング戦略の根幹を形成している。そのMDは、「2割の売れ筋商品が売上げの8割を占める」というパレートの法則が当てはまるといわれている。そのため、売れ行きの悪い商品はカットして、売れる商品を多く店頭に並べることが必須となる。

一方、ネットショップの場合は、売場面積に制限がないため、膨大な商品数を展開することができる。その展開により、実店舗だとあまり売れずにカットされていた商品が、ニッチなニーズやマニアックでレアなアイテムを求める消費者の購入により少しずつ売上げが積み重なって、最終的に大きな売上げにつながることもある。この現象をロングテール現象と呼ぶ。実際に、前年や前シーズンの商品を掲載し続けて、売上げにつなげるケースもあるので、ブランドや企業のコンセプトと、倉庫・店舗・事務所などの商品ストックエリアとのバランスを考えて展開していく。

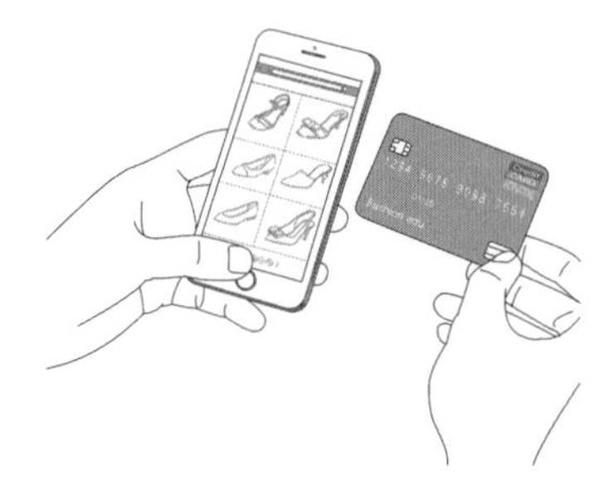

4 集客・販促

営業時間に制限のある一般店舗と違って、消費者はネットショップにいつでもどこからでもアクセスすることができる。急速なスマートフォンの普及、SNSの浸透によりネットが日常化し、年中無休・24時間営業も可能になった。参入が楽になった分、ライバルも非常に多く存在するので、知名度の低いブランド・企業のサイトは、集客が非常に難しい。多様で複雑で年々変化しているためネット事業は常にトライアンドエラーを要するが、消費者がネットショップにたどり着く方法は、大きくは2つに分けられる。

①そのサイトのURLを知っていて直接アクセスする方法、②他のサイトを経由してアクセスする方法、である。

①直接サイトに来るケースは、URLを知っていたり、お気に入りに登録していたり、どこかにリンクを保存している他に、QRコードなどからリンク先となっている自社サイトへ飛んで来るケースもある。テレビや新聞・雑誌などのマスメディアに広告を打ちアクセスしてもらうのもここに入る。

②他サイト経由の訪問は、多種多様である。例としては、大手検索エンジンを利用した検索結果、ブログ・SNS・メルマガでの紹介から、バナー広告・文字広告からのアクセスなどがある。**表16**は代表的な広告である。

他サイトからアクセスしてもらうには、さまざまな方法が考えられる。ターゲットの消費者のライフスタイルを想定して、反応しそうなトレンドや利用しそうなSNS・ウェブサイトなどを設定して情報発信を行い、ターゲットに情報をリサーチさせる。大手検索エンジンはウェブ上の情報を自動的に読み取り、検索結果に反映させるので、発信する情報のタイトルやキャプションにキーワードとなりそうなフレーズをちりばめるようにして、検索上位表示を目指すのである。このときに、商品情報だけでなく、自社ブランドの歴史や想い、物づくりのプロセスなども情報発信していくことで、世界観を広め、同時に親近感をもってもらうこともできる。

広告を出す目的は、多岐にわたる。例えば、企業イメージのアップ、新商品の認知向

表16. ネット広告の種類

リスティング広告	検索エンジンで検索されたキーワードに対応して、検索結果ページに掲載される有料広告
アフィリエイト	成果報酬型広告のことで、ウェブサイトやメルマガなどが企業サイトへリンクを貼り、企業サイトで会員登録したり、商品を購入したりすると、リンク元の主催者に報酬が支払われる広告
バナー広告	ウェブページの一部分に広告内容を示す四角い画像ファイルのこと。そこに広告主が希望するサイトへのリンクを貼る広告
テキスト広告	ウェブページやメールマガジンなどに掲載される文字のみの広告
メール広告	電子メールに掲載される広告の総称で、対象見込み客を絞り込むほど効果が高まる
SNS広告	消費者の通常投稿であるオーガニック広告の間に投稿と同じフォーマットで掲載される広告

上、既存商品の理解推進、見込み顧客データの収集、EC売上げの拡大、アプリ、サービスのインストールなどがある。いずれの場合も、企業イメージやブランドの浸透度、自社商品・自社サービスの特性・特徴と競合の現状、想定ターゲットユーザの属性など、自社が置かれている現状把握をしっかり行ったうえで、計画することから始まるPDCAだけではなく、実践することから始まるDCAPを使用した目標達成への戦略が必要となる。

ネット広告の種類はさまざまだが、アフィリエイト広告などは、広告の表示回数やクリック回数とは関係なく、実際に得られた成果に対して広告料が発生するため費用対効果が明確にわかる。そのため、ダイレクトレスポンス目的の企業では、積極的に活用されている。

5 ｜ インタラクティブコミュニケーション

マウスオーバーでバナー広告が拡張するエキスパンド広告などは、クリックされなくても消費者に強い印象を与える。テーマに沿った写真や動画の投稿を消費者に募ることで、投稿の閲覧や拡散、それに対するコメントなど、消費者に参加意識を抱かせるキャンペーンも効果的である。

SNSやCGMなどの利用により、消費者との密な対話や情報の共有を行うことで、消費者をファン化させて、絆を深めていき、その場に集まった他の消費者にも新たなつながりが生まれ共有されていく。消費者間の情報のやりとりは、またそこから多くの消費者へ伝播していく。これを、バイラルマーケティングという。

6 ｜ 広告効果測定とアクセス解析

広告の閲覧やクリック、そこからの資料請求や購入まで、それぞれの段階における広告効果を測定していく。

消費者がどのようなサイトを経て自社サイトに訪れ、どのページをめぐって最終的に商品を購入したり、買わずに去って行ったかを把握する。その分析結果を今後のサイトの設計・構築に利用する。

ウェブサイト上では、サイトやページにアクセスしたユーザ数や、平均滞在時間、スクロール中にどの部分で止まっていたかなどの細かい数字を算出することができる。サイトの強み・弱みを明確にするためには、PV・UU・MAU、ユーザ属性などのデータに注目する。

PVとはサイトの表示回数で、消費者がウェブサイトを訪問することでカウントされる。UUとは、アクセスの重複を除いた訪問者数であるが、ブラウザ単位でのカウントになるため、1人の消費者が複数の端末を使用している場合には、別々にカウントされる。PVとUUはともに月ごとに把握されることが多く、MAUは月間のアクティブユーザ数のことで、1カ月間に1回以上利用した人数のことである。ユーザ属性には、性別、年代、職業、移住地域、家族構成などのデモグラフィックデータや、趣味・嗜好、価値観等のサイコグラフィックデータがある。

広告効果測定とアクセス解析を行うことで、広告アクセスから購入までのどこに問題があるかが見えてくる。例えば、広告先からの訪問の離脱率が高ければ広告とリンクが合っていない、購入ページでの離脱が多ければ決済手順に問題があるなど、途中で諦めたことがわかる。これらを参考にして、より消費者にとって魅力的かつ購入をシンプルに行える設計が必要となる。また

SNSとCGM上の投稿からは、内容を分析することで、企業やブランド、商品に対する消費者の評価や潜在的なニーズを把握することができる。アンケートやグループインタビューでは得られない生の声を拾うことができ、それをマーケティングに活用する企業も多い。しかし、匿名で書かれた消費者の声ばかりに集中してしまうと、ブランドの本当のファンで、不満が何もなく書き込みを行わない人たちやサイレントカスタマーをないがしろにしたリブランディングになりかねない。ネット上で声を上げる集団の特性を踏まえ、他の調査結果とのバランスを図っていく活用が必要となる。

データには、視聴率やアンケートなどの調査（サンプル）によるもの、アクセス解析データやCRMなどの実績によるものがある。これらのデータを詳細に分析し、クリエイティブやメディアなどのプランニングにつなげていく。

6. ファッション企業のプロモーション

1 | コミュニケーション活動について

プロモーション活動は、マーケティングの4Pの1つであり、流通における情報流通、すなわち消費者とのコミュニケーション活動でもある。コミュニケーションには、情報の発信者と受信者が存在する。発信者は、伝達したい内容を記号化し、メディアを通じてメッセージを伝達する。一方、受信者は、メディアを通じて受信したメッセージから、その記号内容を解読し、応答して情報を発信者にフィードバックする。前者を「押す（プッシュ）コミュニケーション」といい、後者を「引く（プル）コミュニケーション」という。

メディアとは、環境（企業など）と人間、人間と人間とのコミュニケーションの仲立ちをする媒体をいう。メディアには、テレビ、ラジオ、新聞、雑誌などのマスメディア、電話、FAX、インターネット、郵便、カタログなどの他、人、建造物、都市空間、ショールーム、見本市、店舗などがある。このように多様化しているメディアを、ペイドメディア、オウンドメディア、アーンドメディアの3種類に分類して整理する**表17**のような方法がある。

表17. トリプルメディア

	ペイドメディア	オウンドメディア	アーンドメディア
ウェブ上の例	検索連動型広告・タイアップ	公式ウェブサイト・公式SNS	CGM・個人や専門家のサイトやSNS
ウェブ以外の例	マス広告・交通広告	イベント開催・社員	マスコミ報道・社員
メリット	コントロール可能 即効性	消費者との密なコミュニケーションがとれる	情報が信頼されやすい セールスに影響
デメリット	コストが高い 競合が多い	消費者に見つけてもらうための努力が必要	コントロール不可 リスクマネジメント必須

ペイドメディアとは広告のように企業が料金を支払うことで利用可能なメディア、オウンドメディアは企業のウェブサイトなど企業自らがコントロール可能なメディア、アーンドメディアはテレビの番組、新聞などや消費者が口コミ等を書き込んでいるような第三者が情報を発信しているメディアのことである。これら3つのメディア概念のことを、トリプルメディアという。

企業も消費者も、ともに発信者であり受信者である。企業は、ビジネス活動を通してメッセージを記号化して消費者に伝達し、消費者は消費生活や購買活動を通してメッセージを記号化して企業に伝達している。そして、この情報の流れを企業側から見れば、企業が情報を発信する場合は「押すコミュニケーション」となり、特にプロモーション活動が中心的機能を担う。企業が情報を受信する場合は「引くコミュニケーション」となり、これは、マーケティングリサーチによって行われている。

また、ウェブ上でのコミュニケーションも多く行われる。自社サイトやCGM、SNSを利用したコミュニケーションも行われている。

2 プロモーション活動の分類

プロモーションとは、ターゲット市場に対して、製品やサービスの特性・価値・価格を伝達し、購買につなげるために説得することである。プロモーションは、情報伝達が重要な機能であることから、マーケティングではプロモーション戦略をコミュニケーション戦略と同義に解釈することも多い。狭義では、販売促進の意味で使われることもある。プロモーション活動は、①広告、②PRとパブリシティ、③セールスプロモーション、④人的販売の4つの手段に大別される。

① 広告（アドバタイジング）

広告とは、特定の広告主によって、アイデアや商品やサービスを、有料の媒体を用いて、ノンパーソナルに宣伝することである。マスコミ広告の他、ミニコミ誌等の広告、チラシ広告、屋外広告、交通広告、ネット広告、SNS広告等がある。ネットの広告の種類として、検索連動型広告やアフィリエイト広告、テキスト広告などがある。連動型広告とは、消費者がウェブで検索したワードと関連した情報を検索ページに掲載する広告である。アフィリエイト広告は、企業側が提供した条件を基に、ウェブサイトオーナーやブログ・ウェブマガジンのオーナーが個々のサイトやメルマガ上で商品の説明とそのリンク先を提示し、消費者がその情報を基に資料請求やサイト閲覧、商品購入などのアクションを起こした際に報酬を支払う広告である。

② PRとパブリシティ

PRは、Public Relationの略で、広報のことであり、社会との良好な関係構築活動の総称である。関係構築の対象には、企業や団体を取り巻くステークホルダーがある。

PRの機能としては、情報公開（ディスクロージャー）、危機管理（リスクマネジメント）、インタラクティブコミュニケーションの重視などがある。企業のウェブサイトを見ると、取扱う商品をはじめ、CI・BI・SIを含む経営方針、財務情報、人事、組織などさまざまな情報が開示されている。また企業は突然の事故や災害、スキャンダル等に巻き込まれることもある。その際の対応次第で、企業の評判やイメージは良くも悪くもなるので、リスクマネジメントが必要となる。最近では企業のCSR活動に社会的関心が集まっていることから、さまざまなステークホルダーに対応すべく、ステークホルダーの声に耳を傾けながら、PRを行っている。他にも、講演会の開催、社会事業・文化事業、ロビー活動なども含まれる。

商品やサービスを、無料の媒体を用いて、ノンパーソナルに促進することをパブリシティという。プレスリリースの作成、取材対応、メディアへの商品貸出などのプレスリレーション、異業種とのリレーションなどがある。

③ セールスプロモーション

セールスプロモーションは、SP、販売促進、販促などとも呼ばれる。セールスプロモーションの目的は、消費者に直接的な動機を与えることで、試しに使ってもらったり、多く購入してもらったりすることであり、期間を限定して行われることが多い。商品やサービスの購買、販売の意欲を高めるための短期的なインセンティブには消費者向けと取引先向けの２種類がある。**表 18**を参照。

特に取引小売企業向けには、商品の買い付け、売場スペースの確保、消費者への販売促進などをしてもらうことを目的として販売促進を行うことがある。また、小売業へのインセンティブとして、値引き・返品や目標売上げの達成度合いに応じた掛率ダウンなども行われる。

表 18. 対象別の販売促進の種類

対消費者
店頭での VP・PP・IP
DM・ポイントカード
ノベルティ商品・試供品（サンプル）
消費者向け内見会
招待・懸賞・景品・割引
対取引先
展示会・ファッションショー
共同広告・商品の無償提供
ディスプレー協力
什器・販促ツールの貸与

現在の百貨店の返品・派遣店員制度などは、アパレル企業の販促活動としてスタートした。広告がブランドのイメージや認知度を高め、長期的な効果を狙うのに対し、セールスプロモーションは短期即効性が期待される。しかし多用することで、ブランドイメージやブランドロイヤルティの低下を招く場合もあるので注意が必要である。

④ 人的販売（パーソナルセリング）

人的販売とは、商品やサービスの内容を人が媒体となって提示することである。店舗では販売スタッフが、メーカーでは営業担当者が、この機能を担っている。この活動は、他のプロモーション活動と比較して、消費者や取引企業など情報受信者をその場で観察できたり、個人的な友情関係を築くことができたりするという特徴がある。プロモーション活動は、メディアによっても分類できる。

3 | 展示会運営の知識

アパレル企業が行う代表的な販売促進イベントに、展示会とファッションショーがある。アパレル企業の展示会は、小売店に対しての自社のシーズンコンセプトや商品をプロモーションする場である。それと同時に、受注をともなう営業の場でもある。

4 | ファッションショー運営の知識

アパレル企業が開催するファッションショーには、小売店や消費者へのプロモーションとデザイナーの作品発表を目的にしたものの２タイプがある。

個別企業が行うファッションショーは、前者の趣が強いのに対し、デザイナー団体が主催するパリコレクションや東京コレクションは、後者の趣が強い。デザイナー団体が主催する場合、パブリシティとして雑誌やウェブ媒体などのメディアやインフルエンサーの投稿による情報拡散も期待できる。しかし、この方法で拡散される情報の内容に関しては、企業側ではコントロールできないので、発信された内容のフォロー等に注意が必要になる。最近では、オンタイムにウェブやテレビで生中継を行ったり、当日の様子をアーカイブとして自社サイトなどのオウンドメディア上に載せるケースが見られ、関係者も消費者も後でいつでも繰り返し閲覧することができる。ファッションショーを開催する際の検討項目を、**表 19** に挙げる。

表 19. 展示会の業務一覧

デザインコンセプトの設定
　ショーの規模：型数、サンプル数
　コスト算定：サンプル製作予算、小物予算、会場使用料、演出関連予算、プロモーション予算など

サンプル製作、小物手配

モデル選定
　演出計画：プロダクション選定、ディレクション、音響、照明、振付、大道具、小道具、ヘアメイクなど

会場設営、消防対策
　プロモーション：DM 制作、DM 配布、媒体露出、プレスリリース作成、プレス告知、ユニフォーム、看板、その他印刷物など
　開催当日の進行：リハーサル、本番、フィッティング、ビデオ撮影、客の動員と配置、受付、スタッフ手配など
　ショー開催後のプレス対策：動画や写真データの貸出など

7. ショップのプロモーション計画

1 | ショップのプロモーション特性

ショップのプロモーション活動は、購買意欲の促進を目的として、消費者とのコミュニケーションを確立し、購入につなげる活動である。具体的な内容とは、看板、サイネージ、店舗演出、陳列（VP、PP、IP)、接客、顧客づくり、メディアへの露出（新聞・雑誌・テレビ・ラジオ・カタログ、自社サイト・SNS・DM・チラシ・POP・アプリケーション）などがあり、それらを通じてコミュニケーションを行う。

店舗では、上記のツールなどを組み合わせて活用しながら、消費者の来店を促す集客促進と、来店した消費者の買上促進を行う。

2 | 集客促進

集客促進とは、1日当たりの来店客数をいかにして増加させるかに的を絞った販売促進策である。来店客を増やすための集客促進は、①新規顧客を獲得するためのものと、②既存顧客のリピートを促すためのものの2つに分けれる。

① 新規顧客の獲得

大規模に行う際には、テレビなどのマスメディアを活用した広告やパブリシティ、街頭看板、チラシなどがある。不特定多数の消費者にまずは多く知ってもらう必要がある。認識してもらい、魅力を感じて来店してもらうためのプロモーションで、クリエイティブとインパクトでどのようなアピールをするかが求められる。

② 既存顧客のリピート

すでに顧客になってくれている消費者に対する来店促進は、顧客データベースを活用する。顧客になっている場合、買上履歴などの顧客情報があるはずなので、顧客個人の購買履歴から判断してDMに活用し、新商品情報やお買い得商品情報などを個別に発信する。近年では、その手法は細分化され、定期的なサンキューメール、季節のグリーティングメール、誕生日メールの配信や、定期的なメルマガの配信など、来店促進をシステムとして行う動きがある。不特定多数を対象とする業態では、マスコミ広告やチラシ配布などのオープンコミュニケーション方式を導入するのが望ましく、特定少数の顧客を対象とする専門店業態では、顧客へのDMの送付や電話でのアプローチなどのパーソナルなコミュニケーションが望ましい。

3 | 買上促進

買上促進には、2種類の方法がある。

① 来店客をレジ客へ

入店してくれた消費者をレジ客にするには、入店客の好みやニーズを的確に捉えて最適な商品を提案する。そのために、魅力的な店舗の演出や商品展示は必須であるが、最も重要なのは接客でのコミュニケーションである。対象者の動きや目線などから何を求めているかを引き出し、気持ちを理解した接客・サービスをする。他にもポイントカード会員への勧誘や、それにともなうインセンティブや購買特典を提案するなどの方法がある。

② 客単価を上げる

①と同様で、魅力的な商品展示と適切な接客によって、顧客1人当たりに購入してもらう金額を高めていくことが大切である。オンラインの場合は、ちょうどいい送料設定と商品展開を行うことで、買上点数を増やす例もある。リアル店舗においては、コーディネートを提案しながらのセット販売や、VMDを活用した魅力的なコーディネートスタイル提案のディスプレイなどが重要となる。その他に、セット価格による値引き、インセンティブの付与などもあるが、あくまで要となるのは販売員の接客法である。

4 | ショップの販売促進方針

小売店の集客促進と買上促進は、ショップのコンセプトやシーズンのコンセプトをベースに統一したビジュアルであることが望ましい。また、1年を通してシーズンごとにさまざまなイベントが行われるので、**表20**などの一般的な年間プロモーション計画を参考に、自店の顧客に合わせた販促カレンダーを作成し、企画を立案する。月ごとや週ごとの商品別数値目標を立てたり、テーマを設定したりして、販売計画と品揃え計画を行い、イベントを企画する。イベントでは、VP、PP、POP、ウェブサイト、接客方法、ギフトなどにもテーマや方針を反映する。

5 | ショップのオープニングプロモーション

ショップのオープニングプロモーションは、①オープン前、②オープン時、③オープン後、の3段階で行われる。

① オープン前のプロモーション

オープン前は、新規顧客の来店促進を目的として、告知プロモーションを行う。大型店の場合、開店の数週間前に、新聞折込チラシや看板、チラシの配布やポスティングなどを通じて、店舗の紹介を行う。

ファッション専門店では、マスコミ・メディア広告を導入して大々的な広告を行う例は少なく、プレス用資料をメディアやインフルエンサーに送付・メールをして、パブリシティとして店舗紹介をしてもらうケースが多い。店舗のサイズを問わず、開店の前日にはプレス関係者を中心に、業界関係者や知人、友人、家族などの関係者だけのためのプレスプレビューと呼ばれる事前見学会が実施される。

② オープン時点のプロモーション

開店の際には、来店者プレゼントやオープニングセールなどの来店者インセンティブを行う。屋台イベント、お祭りイベントなどの各種集客イベントが開催されるケースもある。

表20. 年間プロモーション計画（例）

時期	月	キーワードやイベント
スプリング／春	2～4	バレンタインデー、入学式、入社式、卒業式、ひな祭り
	卒・入学式や入社式などのイベントが集中。ノンシーズン化傾向の就職活動でリクルートスーツ需要は前倒し傾向だが、2～4月が重要な販売チャンス。	
アーリーサマー／初夏	5～6	ゴールデンウィーク、母の日、父の日、梅雨、ブライダル
	4月から5月にかけては、最盛期のGWに向けたレジャー需要に対応した販売促進が有効。母の日、父の日のプレゼント需要も。	
ミッドサマー／盛夏	7～8	リゾート、レジャー、夏休み、トラベル、セール
	リゾート・レジャーキャンペーンが中心。セールシーズンでもあり、販売促進策が売上げに大きく影響。	
オータム／秋	9～10	ハロウィン、紅葉、ブライダル
	8月末～9月が、ファッションの本番である秋冬商品の立ち上がり時期。6月と並ぶ結婚シーズンで、ブライダルキャンペーンの実施も効果的。	
ウインター／冬	11～1	クリスマス、年末年始、初売り、セール
	クリスマスは、年間を通して最も重要なイベントチャンス。正月の初売り、2月のセールなど、売上げ拡大のチャンスが集中。	

専門店も大型店も、VMDの訴求を強化するなど、店舗イメージのインパクトを強める環境づくりを重視している。生花やバルーン、POP、サイネージ、電飾などの活用や、DJや生演奏などのBGMなどで、オープニングの賑わいを演出する。また、フードやドリンクなどのサービスや簡易パーティーが行われることもある。

③ オープン後のプロモーション

オープン後のプロモーションには、顧客管理と通常プロモーションがある。開店時の来店客を通常顧客にしていくために、顧客リストを作成・活用して、売上げにつなげていく必要がある。開店時点で集まった来店客に、アプリやカードの会員になってもらうことで、住所・氏名・年齢・好きな商品などを登録してもらい、顧客リストを作成して、それをベースに通常の販売促進策を考えていくのである。

シーズン商品の立ち上がり時期には、顧客に対して商品紹介のダイレクトメールを発送する。また、スタイリストやメディア関係者を招待するシーズンやテーマに合わせたイベントも効果的である。

6 | 印刷物制作の基礎知識

カタログやDM、チラシなどの販売促進関連の印刷物は、①プランニング、②デザインワーク、③印刷と配布のサイクル、という流れで実施される。

① プランニング

印刷物は、販売促進を目的として、事前に決められた販売促進予算の中で立案される。制作物の最終的目的が売上げ拡大、集客、顧客サービスなどのどれにあたるのかを確認し、それに基づいた色、デザイン傾向、キャラクターなどのデザインイメージとコンテンツ内容を作成して、広告会社や企画会社などの外部企業との打ち合わせを行う。

② デザインワーク

プランニングの完成後、デザインの担当者と打ち合わせを行い、提示された基本プランニングに基づく3つ程度のラフ案から適切なものを選んで、修正を行い、最終案を決定する。

③ 印刷

デザイン担当者は、文字やイラスト、写真などがレイアウトされた完全原稿を印刷会社に入稿する。その後、デザイン担当者と発注者の間で、文字校正や色校正などを行い、印刷し、納品後に対象者に配布する。

7 | ウェブサイト制作の基礎知識

ウェブサイトは、デザイン会社やプロバイダーとの契約により、簡単に立ち上げることができる。現在はさまざまなウェブサイト作成サービスがあるので、予算とデザインのバランスをとりながら、制作していく。

ウェブサイトは、企業と商品の紹介が基本だが、他のワンウェイメディアと異なり、消費者とダイレクトに情報交換ができるという優位性がある。そのためオウンドメディアへの書き込みを消費者と企業の双方向で、他の誰もが見られる状態でオープンに行うことができたり、メールやチャットなどで個別に対応することもできる。

自社のデータベースに商品や在庫、顧客データを蓄積し、必要に応じて加工・活用することも可能である。クラウド上に情報を上げておけば、多店舗間での情報共有や、遠方・外出先からのアクセスを簡単に行え、在庫情報、売上げ、数量などの正確な情報をスムーズかつタイムリーに共有でき、業務の効率化につなげることができる。

また、さまざまな決済方法を活用した電子決済により、ネットショッピング機能を自社のウェブサイトに取り込み、ネットショップを運営することもできる。

ウェブサイトを立ち上げてもアクセスする人数が少なければ意味がない。販売促進にウェブサイトを活用するためには、魅力的なコンテンツ、定期的な更新、メンテナンス、明確な目的設定、他のウェブサイトとの連携によるさまざまな広告を利用したアクセスなど、総合的な運営努力とリスクマネジメントが重要になる。

8 | DM企画

DMについては、CRMの一環として、ショップ側が選んだ特定顧客に対して直接、印刷物や手書きの書類を郵送する。DMを制作する際には、まず明確なターゲット、意図、コンテンツを設定して、それらに合わせてデザインをする。例えば、自店のショップコンセプトに合わせたユニークな手書きメッセージなどがある。最近では安価で簡単にできるメールプロモーションが多いからこそ、コストと手間がかかるDMを送付することで、受け取った人が特別感を感じるという効果も見られる。ただし、コストも手間もかかり、即時性に欠ける点などがあるので、消費者の満足するコンテンツ、最終的な購買体験へ結びつけるセグメント、送付のタイミングなどを考えてシナリオを作り、DMだけでなく、他のメディアと組み合わせて使用すると効果的である。

第8章 キャリアプラン

1. ファッション業界の職種別業務内容

1 小売企業の職種別業務内容

① 販売員

店舗で消費者への販売を行う販売担当者で、ファッションアドバイザー（FA）や販売スタッフともいう。正社員、契約社員、アルバイトなどのさまざまな雇用形態がある。広義には外商担当者や派遣販売員も含む。

② リテールマーチャンダイザー

自社商品の企画や他企業との共同企画で製造するPB商品の調達担当者を指す。バイヤーと兼任の人も含まれるが、バイヤーと異なるのは、商品開発・商品企画をともなう商品調達の担当者である点である。販売予算や利益予算に関する数値的な責任をもっている。

③ バイヤー

仕入れを担当する者で、基本コンセプトやシーズンコンセプト、シーズン商品構成計画、予算計画、ターゲット顧客情報などをベースに、仕入商品の選定、数量、仕入価格、仕入条件、納期などの交渉を行う。企業規模が大きくなると、レディス・メンズ・キッズや、カットソーか布帛か、またはスタイル別など、担当する商品の分野を分けている。

④ スーパーバイザー

本部付きのスペシャリストで、多店舗チェーン展開をしている企業において、専門知識と豊富な経験をもった本部バイヤーや店長などの経験があるようなベテラン社員がなる。仕事の内容としては、チェーン店を巡回して本部と店舗間の問題発見・解決に当たったり、売れ筋商品を把握して仕入れの際の商品セレクトについて助言したり、ディストリビューターと兼任したりすることもある。

⑤ ディストリビューター

多店舗のチェーン展開をしている企業において、各店舗ごとの売上規模や在庫状況に合わせて、分配数量と時期をアイテムごとに決定する。ディストリビューターも、本部付きのスペシャリストで、マーチャンダイザーや本部のバイヤーと共同作業を行うことが多い。

⑥ 店舗開発スタッフ

多店舗チェーン企業の本部の店舗開発部門スタッフで、出店戦略の立案や物件情報の収集と選別、立地調査、出店の提案、出店契約、出店プロジェクトの編成などの業務を担う。

⑦ 店長（ショップマネジャー）

各店舗の責任をもつ管理者で、店舗の運営、販売、プロモーション、人事、場合によっては仕入れの責任ももつ。単独店舗では、店主が店長を兼任することが多い。チェーン店や支店の経営では、販売部門出身者や本部バイヤー経験者が店長に抜擢されることが多く、最近の専門店では勤務1年程度で店長に抜擢される例も見られる。

⑧ ファッションコーディネーター

商品企画や商品構成企画、販売企画、販促企画などの際に、助言・提案・指導などを行う専門家。さまざまな情報の分析を行い、ファッション予測と自社の商品計画に沿ってシーズンごとに商品やブランドの構成計画、新規取引先ブランドリストなどを立案する。バイヤーやマーチャンダイザーに助言する一方で、販売部門に対してもディスプレイやセールスポイントなどに関する助言を行う。

2 ｜ 小売企業各職種の連携

起業して間もなくは、仕入れ、陳列、販売、物流業務、経理を１人で行うことがあるが、規模が大きくなり、各業務を分担して行うようになると、各担当職種間での連携が必要となる。特に販売部門と商品調達部門（仕入部門）の連携は小売企業の要である。両部門の間に、販売したい商品や販売数量予測、販売時期などに関する考え方の相違があったり、店頭情報、消費者情報、ファッション情報などの共有が行われていないと、残品・欠品・機会損失などが発生してロスになってしまう。両部門の会議や販売部門の朝礼での新入荷商品のセールスポイントなどの説明に加えて、販売員の日報の調達部門との共有、情報システムの導入などによって、ロスの発生を未然に防止する必要がある。このような日頃からの取り組みが、より効率的な業務遂行と消費者に充実した品揃えを提供することにつながっているのである。

両部門を補助する販促宣伝や物流などの部門との連携も大切である。販促宣伝部門は、調達・販売両部門とのスムーズな連携のもとに販促宣伝で後方からのバックアップを行い、効果を上げることができる。そして物流部門は、残品・欠品・機会損失を起こさせない商品の補給・移動・在庫管理を徹底的に行う。

3 ｜ ネット小売業の職種別業務内容

① 店長

業務にまつわるヒト・モノ・カネの管理業務全般を行う。業績を上げるために必要な人事の管理、制作管理、物流管理、プロモーション、在庫管理、顧客対応、方針策定、企画立案、メルマガ配信、スタッフの教育など、業務範囲は多岐にわたる。

② システム開発担当、サイト運用担当

ネットショップでの販売活動が機能する

ための社内システム開発から必要なハードウェア、ソフトウェア、ASPの選定、納入、業者との折衝、保守管理、運用業務まで行う。管理者の方針や企画に合わせて、サイトやページの制作を担当する。ページやパーツのデザイン、コーディング、画像作成、商品登録、撮影などを行う。

③ 受発注業務担当、顧客対応業務担当

商品の注文を受ける際に発生する周辺業務全般を担当する。ネットショップの規模が大きくなれば、専門のコールセンターやチャット対応を置く企業もある。

④ マーケティング・企画関連担当

商品が売れるようにするためのプロモーションや販売促進業務を行う。競合店舗や競合商品の分析をしたり、販売計画を担う。

⑤ MD、バイヤー

メーカーや卸業者から取扱う商品を調達したり、価格設定や販売戦略などを行う。

⑥ 物流・商品梱包・発送担当

消費者から注文を受けた後の商品の梱包や発送などの一連の物流工程業務を行う。配送コストの削減は、運用コストの削減に直結する。お客様からのクレームは物流工程で発生することが多いので、ネットショップの運営の大きなカギを握る業務である。

4 アパレル企業の職種別業務内容

① デザイナー

コレクションデザイナー、企業内デザイナー、フリーデザイナーなどに分類される。婦人服デザイナー、ニットデザイナーなど商品別の部門に分かれることもある。

② テキスタイルデザイナー

生地をデザインするデザイナーとプリントデザインを行うデザイナーの2つに分けられる。テキスタイル企業内のデザイナーとフリーデザイナーが存在しているが、糸や生地の業界に所属していたり、アパレル企業内に専門職として所属していることもある。

③ モデリスト

デザイナーのアイデアやデザイン画に基づいて、パターンやサンプル製作を行う専門家のこと。その後の工場生産の指示も行うことがある。デザイナーの右腕となったり、実際にデザイナーのアイデアを視覚化する担当者としてブランド内の重要なポジションにいることもある。ニットモデリストの場合は、素材や編み地についての豊富な知識が必要になる。

④ パターンメーカー

パターンや型紙を作る専門家。デジタル化が進む中で、CADで製作することが多くなっているが、手で原型を作成するための知識は必須である。アパレルメーカーや生産企業にいて、契約社員制という雇用の場合もある。また、デザインアトリエに所属する人やフリーランスの人もいる。

⑤ グレーダー

標準サイズの型紙を基にして、大小各種サイズの工業用型紙を作る専門家のこと。最近では、コンピュータグレーディングが主力になり、その技能が必要となる。アパレルメーカーと生産企業の両方に存在する。

⑥ サンプルメーカー

試作見本、ファーストサンプル、展示会用見本などを作成する。アパレルメーカー、生産企業、デザインアトリエにいる。サンプルメーキングの専門工場もあって、デザイナーのコレクション用の商品製作は専門工場が請け負う。

⑦ 縫製技能者

生産企業の従業者の主力は縫製技能者であり、特定のミシンの操作に熟練した技能者の単能工や、性能の異なる複数のミシンから中間プレスまでこなせる多能工もいる。横編みニットのリンキング技能者も、広義には縫製技能者に含む。

⑧ ニット技能者

横編み機の操作担当者のことで、広義には丸編み機や経編み機、靴下編み機などの操作技能者も含む。デジタル編み機が増えたことで、プログラマーのような能力を要求されることもある。

⑨ プレス技能者（仕上げ技能者）

縫製品やニット製品の仕上げプレスの担当者のことで、生産企業にいる。

⑩ 販売員

アパレル企業の直営店や百貨店インショップなどで販売に携わる担当者のこと。

⑪ 販促宣伝ツール制作スタッフ

アパレル卸商に所属し、小売企業の同名のスタッフとほぼ共通の業務を行っている。

⑫ アタッシェドプレス

デザイナー企業などのアパレル企業で、商品や写真の貸し出し、取材のアレンジメント、記者発表、ショーや展示会の企画、デザイナーの秘書業務など、広報と販促の多様な仕事をする担当者のこと。

⑬ ディレクター

クリエイティブ的な観点と経営的観点の両面から、ファッション商品の商品企画、販促、演出方法などについて、統括・指揮を行う。

⑭ マーチャンダイザー

ブランド別商品企画部門の責任者で、主にアパレルメーカーにいる。情報収集や分析、シーズンコンセプトの設定、商品構成計画の決定、素材計画の決定、デザインの決定、展示会の設営と運営、営業部門との協議などを行い、デザイナーやパターンメーカーなどを統括する数値責任者である。

⑮ 営業スタッフ

小売企業への卸販売に携わる担当者で、主にアパレルメーカーにいる。生産企業にも、アパレルメーカーとの取引窓口としての営業スタッフが存在しており、小規模企業の場合は社長が兼務している。

5 ｜ アパレル企業各業種の連携

日本のアパレル産業の１つの特徴として、商工分離（生産と卸の分離）があるので、関係各社・各分野の企業同士の連携が重要となる。

- アパレルメーカー（商品企画担当者、マーチャンダイザー、デザイナー、パターンメーカーなど）と生産企業（営業スタッフ、生産担当者など）の連携
- アパレルメーカー（生産管理スタッフ、物流スタッフ）と生産企業（物流スタッフ）の連携

生産では、それぞれの部門がもつ独特の専門用語を理解しながら、製造技術などの知識を理解し、相互の交流を深め、強固な連携を行う。

物流では、連携がうまくとれないと納期遅れ・返品などの不利益な事態になるので、最近では体制やシステムを整備したり、RFIDなどを導入することで、効率の良い物流連携を行っているところもある。

アパレルメーカーや生産企業では以下のような職種間の連携も行われている。

- アパレルメーカー／商品企画部門と営業部門の連携
- 生産企業／生産部門と物流部門の連携

生産部門と物流部門の連携がとれないと、納期・数量・生産の進行状況が物流部門に正確に伝わらず、ラベリング、ソースマーキング、梱包、出荷、運送などに影響が出る。

6 | SPAの職種

SPAでは、企画から販売まで一貫して手がけている。素材調達、企画、生産、販売までを一体化して行うため、小売りとアパレル両方の職種が存在している。アパレル機能と小売り機能の密な連携を行えることから、売上データや顧客の反応などの店頭情報を基に、人気商品の再販手配や修正への対応、蓄積した店舗データの分析に対応したブランド構築や顧客アプローチなどが可能となる。

7 | これから求められる人材

さまざまな業種があるアパレル業界に必要な人材は、服だけでなく、広義のファッションである食や音楽、スポーツなどへの幅広いアンテナを張ることができ、自分や周りのライフスタイルについて問題意識や改善案などをもち、プラスの発想で多くの人とコミュニケーションができる人材である。また、デジタルテクノロジーに関しての知識や活用経験などは、今後必須となる。

2. 職業人の活動と、自己啓発・自己管理

1 | 職業人とは

職業人とは、職業に就いている人のことで、会社の役員、管理職、従業員から個人で事業活動を行っている人にもあてはまる。現代社会において、人は一人では生きられず、社会の一員として勤労所得や事業収益、土地収益、家屋収益、株式配当、預金利子、年金などの何かしらの収入を得ながら、国や各企業が提供しているサービスを購入・利用して生きている。多くの人は、職に就いて仕事を行い、収入を得ることで生計を立てている。仕事をするということは、生計を立てるだけではなく、①自分らしさを生かしたり、それを見つけたりするという面と、②業務を通して社会とのつなが

りをもち、社会的責任を果たすという面がある。社会と業務と自分自身の生き方や生計に責任をもつことが必要となる。職業人は、企業内でさまざまな責任を負っているが、その重さを苦痛と感じず、ポジティブに楽しさとプライドをもちながら生きている人が、本当のプロの職業人といえる。

2 | 会社と職業人の関係

会社における職業人とは、経営者や従業員などの従業者である。会社と従業者には、労働三法や就業規則などの職場規律を守りながら、チームワークを大切にする義務と責任がある。会社は1つの社会的組織で、そこに参加する人々は事業目的を達成するために互いに力を合わせて働く。会社の事業目的とは、法律に違反しない範囲で株主や従業者などのステークスホルダーへの利益を図ることであるが、最近では企業利益と取引先や消費者の利益とのバランスを図ること以上のことが求められている。サステイナビリティ、エシカル、ダイバーシティ、ユニバーサルデザインなど、地球環境や全人類的利益への配慮である。このように、企業利益とともに消費者や社会に貢献することが事業目的となっている。

3 | 組織における連携活動

会社は、1つの組織として、縦の命令系統と横のチームワークによって動いていく。企業内での役割にはステップがある。

まず、会社では個人の気ままや勝手な行動は許されず、命令や規律を守らなかったり、業務の遅滞が起きると個人の問題だけではなく、部門や企業全体の運営を妨げる障害になることもある。会社に迷惑をかけるような事態を引き起こさないように注意しながら、与えられた仕事に対して、一定の効果を上げる。これは、組織の中での最低限のルールである。

次に、同じ部門内での積極的なコラボレーションや他部門・他職種とのコラボレーション、外部との連携活動ができるようになる必要がある。

仕事のプロは、商品やサービスを受け取る相手が期待している以上に満足してくれるような仕事をする。そのためには、自分に厳しく、会社の利益に気を配りながら、チームワークを大切にして業務を遂行して、求められる効果を最大化していくことである。

4 | 組織と社会における個人の責任

個人には、組織における以下の5つの責任がともなう。

①自分に与えられた業務の意味と役割を理解し、指示や規則を守り、忠実に仕事を行う。
②自分自身の知識・技能・能力を高める自己啓発を行う。
③他部門や外部とのコラボレーションにより、部門内外のチームワークを行う。
④上司・同僚・部下・他部門・外部との良好な人間関係を構築する。
⑤①～④を行ったうえで、会社に対して提言を行う。

①～④は、組織に対する個人の責任であり、これらを果たすことは会社の事業目的を果たすことにつながる。会社の事業目的の中には、消費者の利益と社会的利益に貢献するという社会的使命が含まれているか

ら、間接的に社会に対する個人の責任を果たすことにつながる。

⑤の提言には、新商品の提案、業務内容の改善提案、新規プロジェクトの提案、高度情報システムの導入、構造改革の提案など、さまざまな提案が含まれる。①〜④の責任を果たしている人が組織と社会の双方に対する責任をもって提言したものでなければ、提言そのものの信頼性が得られない。

5 | ファッション企業人に求められる資質

表21は、ファッションビジネスに関わる人に求められる5つの資質要素と、それらを構成する15要素である。5つの資質の中に知識と技能があり能力に関するチェックポイントや手順のような初歩的な学習は訓練をすれば身につけることができる。しかし、個人の素質・マインド・感性の度合いによって、開花する能力の種類や時期は人それぞれである。マインドの学習は、本人の普段の心がけ次第である。また、体系化できるのは初歩的な学習法だけで、感性そのものの体系化は難しい。能力と同様に、ケーススタディ、経験、体験が感性を向上させる。

6 | ファッション業界に求められるデジタルスキル

現在、そして今後のファッション業界において、ITを活用したデジタルスキルは必須であり、生産から販売までのすべての業種で共通して求められる。店頭情報から消費者のニーズを分析したり、ウェブ上で得た情報を分析ツールを使用してデータ分析するスキルが求められる。また、ECサイトの売上げの多くはスマホなどのデバイス経由であり、モバイルマーケティングはすでに必須戦略となっている。それと合わせて、ECサイトの魅力的なデザインを制作するクリエイティブなセンスも必要となる。加えて、ソーシャルメディアを活用するスキルや消費者を自社サイトに誘導するネット広告のスキルなどももち合わせていれば、幅広い分野で活躍できるだろう。

表21. 求められる資質5要素と15細分

要素	細分項目	詳細
マインド	①パッション	仕事や自己啓発への熱意
	②モラル	社会人としてのマナー、職業人としての心がけ
感性	③ファッション感性	ファッション、スタイリング、色などに対する感覚
知識	④基礎知識	消費者、マーケティング、MD、商品、産業構造
	⑤専門知識	部門別に必要となる専門知識
	⑥動向知識	産業、商品、消費者、社会などの変化に関する最新知識
技術	⑦技能習熟	部門や職務ごとの専門的な技能の習熟
	⑧IT活用力	全部署で共通なもの、専門的なもの
	⑨表現力	コミュニケーション、口頭表現、文章、ビジュアル
	⑩語学力	語彙力、言語を通じた文化の理解
能力	⑪クリエイション能力	デザイン部門だけでなく他部門も
	⑫プランニング能力	ビジネス部門だけでなく他部門も
	⑬問題発見・解決能力	全部門の中間管理職とその候補者に必要な能力
	⑭マネジメント能力	管理・統率能力 / 中間管理職以上には必須
	⑮意思決定能力	トップに必要な能力

7 | キャリアプランとキャリアプログラム

プロの職業人になるためには、自分自身で目標を立ててスケジュール化し、知識を得たり、経験を積んだり、体験していくことが大切である。この職業人としての目標設定とスケジュール化を行うことをキャリアプランという。

企業によっては、社員が将来の自分の姿を思い描けるように、どのような業務を行い、どのようなステップを踏めばいいのか、1年や3年などの一定期間ごとの業務水準到達目標や昇進ステップ予想を示すところもある。これをキャリアディベロップメントプログラム（CDP）やキャリアプログラムという。

企業にとっては、経営資源の中で最も重要とされる人材に当てはまる従業員の資質を一定以上のレベルに高めることは、経営の効率を上げて利益につなげることができる。一方、自分自身の資質開発を自分で行うことを個人型CDPという。

アパレル企業や小売企業では、デザイナー、パターンメーカー、営業スタッフ、マーチャンダイザーなどの職に就く予定の人であっても、まずは売場での接客と販売を経験させることが多い。商品を購入してくれている消費者を自分の目で見て、会話をすることは、自社の顧客像やニーズを知り、売場の感覚を養うことになる。売場と顧客を理解することは、その後配属される部門・部署の業務に必ず役立つ。その意図を理解できるか否かは、その後のキャリアに影響を及ぼすこととなる。

8 | 自己啓発と自己実現と自己管理

自己実現とは、本人の意志のもと自身の能力を高めたり、精神的な成長につなげたりして自分らしく生きることである。プロの職業人においては、そのことが社会的使命を果たすことにつながっていく。社会的使命を果たさない生き方は、いかに自分らしい生き方であってもプロの職業人の自己実現とはいわない。

自己実現には、①仕事を通じて社会的使命を行う、②自分自身の使命観に沿った別の社会的活動のポジションをもつ、③独自の趣味・教養などをもつの3タイプがある。

プロの職業人であるためには、**図19**の自己管理チェックリストの項目を、PDCA/DCAPサイクルに合わせて確認することが自己管理となる。特に心身の健康は頭脳と感覚を働かせる基礎になるので、自身や仕事、また家庭・遊び・趣味・教養のためにも、十分に配慮をする。健康管理は、組織と社会と自分自身に対する責任を果たしていく基本要件である。

□ 組織における個人の5つの責任を十分に果たしている。
□ 自分のキャリアプランに沿って資質要素を高めている。
□ 自己実現に向けて前進している。
□ 自分の健康状態を正常に保つ努力をしている。

図19. 自己管理チェックリスト

FASHION BUSINESS

ファッションビジネス知識

第9章 ビジネス基礎知識

1. マネジメント知識、IT知識

1 企業経営の基礎知識

① 経営（マネジメント）

マネジメント（経営管理）とは、経営資源（人、モノ、金、情報）を調達し、効率的に配分し、適切に組み合わせる体系的な諸活動である。つまり、企業の経営方針に基づいて政策や事業計画を策定し、それを実現させるように導くことがマネジメントである。それに対して、各部門の現場業務を効率的に行う諸活動を業務管理または管理という。

② 経営理念とCI

経営理念とは、組織の存在意義や使命を普遍的な価値観として設定したものである。企業の目的（何をしたいか）、役割（何をすべきか）、能力（何ができるか）といった基本的な考え方を企業の内外に伝え、共有化することを目的とする。

経営理念は、企業の個々の活動の基となる基本的な考え方で、企業内部に向けては社員の行動指針であり、社会や社員・顧客・取引先等、企業外から見た企業アイデンティティでもある。企業アイデンティティはCI（コーポレートアイデンティティ）ともいい、CI戦略は企業の経営理念に象徴される企業文化の構築を意図して組み立てられる。CI戦略とは、最終的にはネーミング、ロゴマークの設定から、ロゴマークの活用システムに至るまで、企業の文化を五感を通して社会に伝播させる戦略である。

③ 経営戦略

経営戦略とは、企業を取り巻く経営環境を把握し、時代の変化を先取りしながら将来の方向性を決定することで、経営目的を達成するための経営計画を策定し、次なる道を切り開いていくことである。いわば、前向きに企業の長期的路線を決定することで、挑戦していく計画が経営戦略である。経営戦略は、マーケティング戦略、マーチャンダイジング戦略、財務戦略、人事戦略、情報戦略、オペレーション戦略といった形で展開される。

それに対して管理とは、企業の足元固めといった意味合いが強く、財務管理、会計管理、人事管理、販売管理、仕入管理、商品管理などがある。

経営戦略には、全社戦略と事業戦略がある。全社戦略とは、多くの事業をもつ企業がどのような事業を組み合わせて資源を配分するか、といった戦略である。事業戦略とは、ある競争環境下で戦い勝ち抜いていくための戦略で、事業部ごと、ブランドごと、ショップ業態ごと、機能分野（企画、生産、販売など）ごと、地域別など、いろいろな切り口から組み立てられる。

④ 戦略と戦術の違い

戦略に対して戦術という言葉があるが、戦略と戦術を分けて考えるのは、それぞれ目標とする内容が異なり、成果が出るまでの時間にも差があるからである。

戦略は、企業の資源である人、商品、資金、技術、情報などを効率的に配分することによって、企業あるいは事業部が目指す成果を継続的に引き出すことを狙っている。半年や1年といった短期的な成果を狙うのではなく、3～5年の中期的な視野で企画立案されるのが戦略である。

例えば、ある事業部が新業態を開発し、これを3年後に50億円規模まで育成したいとする。では、ターゲットをどこに設定するか、MDをどのように進めるか、どこに出店し販売するか、さらに販促はどういった展開で進めるのか、そのための資金計画はどのように組み立てるのかなど、年次別に組み立てていくことが戦略である。

それに対して戦術とは、戦略を実践化するものである。戦略目標と達成手段を具体的に行動レベルにブレイクダウンしたものといえる。このため期間は原則として1年で、さらにブランドやショップの特性に応じて、半年、四半期、月次に細分化して立案する。つまり、戦略を具現化するアクションプログラムが戦術ということになる。

⑤ マネジメントサイクル

経営戦略を実行していくプロセスを、マネジメントサイクルという。マネジメントサイクルの1つに、PLAN＝計画、DO＝組織と指揮、CHECK＝評価、ACTION＝改善のプロセスであるPDCAサイクルがある。

計画には、1年以内の短期計画と、1年以上の中長期計画があるが、中長期計画は戦略的要素を加味した経営戦略として位置づけられる。また、期間にこだわらない個別計画もあり、プロジェクトと呼ばれる。

計画の策定には次の要件が必要とされる。

- 目標の明確化
- 予測
- 実施計画の策定
- スケジュール計画の策定
- 予算の編成
- 手続きの設定

経営戦略を実行するには、経営資源を効率良く配分するための組織と、その組織の下での優れた指揮（ディレクション）が必要とされる。組織とは、2人以上の人々の意識的に調整された活動や諸力の体系であり、チェスター・バーナードはその成立のために、組織の3要素として、

①共通目的（組織目的）
②協働意志（貢献意欲）
③コミュニケーション

が必要であるとした。

指揮機能の中核を担うのはリーダーであり、他者に将来の方向性を示し導いていく能力（リーダーシップ）をもつ人で、企業にとって戦略を成功に結びつけるために不可欠な存在である。

評価とは、進行中もしくは完了した業務を評価し、これをコントロールすることであ

る。具体的には、評価基準づくり、業績の測定・分析、評価、是正措置などの内容がある。

改善とは、評価結果に基づいて、継続（定着）・修正・破棄のいずれかを行い、次の計画に結びつけることである。

2 会社の組織

会社の組織には、分業化というヨコの組織と、それをコントロールして目的が達成できるように管理・統制するタテの組織がある。これらの組織は、ピラミッド階層で4段階に大別され、トップマネジメント、ミドルマネジメント、ロワーマネジメント、そして一般社員層がある。

- トップマネジメント／社長、専務、常務、取締役、執行役員をいい、会社の基本方針、目標を決め、計画立案をする。その責任は会社の存続に関わってくる
- ミドルマネジメント／一般的には部長、課長などで、会社の基本方針に従って担当部門の部下を管理、指導し、業務を遂行していく
- ロワーマネジメント／係長、主任などで、直接の業務指示、命令を一般社員に行わせる。ミドルマネジメントの指示に従って業務を直接管理・監督する
- 一般社員層／管理・監督者層の指示・命令に従って、責任と権限をもって業務を遂行する

また、企業の部門には、ライン部門とスタッフ部門がある。ライン部門とは企業活動を専門に実施する部門で、企業の収益の主体となる製造部門や販売部門をいう。スタッフ部門とはラインの活動がスムーズに進められるように、効果的、専門的に助言や援助をする部門で、経理部門や総務部門などがある。

3 人事・労務の基礎知識

① 人事管理

企業活動が円滑に機能していくにはどのような人材が必要か、どのように採用するか、どのように育成するか、どの仕事にどういった人材を投入するか、などの人事管理は重要なマネジメントである。特にファッションの内容を創造し、それを生活者に伝達するファッションビジネスでは、豊かな感性・創造性やスピーディな行動力を備えた人材は、事業の命運を左右することが多い。

一口に人事管理といっても、その範囲は多岐にわたる。まず「人事」と「労務」に大別できるが、「人事」は社員個々人について管理する機能であり、「労務」は社員集団について管理する機能といわれる。例えば、募集、採用、人事考課、配置、異動、昇進などの立案・運営は「人事」の機能といえ、就業規則や労働時間、職場規律などは「労務」の機能といえるが、労務・人事を一本化して人事管理ということも多い。

人事の基本的機能を列記すると、次のようになる。

ⅰ）人材確保
- 要員計画／必要な人員の資質と人数
- 募集・採用／採用方針の決定と採用の実施

ⅱ）人材の配置
- キャリア形成のプログラム化、ローテーション計画
- 人材の配置

ⅲ）能力開発
- OJT（オン・ザ・ジョブ・トレーニング－職場の中で、上司が仕事を通じて

計画的に系統立てて行う教育活動）

- Off–JT（オフ・ザ・ジョブ・トレーニング－仕事や職場を離れて行う教育活動。社内集合研修、外部機関主催のセミナーなどへの派遣、通信教育の受講など）
- 自己啓発の支援

iv）評価・処遇

- 人事考課（従業員の勤務・実績を評価し、各人の貢献度を査定する方法）
- 処遇システムの設計
- 昇進・昇格・降格
- 異動・転勤・退職・解雇

② 労働三法

労働三法とは、労働者の権利を擁護するための法律で、労働基準法、労働組合法、労働関係調整法がある。

i）労働基準法

労働者の労働基準についての最低基準を定めた法律で、労働時間、休日、年次有給休暇、時間外労働、安全、雇用制度などを定め、併せて就業規則や災害保証なども規定している。

ii）労働組合法

労働者が、労働条件について使用者と対等の立場で交渉することができるように、労働者の団結権、団体交渉権、団体行動を行う権利などを定めている。

iii）労働関係調整法

労働争議を予防し解決するために制定された法律で、労働争議の斡旋、調停、仲裁などについて定めている。

- 就業規則／使用者が、その事業場で働く労働者に対して、労働条件や服務規則などを定めた規則。常時10人以上の労働者を使用する使用者は、労働基準法に基づいて作成することが義務づけられている

4 | 企業の社会的責任

企業は営利を追求する存在であると同時に、直接に関わる人々（消費者、取引先、株主、従業員など）に対する責任に加えて、環境問題や文化振興・教育振興など、地域社会や国際社会に対する貢献も求められる。

CSR（企業の社会的責任）とは、企業は収益を上げ配当を維持し法令を遵守するだけでなく、人権に配慮した適正な雇用・労働条件、消費者への適切な対応、環境問題への配慮、地域社会への貢献を行うなど、企業が市民として果たすべき責任をいう。

- **コンプライアンス**／法律や社会的な倫理、規範を守って行動する法令遵守という考え方
- **フェアトレード**／発展途上国の原料や製品を公正な価格で継続的に購入し、発展途上国の生産者や労働者の生活改善と経済的・社会的な自立を目指す取引きの仕組み
- **フィランソロピー**／慈善など、企業の社会貢献活動を意味する
- **メセナ**／文化・芸術活動に対する支援で、スポンサー制度とは異なり、プロモーション効果などの見返りを期待しない活動

5 | IT知識

① デジタル化とマスメディア

デジタル化の影響は、マスメディアに大きな影響をもたらしている。例えば、テレビドラマは録画やPC上やスマホ上で観ることによりCMを全く見なかったり、テレビでウェブの人気動画が紹介されたり、雑誌社が電子書籍の配信やSNSといったデジタルメディアを活用したりしている。このように

デジタル化したコンテンツがさまざまなメディアやデバイスにまたがって相互に流通している。スマホの進化も著しく、通信機能だけでなく、GPS、Wi-Fi、bluetooth、NFCなど多様な無線通信などがある。消費者がアプリやブラウザを使用することで、時間・場所などの情報も含めた多様なコンテンツを得ることができる。商品やサービスを購入する際の決済や、イベントへの参加・入場などもすぐに行える。1つのデバイスでできる機能が多様になった。IoTが進むにつれ、屋内外に設置してあるデバイスやデジタルサイネージと移動中のデバイスとのつながりによって、情報の受発信が行われるようになってきている。

これらから、消費者の行動データを収集することも容易になった。実店舗では、センサーで見ている商品や場所をトラッキングしたり、ある特定の商品が触られたり試着された回数などを自動的にカウントしたうえで、購買情報を記憶し、今後のマーケティングのために分析を行うなど、商品や消費者の動きのデータを収集している。また、アプリやSNSを通じて、商品・ブランド・店舗に関する感想や不満などの消費者情報が収集されたビッグデータは、企業のマーケティング活動全般で使用されている。

② POS

POSレジから収集されたPOSデータからは、いつ、どこで、何が、いくらで、どのくらい売れたかがわかる。またPOSレジには含まれない気象データ、催事情報、店頭情報なども、コーザルデータとして分析に利用される。POSレジを活用すると単品管理ができるので、死に筋商品を早く見極めて売場から排除し、売れ筋商品の機会ロスを発見して、必要な在庫量を確保するといったことができる。また顧客の会員カードやアプリデータとPOSを連動させるID-POSデータの活用によって、CRMに取り組むための効果的な情報の収集が可能となる。優良顧客に対して、より高い支持を得ることを目的として購買金額の累計や利用期間により特典を与えるFSPと連動させることもできる。

③ IoT

IoTとは、センサーの小型化や低価格化により、デバイス以外の製品がネットワークにつながることをいう。車の自動運転が実現したのも、車両に搭載された各種センサーから集められた情報がクラウドデータとリンクされ、人より安全で効率の良い走行が可能になったからである。家電製品なども徐々にIoT化し始め、スマホからエアコンの温度設定、掃除機の操作、ペットの追跡、ボタンワンプッシュでの日常品の補充などが行えるようになってきている。

このように、モノがネットワークにつながり、相互接続されることで、利便性の向上と同時にさまざまなデータが収集され、そのデータを活用したマーケティングが進み、新しいデバイスによる新しい体験が生み出されている。

④ 情報セキュリティ

情報セキュリティに関するトラブルは、企業と消費者に大きな損害を与えることがある。現在の企業経営において、非常に大きな経営課題となっているのが情報セキュリティである。そのトラブルとして、顧客情報や個人情報の流出、クレジットカードの不正利用、企業やブランドの機密情報の漏洩（ろうえい）、企業システムの停止、サイトの改ざんなどがある。情報漏洩の原因には**表22**のようなものがある。

セキュリティ対策には、ガバナンス的アプローチと技術的アプローチの2つがあり、その両方を活用する。ガバナンス的アプローチとは、企業内体制の確立と仕組みづくりであり、技術的アプローチとはソフトなどを使用して、技術的に対策を練る方法である。**表23**に一部をまとめた。

企業内のネットワークだけではなく、インターネット上のサービスでも、セキュリティ対策が必須となる。サイトのハッキングにより、クレジットカード情報などの消費者の個人情報が漏洩する事件が多く発生している。2016年にはGDPRの施行により、EUに拠点がない日本企業も場合によっては対象になる可能性があることから、企業は世界の動向を視野に入れながら対応していく必要がある。

表22. 情報漏洩の原因

情報漏洩の原因
紛失・置き忘れ・誤廃棄
盗難
誤操作
ワーム・ウイルス・ハッキング
管理ミス
不正な持ち出し
内部犯罪・内部不正行為

- **コーザルデータ（Causal Data）**／販売に影響を与える要因についての情報
- **UX**／User Experienceの略
- **GDPR**／General Data Protection Regulationの略。EU一般データ保護規則のこと。企業や組織がＥＵ域外への個人データの移転を行うことを原則禁止し、違反した場合、多額の制裁金が科せられる規制

表23. セキュリティ対策の種類

ガバナンス的アプローチ	技術的アプローチ
各種ポリシー・社内規定の整備	コンピュータウイルス対策ソフトの導入
担当を決めるなど組織体制の確立	ファイアウォールの設置
非常時マニュアルの作成	電源のバックアップ
社内のチェック体制の充実	情報の暗号化
	アクセスログの取得

2. 企業会計

1 企業会計

会計（アカウンティング）とは、「金銭の収支、財産の変動、損益の発生を貨幣単位によって記録・計算・整理し、管理及び報告する行為」であり、一般には企業会計を指す。企業会計とは、情報の利用者が判断や意思決定を行うことができるように、企業の財政状態と経営成績を、取引記録などに基づいて記録・計算・集計し、会計表にまとめる一連のプロセスである。

企業会計には財務会計と管理会計がある。

- **財務会計**／企業外部の利害関係者に対する会計責任を果たすために、企業の経営成績と財政状態を財務諸表として報告するための会計。株主、債権者、税務署などに会計情報を提供することを目的とする会計
- **管理会計**／経営者や管理者が自社の会計情報を意思決定や業績管理に役立つ情報として提供することを目的とした会計

2 企業の決算

決算とは、企業の会計期間の期末に、期間の経営成績と期末の財政状態を明らかにするために行う手続きをいう。具体的には、財務諸表を作成すること。財務諸表には貸借対照表、損益計算書などがある。

① 貸借対照表

バランスシート（BS）と呼ばれ、一時点における企業の財務体質（資金と借金の関係）がわかるように、資産と負債、純資産を対照して示す書類である。

貸借対照表は左右に分かれており、左側は借方（debit）、右側は貸方（credit）となっている。借方には「資産の部」があり、貸方には「負債の部」と「純資産の部」がある。

資産は、その性質によって、流動資産と固定資産、繰延資産に大別される。

流動資産とは、現金ならびに1年以内に現金化される資産をいい、現金、預貯金、売掛金、前渡金、商品、半製品、原材料、仕掛り品などがある。このうち、商品、半製品、原材料、仕掛り品などを棚卸資産（在庫高）という。棚卸資産は実地棚卸しによって数量計算し、これを評価して金額を求める。

固定資産とは、1年を超える使用に耐えることができ、一定期間または恒久的に経済価値を維持する資産をいう。固定資産は、有形固定資産、無形固定資産、投資その他の資産に分けられる。有形固定資産には、土地、建物、設備、器具備品などがあり、無形固定資産には、特許権、商標権、借地権などがある。また、投資その他の資産には、投資有価証券、出資金、長期貸付金などがある。

繰延資産とは、すでに支払われた費用のうち、その効果が将来にわたって発現するものと期待される費用のことで、資産に計上されている。創立費、開業費、開発費、株式交付費などがある。

負債は、資産と同様に1年を原則として、流動負債と固定負債に大別される。流動負債とは、支払期限が1年以内の負債で、買掛金、未払金、前受金、短期借入金などがある。固定負債は、支払期限が決算日から1年を超える負債で、長期借入金、社債な

貸借対照表

年　月　日現在

（単位：円）

科目	金額	科目	金額
（資産の部）		（負債の部）	
流動資産		流動負債	
現金及び預金		支払手形	
受取手形		買掛金	
売掛金		未払金	
有価証券		未払費用	
前払費用		未払法人税等	
未収入金		預り金	
貸倒引当金		その他	
固定資産		固定負債	
有形固定資産		長期借入金	
土地		退職給付引当金	
建物		その他	
構築物			
機械及び装置			
器具及び備品			
建設仮勘定			
		負債合計	
		（純資産の部）	
無形固定資産		株主資本	
ソフトウェア		資本金	
のれん		資本剰余金	
		資本準備金	
		その他資本剰余金	
投資その他の資産			
投資有価証券		利益剰余金	
出資金		利益準備金	
長期貸付金		その他利益剰余金	
長期前払費用		繰越利益剰余金	
貸倒引当金			
		自己株式	
繰延資産			
		評価・換算差額等	
		その他有価証券評価差額金	
		純資産合計	
資産合計		負債・純資産合計	

どが該当する。

純資産とは、資産総額から負債総額を差し引いた正味資産額で、資本金、資本剰余金、利益剰余金などがある。

② 損益計算書

プロフィット＆ロス（PL）と呼ばれ、企業の一定期間の経営成績を明らかにするために、その期間の総収益と総費用を対応させ、損益を示す書類である。

損益計算書では、次の内容が計上される。

- 売上高
- 売上原価
- 販売費及び一般管理費（販売手数料、販売促進費、人件費、家賃、水道光熱費、通信費、旅費交通費、消耗品費など）
- 営業利益（本業の利益）
- 営業外収益（受取利息、配当金など）
- 営業外費用（支払利息など）
- 経常利益（本業を含めて継続的に行っている業務の利益）

損益計算書

自　　　年　月　日
至　　　年　月　日

（単位：円）

科目	金額
売上高	
売上原価	
売上総利益	
販売費及び一般管理費	
営業利益	
営業外収益	
受取利息	
受取配当金	
雑収入	
営業外費用	
支払利息	
雑損失	
経常利益	
特別利益	
固定資産売却益	
投資有価証券売却益	
貸倒引当金戻入益	
特別損失	
固定資産売却損	
債務保証引当金繰入	
税引前当期純利益	
法人税、住民税及び事業税	
法人税等調整額	
当期純利益	

- 特別利益（固定資産売却益など）
- 特別損失
- 税引前当期純利益（または税引前純損失）
- 法人税等
- 当期純利益

利益は、次の計算式で算出される。

- 売上総利益（粗利益）
  ＝売上高－売上原価
- 営業利益
  ＝売上総利益－販売費及び一般管理費
- 経常利益
  ＝営業利益＋営業外収益－営業外費用
- 税引前当期純利益
  ＝経常利益＋特別利益－特別損失

③ 財務諸表の作成

日々の取引きから貸借対照表と損益計算書を作成するまでには、多くの帳簿を作成する必要がある。そして取引きによりもたらされる資産・負債・純資産の増減を管理し、一定の方法で帳簿に記録・計算することを簿記という。

帳簿には主要簿と補助簿があり、主要簿には仕訳帳と総勘定元帳がある。

日々の取引きから簿記を行い、財務諸表を作成するまでの流れは次のようになる。

i）**取引き**

ii）**仕訳**／発生した取引きを借方・貸方の2つの要素に分解して、それぞれを勘定科目と金額を使って記録する

iii）**総勘定元帳**／勘定科目の金額を把握するために金額を集計する帳簿を作成する

iv）**貸借対照表と損益計算書**を作成する

④ 減価償却

企業の固定資産は、時間の経過や使用によって年々損耗し、価値を減じていく。この価値の減る分を費用として計上することを減価償却という。

減価償却では、長期間にわたって使用される固定資産の取得に要した支出を、その資産の使用可能期間を基準にして毎事業年度ごとに経済価値の減少額を費用に計上し、固定資産の帳簿金額を減額させる。この計算で求めた経済価値減少額を減価償却費という。

減価償却の計算方法には、4つの方法がある。そのうちの定額法の計算式は次の通りである。

減価償却額＝取得価格×定額法の償却率

3 | 会計、財務、税

① 会計と財務

企業の経営資源には、人、モノ、金、情報があるが、このうち「金」を対象とするのが、会計（アカウンティング）と財務（ファイナンス）である。

これまで説明してきたように、会計（アカウンティング）は、取引きから簿記、財務諸表の作成及び経営分析まで、過去から現在に至るまでの数値を対象とする。それに対して、財務（ファイナンス）は、将来の数値を対象とする。

ファイナンスは、キャッシュの調達、投資、回収、配分と返済という4つが主たる活動である。

② キャッシュフロー

キャッシュフロー（現金収支）とは、企業にどれだけの現金が流入して、どれだけの現金が流出していったのかという現金の流れ、すなわち一定期間の現金の収支のことである。

損益計算書の利益が、売上高などの収益から売上原価や減価償却費その他の費用を差し引いて計算されるのに対して、キャッシュフローは、現金の流入から現金の流出を差し引いて計算される。

③ 企業の税金

企業は「法人」として、一般市民と同様に課税される。その最も象徴的なものが法人税であり、その他に消費税や事業税などさまざまな税金が収益の多寡によって課税される。

3. 計数管理

1 | ショップの計数管理

① 売上高、売上原価、粗利益、経費、営業利益

ショップの計数管理は、マーチャンダイザー、バイヤー、店長、販売スタッフにとって、マーチャンダイジングやストアオペレーションの問題を解決するためにも、ビジネスの進行を正しい方向に導くためにも、重要な意味をもっている。

ショップにおける売上高とは、一定期間のストアオペレーション（店舗運営）の成果を数字で表したものである。また売上げ

た商品を調達するのに要した費用（オリジナル開発商品がない場合は仕入費用）を売上原価という。その売上高から売上原価を差し引いたものが、粗利益（売上総利益）である。

●粗利益（売上総利益）
　　=売上高−売上原価

●粗利益率（%）$=\dfrac{\text{粗利益}}{\text{売上高}}\times 100$

ショップを運営するには、売上原価以外に、人件費、家賃、販売促進費など、さまざまな費用を必要とする。このような諸費用を販売管理費（販売費及び一般管理費）といい、売上総利益（粗利益）から販売管理費を差し引いたものを営業利益という。

●営業利益=
　売上総利益（粗利益）−販売費及び一般管理費

●粗利益=販売費及び一般管理費+営業利益

2 損益分岐点売上高

ショップが利益を上げていくには、売上げを上げていくためのさまざまな費用をカバーしなければならないが、その基準となるのが損益分岐点である。

損益分岐点（BEP=ブレーク・イーブン・ポイント）とは、最低これだけを売らないとショップが赤字になってしまう売上高のことで、損益分岐点では利益も損失もゼロである。損益分岐点が低ければ、実際の売上高が低くても赤字とならず、余裕のある事業であるといえる。

損益分岐点を計算するには、まずすべての費用を変動費と固定費に分解する。ショップにおける変動費とは、仕入量や販売量に比例して変化する費用で、売上原価やカード手数料、歩合家賃などの費用が相当する。また、固定費とは、売上げの増減に関わらず一定期間変化しない費用で、固定家賃、人件費、減価償却費、支払利息などで構成される。

●損益分岐点売上高

$$=\frac{\text{固定費}}{1-\text{変動費率}}=\frac{\text{固定費}}{\text{限界利益率}}$$

●変動費率（%）$=\dfrac{\text{変動費}}{\text{売上高}}\times 100$

●限界利益=売上高−変動費

●限界利益率（%）$=\dfrac{\text{限界利益}}{\text{売上高}}\times 100$

言い換えれば、利益がプラスマイナスゼロとなる損益分岐点とは、売上高から変動費を差し引いた限界利益と、固定費が同じになる点である。

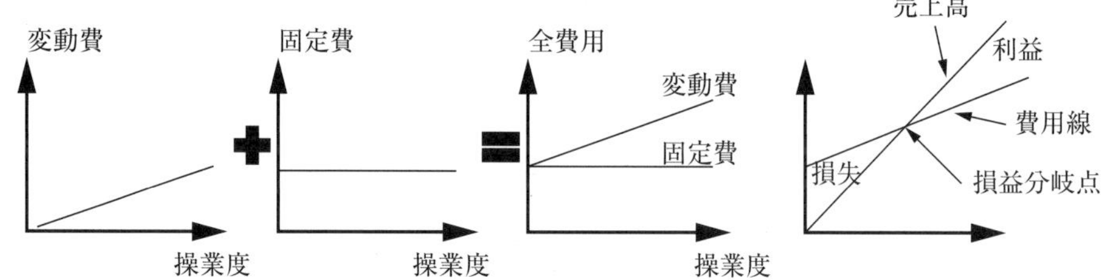

図 20. 損益分岐点の仕組み図

3 | 販売価格のマーチャンダイジング計数

ショップの売上げは、個々の商品の販売によって達成される。そのためショップの売上高は、販売価格（売価）×販売数量という形で表される。

① 値入高、値入率、掛率

販売価格（上代）は、仕入れた原価（下代）にショップのマージン分を足して設定する。そのときのマージン分を値入高（マークアップ）といい、値入高を当初設定した販売価格（上代）で割った比率を値入率（マークアップ率）という。また、値入高を仕入価格（下代）で割った比率を利掛率という。利掛率をマークアップ率という場合もあるが、一般的にはマークアップ率とは値入率を指している。

● 販売価格＝仕入価格＋マージン

● 値入高＝
販売価格（上代）－仕入価格（下代）

● 値入率（%）$= \dfrac{\text{値入高}}{\text{販売価格}} \times 100$

● 利掛率（%）$= \dfrac{\text{値入高}}{\text{仕入価格}} \times 100$

しかし現実のファッションビジネスでは、仕入原価に値入高を足して当初上代を設定する方法よりも、当初上代を仕入先と協議して設定し、その上代に対して何%で仕入れるかといった、掛率を設定する形で仕入原価が決まることのほうが一般的である。掛率は、例えば発注数量、支払条件、仕入方式（買取りか委託かなど）との関係によって異なってくる。

● 仕入価格（下代）＝上代×掛率

② 値下高、値下率

ファッション商品には寿命があることから、滞留在庫品（残品）を処分するために、価格を下げざるを得ない。このように当初設定した価格（上代）よりも低く価格を設定し直すことを値下げ（マークダウン）という。また、当初設定上代に対する値下額の比率を値下率（または値引率）という。

● 値下額（マークダウン額）
＝当初設定上代ー値下上代

● 値下率（値引率）（%）

$= \dfrac{\text{値下額}}{\text{当初設定上代}} \times 100$

〈正規上代で売れた場合〉

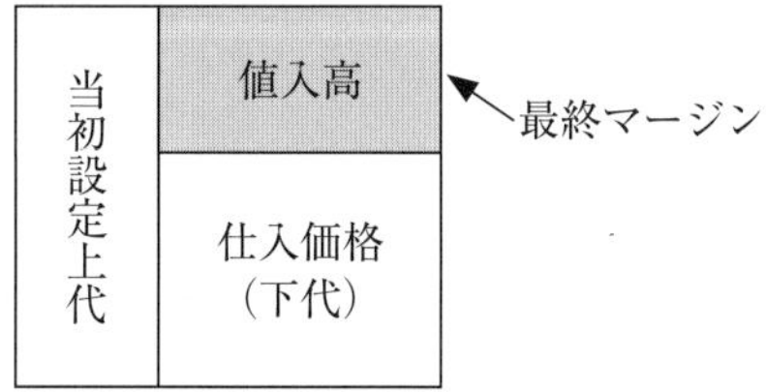

〈値下げした場合〉

当初設定上代
値下額
最終マージン
値下後の上代
仕入価格（下代）

4 適正在庫のバイイング計数

① 商品在庫

在庫とは、ショップが所有する商品の総量を指し、数量または金額で表記される。月単位で見れば、月のスタート時の在庫を月初在庫、ゴール時の在庫を月末在庫という。在庫と売上げ、仕入れの関係を式で表すと、次のようになる。

●月末在庫金額（当初上代）
　＝月初在庫金額（当初上代）＋当月仕入高（当初上代）－当月売上高

なお、在庫金額は上代で表記する場合と下代で表記する場合ある。上記は上代表記の場合だが、下代の場合なら下代に統一しておく必要がある。

$$●平均在庫高（月）=\frac{営業日の在庫高の合計}{営業日数}$$

在庫を一定の期間で捉えれば、売上げと仕入れのバランスがとれているかがわかる。売上げに対して仕入れが多ければ、在庫があふれ商品の販売機会を逸して不良在庫となってしまう。商品構成とともに、売上高に見合った在庫への調整が必要であり、このような売上げとのバランスがとれた在庫を適正在庫という。

② 商品回転率・商品回転日数

ファッション商品の場合は、常に新鮮な商品が店頭に品揃えされている必要があるが、そのためには仕入れから完売までの速度を速くすることが要求される。この速度を測る、すなわち商品の滞留期間を知るために、一定期間にどれだけの在庫でどれだけの売上げを上げたかを示すのが商品回転率であり、商品の滞留日数を示すのが商品回転日数である。

商品回転率については、月間の売上高で算出する場合と、年間の売上高で算出する場合がある。前者を月間商品回転率、後者を年間商品回転率という。

$$●月間商品回転率=\frac{月売上高}{平均在庫高}$$

$$●年間商品回転率=\frac{年間売上高}{平均在庫高}$$

$$●商品回転日数=\frac{平均在庫高\times 365}{年間売上高}$$

または

$$●商品回転日数=\frac{平均在庫高\times 30}{月間売上高}$$

5 | ストアオペレーション計数

① ロス高

ロス高とは、万引き、検品ミス、帳票ミスなどによって発生した損失分の金額をいう。具体的には、月末の棚卸しで実地在庫と帳簿在庫（計算上の在庫）で比較した際に、あるべき月末在庫高に対して実際の在庫が下回っていれば、それがロス高ということになる。

●ロス高＝月末帳簿在庫金額（あるべき在庫金額）－棚卸在庫金額（実際の在庫金額）
＝当月のあるべき売上高－当月実績売上高－値下高

② 坪効率（単位面積当たり売上高）

小売店の場合、売場面積が広くなればなるほど売上高も増大するが、その分、家賃やその他諸経費も増大する。そのため、一定の売場面積でどれだけ効率良く売上げを上げているかが問われることになる。そのことを示す指標が坪効率である。

坪効率は、正式には「3.3㎡当たり売上高」といい、店舗における販売員の配置（守備率）や店効率の指標となる。

●坪効率＝3.3㎡当たり売上高

$$=\frac{\text{売上高}}{\text{売場面積（坪数）}}$$

$$●\text{守備率}=\frac{\text{売場面積（坪数）}}{\text{有効販売人員数}}$$

③ 客数と客単価

ショップ運営では、入店するお客様のうち何人が買上げに結びつくか、買上げるお客様に１回でどれだけ買ってもらえるか、買上げ客数と客単価を知ることが重要である。買上げ客数は、レジにおけるレシートナンバーにより掌握できる。

$$●\text{客単価}=\frac{\text{売上高}}{\text{買上げ客数}}$$

④ 販売員１人当たり売上高

ショップでは、家賃と並んで人件費が大きな経費である。ショップの運営を何人のスタッフで行っているか、販売の生産性を知り、効率の良い人員配置をすることは不可欠である。

●販売員１人当たり年間（月間）売上高

$$=\frac{\text{年間（月間）純売上高}}{\text{在籍有効販売員数}}$$

6 | ネットショップの計数管理特性

ネットショップの計数管理も、基本的にはリアル店舗と同様である。リアル店舗と同様、売上高、粗利益、粗利益率、営業利益、営業利益率、ロス高、平均在庫高、商品回転率と商品回転日数、客単価などは常にチェックしておく必要がある。

また、ネットショップならではの指標も理解しておく必要がある。

●サイトアクセス数

$$●\text{転換率（\%）}=\frac{\text{注文客数}}{\text{サイトアクセス数}}\times 100$$

$$●\text{リピート率（\%）}=\frac{\text{再注文客数}}{\text{累計新規客数}}\times 100$$

7 アパレルメーカーの計数管理

① 売上高、売上原価、粗利益、経費、営業利益

アパレルメーカーの計数管理は、企業単位、事業部単位、ブランド単位、さらにSPAの場合は店単位と、各組織単位ごとに行われている。ここではブランド単位の計数管理について説明する。

アパレルメーカーでは、ブランドを1つの単位としてターゲットやコンセプトを設定し、事業を遂行していく。このようなブランド事業を具体的な売上数字として達成し、企業としての適正利潤を得ていくことこそ経営における最終目標である。そのためには計数管理を徹底しなくてはならない。

② アパレルメーカーの売上高

アパレルメーカーの売上高とは、一定期間の営業成果を数字で表したものであり、ブランド単位でいえば、ブランドの営業成果を数字で表したものである。具体的には、SPAの場合は店頭での販売時点で売上高が発生し、卸事業の場合は小売店に商品を納品した時点で売上高が発生する。言い換えれば、アパレルメーカーの売上高は、SPAの場合はショップの計数管理で解説した店頭売上高、卸事業の場合は小売店に対して商品を卸した金額である。

●直営店の売上高＝店頭売上高
●卸販売の売上高（完全買取り）
＝納品分の上代金額×掛率
●卸販売の売上高（委託）
＝（納品分—返品分）の上代金額×掛率

百貨店インショップでは、売仕（うりし）（売上仕入）の場合が多く、その場合は店頭売上高に掛率を掛けた金額がアパレルメーカーの売上高となる。

●百貨店インショップに対する売上高（売仕）＝店頭売上高×掛率

③ 売上原価、粗利益

アパレルメーカーでは、売上げた商品を製造するのに要した費用を売上原価という。その売上げから売上原価を差し引いたものが、粗利益である。

●粗利益＝売上高－売上原価

●粗利益率（%）＝$\dfrac{\text{粗利益}}{\text{売上高}}$× 100

第5章-4. 価格と原価（P.81）で説明されているように、外注工場に生産委託するアパレルメーカーの原価は、布帛製品の純工の場合は生地代（m単価×要尺）＋縫製工賃＋付属代となり、属工の場合は生地代＋縫製工賃となる。

工場自体が素材を仕入れることが多いニット製品やカットソー製品の場合は、工場の出荷価格がそのまま原価となる。

④ アパレルメーカーの営業利益

アパレルブランドを運営するには、売上原価以外に、人件費、広告宣伝費、物流費など、さまざまな費用を必要とする。このような諸費用である販売費及び一般管理費を、売上総利益（粗利益）から差し引いたものが営業利益である。

●営業利益＝粗利益—販売費及び一般管理費

●粗利益＝販売費及び一般管理費＋営業利益

8 ブランドのマーチャンダイジング計数

① 上代率、原価率

アパレル業界では、アパレルメーカーが上代を設定することが多い。原価に対していくらの上代を設定するかを示す比率として、上代率がある。一方、上代に対する原価の比率を原価率という。

$$●上代率（\%）=\frac{上代}{原価}\times 100$$

$$●原価率（\%）=\frac{原価}{上代}\times 100$$

② 粗利益率と原価率・掛率の関係

アパレルメーカーの売上高は上代に掛率を掛けた数字であることから、粗利益率の大小は原価率と掛率に左右される。返品、値引き、ロスがないと仮定した場合の卸事業における粗利益率は、次の計算式で示される。

$$●粗利益率(\%)=\frac{売上高-売上原価}{売上高}\times 100$$

$$=\left(1-\frac{原価率}{掛率}\right)\times 100$$

③ アパレルブランドの損益分岐点

利益を上げるには、売上げを上げるためのさまざまな費用をカバーしなければならないが、その基準となるのが損益分岐点である。前述したように、損益分岐点を計算するには、まずすべての費用を変動費と固定費に分解する。アパレルブランドにおける変動費とは、生産量や販売量に比例して変化する費用で、売上原価や運送費、サンプル製作費などの費用である。また、固定費とは、売上げの増減に関わらず一定期間変化しない費用で、人件費、広告宣伝費、減価償却費、支払利息などで構成される。

9 アパレル営業の計数

① 売掛金回転率、回収率

一般的な卸事業を行うアパレルメーカーは、小売店に対して掛売りで営業することから売掛金が発生する。そのため、未収になっている商品の代金である売掛金は支払期日に確実に回収する必要があり、入金されていない場合は早期に代金回収しなければならない。売掛金が増大するとキャッシュフローを悪化させ、素材の仕入先や工場に対する支払いのための資金繰りに支障をきたすこともある。

売掛金の回収状況を判断する比率として、次の売掛金回転率、売掛金回転日数、回収率が使われる。

$$●売掛金回転率=\frac{売上高}{売掛金}$$

$$●売掛金回転日数=\frac{売掛金\times 365日}{年間売上高}$$

●回収率(%)

$$=\frac{当月回収金額}{月初売掛金+当月発生売掛金}\times 100$$

10 SPAの計数管理

SPA事業では、これまで解説したショップの計数管理とアパレルメーカーの計数管理を併せて理解しておく必要がある。

例えば、売上計画を作成する場合においても、SPAでは店頭の売上げを想定しながら、ブランド事業の売上げを検討する。SPAの場合は、直営店（路面店、ショッピングセンター内）の他、百貨店インショップを展開することも多いが、いずれも1店舗ごとの店頭売上計画を作成したうえで、ブランドとしての売上計画を組み立てることになる。具体的な手順を列記すると次のようになる。

①店舗の立地環境、客単価と客数、坪数と坪効率、商品回転率を想定して、店頭の売上計画を作成する。
②直営店の場合は店頭売上高を、百貨店インショップの場合は掛率を掛けた分のメーカー売上高を作成する。
③直営店、百貨店インショップごとに、各店売上高を合計する。
④上記の売上高から売上原価（製造原価）を差し引いた、粗利益計画を作成する。

SPAでは、①のステップで店頭の売上高を想定するところから始まり、その実現に向けてビジネス戦略もいかに店頭で売上げが上がるか、言い換えればエンドユーザーに満足されるようにするかの手立てを講じるのである。なお、SPAでは、このような店頭販売状況を分析するために、正規上代消化率（プロパー消化率）が最重要視されることになる。

●正規上代消化率（%）

$$=\frac{\text{店頭プロパー売上高（上代）}}{\text{総生産金額（上代）}}\times 100$$

4. FBに関する法務の知識

1 | 会社の種類と株式会社の機関

① 会社の種類

会社は、株式会社、合名会社、合資会社、合同会社の4種類に会社法において分類され、従来の有限会社は新設できない。

規定される4種類の会社は、会社の構成員である社員の責任の取り方が異なる。ここでいう責任とは、会社が第三者に債務を負う場合に、社員が会社の債務に対して負う義務のことである。

責任には、有限責任と無限責任がある。有限責任とは一定の金額を限度とする場合のことで、無限責任とは会社の債務の全額を弁済する責任を負うことをいう。

② 株式会社

株式会社は、会社の構成員である社員（株主）の地位が株式という細分化された割合的単位の形をとり、同時にすべての株主が会社に対してその出資額を限度とする有限責任を負担する形態のものである。株主は、配当などの経済的な利益を受ける権利、及び株主総会における議決権を有する。

株式会社の最高意思決定機関は、株主総会である。株主総会の主な決定事項は、次の通りである。

- 取締役や監査役などの機関の選任と解任
- 定款変更、合併・会社分割、解散などの会社の基礎的変更に関する事項
- 株式併合や配当など、株主の重要な利

益に関する事項

取締役は、株式会社の業務を執行する。また監査役は、取締役の職務の執行を監査し、監査報告を作成する。

③ 合名会社、合資会社、合同会社

合名会社とは、２人以上の社員からなり、社員全員が会社の債権者に対して、直接に連帯無限責任を負う会社である。社員相互の信頼関係を必要とし、親族や友人など少数の信頼関係に立つ者の共同企業形態として利用されている。

合資会社とは、合名会社と同様の無限責任を負う社員と、その責任が出資額を限度とする有限責任社員の２つの種類の社員からなる会社である。有限責任社員は、日常の経営には参加しない。

合同会社は、有限責任社員のみで構成されるが、内部関係については組合的規律が適用される会社である。重要事項の決定は総社員の一致が原則で、同時に広く定款自治が認められ、利益や権限の配分などを自由に決めることができる。

2 契約、債権・債務

契約とは、当事者の合意によって一定の取引きをすることであり、契約を結ぶには、当事者の間で、それぞれの意思が相手方に正しく伝えられる必要がある。この意思を伝える行為を「意思表示」といい、契約は当事者の一方からの「申し込み」の意思表示と、これに対する相手方の「承諾」の意思表示が合致することによって成立する。契約が成立すれば、両当事者の意思表示にそれぞれの法律的効果が与えられる。

契約によって、当事者の一方に約束を履行する義務（債務）と、相手方に約束の履行を要求する権利（債権）が発生する。この契約上の債務の履行を通じて、商品や金銭の授受も発生する。

① 売買契約

契約のうち、売買契約とは、当事者の一方である売り主が、商品の所有権などを相手方の買い主に移転することを約束し、相手方がその代金の支払いを約束することによって、効力が生じる契約である。

商品の売買では、契約が結ばれると、売り主は商品を引き渡す債務を負い、買い主は代金を支払う債務を負う。このように契約の当事者双方が互いに債務を負う契約を「双務契約」という。なお、雇用や賃貸者の契約も双務契約である。

売買契約では、当事者の一方が債務を履行しなければ、他方は契約を解除したり、支払い済みの代金を返済してもらったり、損害賠償を求めることができる。

② 賃貸借契約

賃貸借とは、動産や不動産を借り、賃料を支払って利用することをいう。動産の賃貸借には民法が適用され、当事者が自由に条件を決めることができるが、建物や土地などの不動産の賃貸借には、借地借家法が適用され、賃貸人と賃借人の双方に規定を設けている。

リース契約とは、企業などが特定の物件（事務機器、産業機械、車両、土地・建物など）を必要とする場合に、リース会社が使用希望者に一定期間、賃貸借する契約である。使用者は、保守管理料を含めた一定の使用料（リース料）を支払う。期間は３～５年が多く、リース会社がその物件を購入して賃貸するケースも多い。

レンタル契約とは、一般に短期間の賃貸借契約をいう。シェアリングエコノミーが成長している近年、レンタルビジネスが注目されている。

③ ローン契約とクレジット契約

ローン契約とは、後で返済する約束でお金を借りることで、クレジット契約とは、代金を一定期間後に返済する約束で、先に商品やサービスを買うこと（売買契約の一種）である。

このローンやクレジットの両方を合わせて「消費者信用」というが、これは消費者個人の信用を担保にして、金銭の借り入れや支払いの繰り延べが行われるからである。

- **クレジットカード**／個人に対する掛売りを保証し、代金支払いや代金回収の機能をもつカードのこと
- **デビットカード**／商品やサービスの代金を即時に決済できる機能の付いたキャッシュカードのこと。クレジットカードと異なって、信用照会が不要で、残高照会を瞬時に行った後、すぐに口座から代金が引き落とされる

3 企業活動に関する法律

① 消費者保護に関する法律

消費者基本法とは、消費者と事業者との間の情報の質及び量ならびに交渉力等の格差に鑑（かんが）み、消費者の権利の尊重及びその自立の支援その他の基本理念を定め、国、地方公共団体及び事業者の責任などを明らかにし、国民の消費生活の安定及び向上の確保を目的としている。

PL法とは、製造物責任法の通称で、製造物の責任について定め、被害者の保護を図るための法律である。この法律では、消費者や利用者が製品を購入し、その製品の欠陥によって生命、身体、または財産に関わるような被害を受けた場合、製造業者は過失がなくても損害賠償する責任を負うものと定めている。

家庭用品品質表示法は、消費者保護のために、家庭用品の品質表示の方法などを定めた法律である。繊維品については、繊維の組成や取扱い方法（洗い方、塩素漂白の可否、アイロンのかけ方、ドライクリーニング、絞り方、干し方）、収縮性、撥水（はっすい）性などに関して、「繊維製品品質表示規定」で表示の方法などが詳細に決められている。

工業標準化法とは、JIS（日本工業規格）制定の根拠になっている法律である。適合する商品には、主務大臣の許可を受けてJISマークが付けられる。

割賦販売法は、割賦販売で発生しがちなトラブルから消費者を保護する法律である。契約方法の明示、解約権（クーリングオフ）、支払いの遅れにともなう契約解除までの手続き、過大な損害賠償や違約金の禁止などが規定されている。

特定商取引法とは、訪問販売、通信販売、電話勧誘販売、連鎖販売取引（マルチ商法）、特定継続的役務提供（エステティックサロン、語学教室、家庭教師、学習塾など）、業務提供誘引販売取引（収入が得られると仕事を紹介し、仕事に必要であるとして、商品等を売って金銭負担を負わせる取引）、訪問購入の7業態につき、取引の公正、購入者の保護を目的とした法律である。

② 景表法

景品表示法（略して景表法）は、正式には「不当景品類及び不当表示防止法」といい、過大な景品付き販売、及び誇大・虚偽の広告や表示を禁止する法律である。

景品表示法は、商品やサービスの品質、内容、価格等を偽って表示を行うことを厳しく規制するとともに、過大な景品類の提

供を防ぐために景品類の最高額を制限することなどにより、消費者がより良い商品やサービスを自主的かつ合理的に選べる環境を守ることを目的としている。

③ 独占禁止法

独占禁止法の正式名称は、「私的独占の禁止及び公正取引の確保に関する法律」である。独占禁止法の目的は、公正かつ自由な競争を促進し、事業者が自主的な判断で自由に活動できるようにすることである。市場メカニズムが正しく機能していれば、事業者は自らの創意工夫によって、より安くて優れた商品を提供して売上高を伸ばそうとするし、消費者はニーズに合った商品を選択することができ、事業者間の競争によって消費者の利益が確保されることになる。

独占禁止法は、私的独占、不当な取引制限（カルテルや入札談合等）、不公正な取引方法などの行為を規制しており、公正取引委員会がその監視、運用に当たっている。

④ 大規模小売店舗立地法、中心市街地活性化法

大規模小売店舗立地法は、大規模小売店舗の立地に関し、その周辺地域の生活環境保持のため、大規模小売店舗を設置する者によりその施設の配置にともなう交通状態、騒音などに関する事項を定め、大型店舗と地域社会の融和を図ることを目的としている。対象となる大規模小売店舗とは、建物内の小売業を行うための店舗の用に供する床面積の合計が1000㎡を超える店舗である。

中心市街地活性化法（正式名称は、中心市街地の活性化に関する法律）は、中心市街地における都市機能の増進及び経済活力の向上を総合的かつ一体的に推進することにより、地域の振興及び秩序ある整備を図り、国民生活の向上及び国民経済の健全な発展に寄与することが目的。快適で魅力ある生活環境の形成、都市機能の集積、創造的な事業活動の促進を基本とし、地域の関係者が主体的に取り組み、それに対して国が集中的かつ効果的に支援を行うことを基本理念としている。

4 知的財産権

知的財産権（知的所有権ともいわれる）とは、人間の独創的な知的創造活動により作り出されたものに対して、その創作者に一定期間の保護を与えるようにした権利の総称で、産業財産権と著作権に分けられる。

産業財産権には、特許庁所管の特許権、実用新案権、意匠権、商標権に加えて、不正競争防止法などで保護された権利なども含まれる。

産業財産権制度は、独占権の付与により模倣防止を図り、研究開発の奨励、商取引の信用を保持して産業の発展を目指している。

- **特許権**／産業上利用することができる新規の発明を独占的・排他的に利用できる権利。自然法則を利用した技術的思想の創作のうち高度のものを保護の対象としている。特許庁に出願し、登録されて発生し、保護期間は出願日から20年以内である
- **実用新案権**／物品の形状、構造または組み合わせに係(かかわ)る、産業上利用できる新規な考案を独占的に利用する権利。自然法則を利用した技術的思想の創作であって、物品の形状、構造または組み合わせに係るものを保護の対象としている。保護期間は出願日から10年以内である

- **意匠権**／意匠とは、物品の形状、模様もしくは色彩またはこれらの結合であって、視覚を通じて美感を起こさせるものをいう。このような意匠を独占的に利用できる権利が意匠権である。特許庁に出願し、登録されて発生し、保護期間は出願日から20年以内である
- **商標権**／商標とは、人の知覚によって認識することができるもののうち、文字、図形、記号、立体的形状もしくは色彩またはこれらの結合、音その他政令で定めるものであって、業として商品を生産し、証明し、もしくは譲渡する者がその商品について使用するもの、または業として役務を提供しもしくは証明する者がその役務について使用するものを保護の対象としている。商品を指定して商標を特許庁に登録することにより発生する。存続期間は10年だが更新できる
- **不正競争防止法**／不正競争防止法とは、他人の商号、商標、商品形態などと類似あるいは模倣した商品の販売、営業秘密の不正取得、コンピュータプログラムのコピープロテクト外し、ドメイン名の不正取得など不正な手段による商行為を取り締まる法律

5. 貿易に関する基礎知識

1 ｜ 貿易とは

貿易とは、異なる国（またはそれに準じる地域）の間の売買取引のことである。商品を外国に送り出す取引きを輸出、外国から導入する取引きを輸入という。

① 国内取引との相違点

貿易は、国内取引とは次のような相違点がある。

- 取引相手の国が異なるため、取引相手の信用や支払いのリスクがある。このため信用状などの特殊な決済方法が発達している
- 遠距離の輸送となるため、時間や運賃がかかる。また商品が海上事故などに被災するリスクが高く、保険料もコストとなる
- 通貨の異なる相手との取引きとなることが多いため、為替レートの変動によるリスクがある
- 多くの場合、言葉が違う相手との取引きとなる。このため、国際的に通用する専門用語（インコタームズ等）が普及している
- 言葉に加え、取引相手との商習慣、文化の違いによるトラブルも多い

② さまざまな貿易形態

実際の貿易取引には、次のような形態がある。

- **直接貿易**／海外の輸入者、輸出者と直接貿易をする形態
- **間接貿易**／商社などの仲介者を経由して貿易をする形態
- **委託加工貿易**／外国から原材料等を輸入し、それを国内で加工して製品として輸出する、または外国に原材料を提

供して加工させ、加工された製品を輸入する形態

- **仲介貿易**（三国間貿易）／日本が仲介する場合を例にとれば、海外の輸出者と海外の輸入者との貿易を日本の業者が仲介する貿易取引

他にも並行輸入、個人輸入など、さまざまな貿易形態がある。

2 貿易取引の流れ

貿易取引の方法には、

- 信用状に基づく取引き
- 手形決済
- 送金による決済

など、いくつかの方法がある。

ここでは信用状に基づく取引きの流れを説明する。

① 商品・取引先（市場と取引企業）の選定
② 契約
③ 輸送手段の確保・保税地域への搬入（海貨・通関業者）
④ 通関手続き・商品の積み込み・輸送（海貨・通関業者）
⑤ 代金決済・商品の引き取り

以下、②～⑤の具体的な流れについて説明する。

② 契約

商品価格、決済通貨、決済方法・時期、品質・数量、輸送方法と引き渡し時期、梱包条件、検査方法・時期、アフターサービス、PL の扱い、トラブル時の対応等、売買の諸条件を取り決める。また商品の引き渡し場所や保険付保等の貿易取引条件についても取り決める。

売買契約の際に、信用状（L/C）を使って取引きをすることを条件として契約する。

次に輸入者は、自分の取引銀行に信用状の発行を依頼する。輸入者から信用状の発行依頼を受けた銀行は、輸出者の所在地にある取引契約銀行を通知銀行として、輸出者に信用状を渡す。信用状が通知された輸出者は、条件に沿って必要書類を作成する。

また、輸送中の事故などに備えた保険付与を行う。通常、信用状を銀行に依頼する際に保険契約を締結する。

③ 輸送手段の確保、保税地域への搬入（海貨・通関業者）

輸出者は海運・通関業者に貨物の通関及び船積みを依頼する。準備が整ったら通関のための保税地域へ貨物を搬入する。

輸出者は商品を船積みする。船会社は貨物の受け取りと引き換えに、売り主に貨物受領証である船荷証券（B/L）を発行する。貨物は輸入地に向けて出発する。

④ 通関手続き、商品の積み込み、輸送（海貨・通関業者）

通常は輸出者側で輸出通関、積み込みの手続きを行う。国境輸送の後、輸入通関手続きを輸入者側で行う。

輸入通関は、通常は海貨業者に代行を依頼することが多い。海貨業者は、税関へ輸入申告する前に貨物を保税地域へ搬入する。保税地域に搬入した後に税関に輸入申告手続きを行うが、輸入申告とともに、納付する関税額及び内国消費税額を申告する納税申告が行われる。輸入許可がおりると通関は完了し、貨物は輸入者に渡される。

⑤ 代金決済、商品の引き取り

輸出者は船積み後に、取引銀行に為替手形の買取りを依頼し、買い取られた手形や船積書類は輸入地の銀行に発送され、書類

到着通知書と一緒に輸入者に知らせる。

そして輸入者は、輸入する貨物が国内に到着する前に、輸入決済と呼ばれる商品の代金を支払う用意をする。信用状を用いて輸入する際、書類到着通知書とともに、銀行から連絡があり次第、手形を決済し、船積書類（船荷証券など）を入手する。

銀行を経由して輸出者側に支払いをした後に、輸入手続きの準備に入る。船荷証券に裏書きをし、インボイス、パッキングリスト、原産地証明書、海上保険などの必要書類を整え、海貨業者（乙仲（おつなか）とも呼ばれている）に輸入通関を依頼する。

輸入品の決済は終わっても、運賃についての支払いがある。船積書類の中の船荷証券を船会社に渡し、荷渡し指示書を受け取る。FOB条件の際には運賃着払いなので、船会社に運賃を支払い、荷渡し指示書を受け取る。CIF条件では運賃前払いなので支払う必要はない。

3 インコタームズ

インコタームズとは、国際商業会議所が策定した貿易条件の定義で、InternationalのInとCommerceのCoに、条件を意味するTermsを組み合わせた造語である。

インコタームズは、貿易取引における運賃、保険料、リスク（損失責任）負担等の条件に関する売り主と買い主の合意内容について、国によって用語の解釈に不一致があると貿易が円滑に行われないため、国際的に統一的な定義を取り決めたものである。

現在、発行されている「インコタームズ2010」には2種類11規則がある。そのうちの3規則は以下のようになる。

- FOB（Free on Board）／本船甲板渡しのことで、売り主は輸出港の本船上で貨物を引き渡すまでにかかった費用を負担し、それ以降の費用及びリスクは買い主が負担する。FOBの具体的な費用には、仕入価格（または製造原価）、梱包費、輸出国の国内輸送費その他で、この費用をCostといい、売り主が負担する。一方、運賃と保険料は買い主が負担する
- CFR（Cost & Freight）／C&Fともいう。運賃込み本船渡しのことで、売り主は積み地の港で本船に荷物を積み込むまでの費用及び海上運賃を負担し、それ以降の保険料及びリスクは買い主が負担する
- CIF（Cost,Insuarance and Freight）／運賃・保険料込み本船渡しのことで、売り主は積み地の港で本船に荷物を積み込むまでの費用、海上運賃及び保険料を負担し、それ以降のリスクは買い主が負担する

4 関税

関税とは、外国から輸入される貨物に課せられる租税のことである。次の算式で算出される。

関税額＝課税標準×税率

関税は、輸入貨物の価格、または貨物の数量、重量、容積等が課税標準となる。輸入貨物の価格の場合は、CIF価格となる。

また、税率には一般税率と、少量貨物や携帯品・別送品に使われる簡易税率がある。一般税率には、①法律に基づいて定められている「国定税率」と、②条約に基づいて定められている「協定税率」がある。

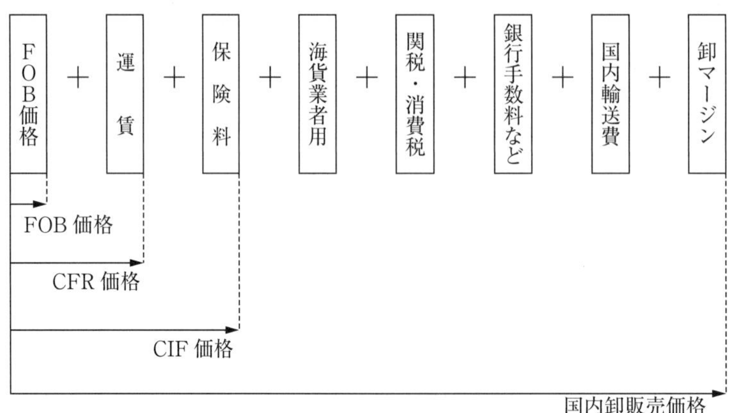

図 21. FOB、CFR、CIF と国内卸販売価格

① 法律に基づいて定められている税率

- **基本税率**／国内産業の状況等を踏まえた長期的な観点から、内外価格差や真に必要な保護水準を勘案して設定されている税率
- **暫定税率**／一定の政策上の必要性等から、基本税率を暫定的に修正するため、一定期間に限り適用される税率。常に基本税率に優先して適用される
- **特恵税率**／開発途上国・地域を支援する観点から、開発途上国・地域からの輸入品に対し、原産地証明書の提出等の条件を満たすことにより適用される税率。最恵国待遇の例外として、実行税率（国定税率〈特恵税率及び簡易税率を除く〉と協定税率のいずれか低い税率）以下に設定されている

② 条約に基づいて定められている税率

- **協定税率**／WTO（世界貿易機関）加盟国・地域に対して一定率以上の関税を課さないことを約束（譲許）している税率。国定税率よりも低い場合、最恵国税率として、WTO の全加盟国・地域及び二国間通商条約（経済連携協定を除く）で最恵国待遇を約束している国からの産品に対して適用される

各税率の優先順位は、1）特恵税率、2）暫定税率、3）協定税率となっている。

③ 簡易税率

- **入国者の輸入貨物に対する簡易税率**／入国者が携帯し、あるいは別送して輸入される貨物に対して適用することのできる税率
- **少額輸入貨物に対する簡易税率**／入国者が携帯し、あるいは別送して輸入される貨物以外の貨物で、課税価格の合計額が 20 万円以下の輸入貨物に適用することのできる税率

FASHION
BUSINESS

PerformanceTest
Official Textbook

ファッション
造形知識

ファッション造形知識

第1章 ファッション文化とデザイン文化

1. ファッション文化とデザイン文化

1 現代社会とファッション

現代社会では、「情報通信技術の進展」「長寿化の進行」「自由時間の拡大」「女性の社会進出」「エコロジー意識の高まり」など、生活文化の変革を促す社会的・文化的影響は計り知れない。

新しい生活文化は、理性や知性だけをその基準とするものではない。感性・情緒の世界での価値が、理性や知性と並行して大切になってきている。言い換えれば、「モノ」「コト」と「心」のふれあい、融合が始まっている。

現代社会は、物質的豊かさを達成した後の社会を想定した、知恵や知識、サービス、ソフト、コンテンツ、デザインなど、「心の豊かさ」に関わる内容が価値となる社会である。心の豊かさの中でも、とりわけ美しさや楽しさが価値となる社会が、ファッション社会である。

このような「心の豊かさ」は、ますます注目されるようになっている。人の技やデザインの価値が支持され、それに生活者が共感する時代に突入した。「心の豊かさ」を求める社会が進行しつつある今日、ファッションの役割はますます重要になってきている。

「ファッションビジネス知識」でも説明されているように、ファッションとは「変化する社会の中での自分らしい生活表現」であり、「人々の個性表現の過程で、広く受け入れられた生活様式」であることから、必ずしも服装の分野に限ったものではない。「美しく生活する」「楽しく生活する」「恰好良く生活する」世界が、ファッションの世界である。

ファッションの主体は人間である。人間を中心に、ファッションの表現方法を洗い出してみよう。

- **人間の身体をアレンジするもの**／ヘア、メイクなど
- **人間の身体を包み込むもの、身につけるもの**／アパレル、帽子、メガネ、マフラー、スカーフ、ウォッチ、アクセサリー、手袋、靴、靴下、バッグ、財布、傘など

細かく取り上げれば多々あるが、たとえ小さな1つの物であっても、それぞれが美を主張しているし、人間にとっては自分の

描いたイメージを生活のスタイルとして表現する物なのである。現代のファッションでは、これらを総合的に「トータルファッション」として捉えている。

ファッションの世界は、このような身体の周りを中心に発達してきたが、今日では人間の生活空間全体にも及んできている。住宅、家具、カーテン、ガーデニングから、リビング、ダイニング、キッチン、ベッド、バス・トイレタリーなどで使われる生活雑貨まで、住空間の世界にも広がってきている。また現代の生活者は、住空間を一歩出て、自動車、道路、鉄道、オフィスビル、ホテル、公園など、都市空間にも美しさを求め始めている。これからのファッションの表現は、形や色などの視覚、触覚、さらには聴覚、嗅覚、味覚といった五感すべてが動員された総合的な美的環境を必要とし始めている。

かつてファッションといえば、とかくおしゃれな服と受け取られがちであったが、今日では生活者が「潤いと豊かさのある生活」を送るうえでの重要なキーワードとなっている。

2 | デザイン重視の時代

「美しく生活する」「楽しく生活する」「恰好良く生活する」ためのファッション商品では、デザインが重要な位置を占める。

例えば、時計の機能は時間を正確に知らせることである。そして、かつては正確さが時計の最大の価値であったが、時計はすべて正確になった。高い時計も安い時計も正確さは変わらず、機能による差はなくなった。しかし、いくら機能に差がないからといって、生活者は安い時計ばかりを買うわけではない。現在の生活者はウォッチを、美しさ、楽しさを表現するアクセサリーとして、つまりデザインされたファッション商品として購入しているのである。

このように商品には、デザインと機能がある。機能とは、丈夫さ、軽さ、正確さ、スピード、便利さ、使いやすさなどの価値であるが、それが商品に必要とされる限り、備わっていなければ成り立たない。しかし現在では、機能が備わっていることは当然のこととして、生活者はデザインの良さが商品を使用する強い動機になっている。商品が生活者に評価されるかどうかは、デザインが重要なキャスティングボードを握っているのである。

3 | ファッションと生活文化

ファッションの語源は、ラテン語の factio（ファクチオ）にあり、「人間の創造行為」の語意といわれる。日本では 1811 年に「儀法」「さほう」と訳しており、1862 年に「流行」、1871 年に「はやり」と訳している。

現在、ファッションという言葉は、人間の創造行為から発展した①「個性を生活に表現する行為」、またはその時々の価値観の共有現象である②「流行」の意味として使われる。また服装、服飾の同義語としても使われる。

まず①「個性を生活に表現する行為」という立場から、ファッションの世界を考えてみよう。人間は、自由な意志によって自分の生活の仕方を選び、どのような服を着るか、どのようなアクセサリーを身につけるか、どのような部屋で生活するかなどを決める力をもっている。ファッションの表現は、人間の生活の仕方、ひいては人間の生き方が、衣食住などの生活、とりわけ衣生活に強く表れたものである。

人間が生きていくうえで、たどり着こうと

願う「心の豊かさ」には、

- ●真（真理・真実の探究）
- ●善（道徳上の探究）
- ●美（美の創作・鑑賞による探究）
- ●用（生活の合理化の追求）

があるとされており、「美」は人間が本能的に求める欲求の１つである。

そして、ファッション表現は、日常の「用」を追求する中で、「美しさ」を表現する行為である。ファッションが、生活文化と言われる所以（ゆえん）である。

美への憧れは、人類に共通する普遍のものである。しかし、何を美しいと感じるか、どのように美しさを表現するかとなると千差万別である。まず、一人ひとりの人間の個性によって異なるし、人間が生きる社会によっても異なる。また同じ人間であっても、時間や環境が異なれば、異なった美的表現をしたいと考える。

確かに万人が美しいと感じる服装もあるが、一方で美しさは、人間の自由な精神を反映する。ある人はモード系のファッションを美しいと感じ、ある人はストリート系のファッションを美しいと感じる。美しいと感じる人にとっては、それが美であり、ファッションなのである。

もちろん、美しさの表現とは、独りよがりのものではない。個性的な美しさとは、人数の多少は別にして、それに共感する人々に感銘を与えるものである。人間が生きる喜びを生み出すファッションのもつ美しさに共感し、互いの個性を理解し合うことによって、豊かで潤いのある平和な人間社会を形成していく原動力となっていく。

4 ｜ 流行とは、時代の美意識

美しいファッション表現だからといって、すべてが精神を快適にしたり、活性化したりするとは限らない。美しい衣装や調度品は美術館に多くあるが、これらはファッションではない。博物館にあるものは、それらが現実に使われていたときは最先端のファッションであったが、現在のものではない。現在の生活に通用しない衣装は、ファッションとはいわない。ファッションは、現在の社会生活を反映したものなのである。ファッションが「個性の生活表現」と解釈される一方で、「人々の個性表現の過程で、広く受け入れられた生活様式」である「流行」として捉えられる所以である。

人間は、自然環境や社会環境の中で生きている。そして、自然環境は春夏秋冬を通じて変化する。また社会も、政治、経済、文化、それぞれが時代に応じて変化しており、それらは常に人間の生活に影響を与える。人間の生活の基盤が変化すれば、生活文化であるファッションも変化する。ファッションの美しさとは、その季節の美意識を表現したものであり、その時その時の社会の美意識を表現したものなのである。

5 ｜ ファッションとデザイン文化、アート

このようなファッショントレンドを生み出す原動力となるのが、デザインである。ファッションの世界は、デザイナーたちによって創られたデザインが生活者の「心」に訴え、生活者が自らの自由な精神と感覚によってそれを選択し、生活者の「共感」「共鳴」によって広がっていく世界である。デザインはファッションを創り、ファッションはデザインを創る。両者が相互に刺激し合うことによって生活文化は進化していく。

変化と多様性が前提となるファッションの世界では、ビジネスも独特の形態をもつ。

ファッションを通じて収益を上げることを目的とするファッションビジネスでは、個人個人に選択される「時代の美意識」を提案し、その提案を生活者が消費することによって収益を上げる。そして、そのような「時代の美意識」は、デザイン活動を通じて提案され、生活者はそのようなデザインに共感し、商品を購入する。

言い換えれば、どんなにシーズン性、トレンド性、サービスが良くても、デザインに魅力がなければ、低価格商品になってしまう。今日の低価格量販商品は、トレンド性やシーズン性は備えている。またモノの価値も、職人のこだわりは感じられないが、品質的には劣るものではない。デザインが発する価値が、商品価値の中核を占めているのである。

とはいえ、アパレルや服飾雑貨などの「身につけるデザイン」であるファッションデザインは、他の分野のデザインと比べて変化が激しい。また、身体そのものを変形させるヘアメイクも同様に変化が激しい。それに対して建築に代表される「設(しつら)えるデザイン」はゆっくり変化する。そしてファッションと建築の両極の間には、自動車、家具、生活雑貨、パッケージなどが位置している。

もちろん、アパレルや服飾雑貨のデザインにも、変化しない分野がある。例えば、ユニフォームである。また民族衣装もほとんど変化しない。軍服であれ、企業の制服であれ、ユニフォームは、人間が帰属する組織のアイデンティティを表現するものである。民族衣装も、人間が帰属する共同体の秩序を維持するものである。逆にいえば、同じアパレルであっても、人間の個性が強く出る場面に装うものほど、変化が激しくなっている。

近年、ファッション文化と、アート・音楽・映像などの文化がコラボレートしたイベントや商品、店舗等がしばしば見受けられる。

両者の共通項は、社会への問題意識を起爆剤としてクリエイションを行っている点である。クリエイターは、コスチューム、シューズ、ファイバーアート、美容、フォトグラフィ、イラストレーション、ビジュアルデザイン、インテリアデザイン、建築デザイン、音楽、映像などの、他の分野のクリエイターとコラボレートして、「美」を提案する。現代社会における「美の追求」の姿勢が、このようなイベントや商品を生み出しているといえる。

6 | 世界のファッションウィークとその意味

ファッションデザインの提案シーンとして、ファッションウィークは重要な意味をもっている。パリ、ミラノ、ロンドン、ニューヨーク、東京などの他、香港、ソウル、上海、マドリッドなど世界の主要都市で毎年、開催されている。

ファッションウィークの目的は、デザイナーの主義・主張、すなわちクリエイションに基づいた新しいスタイルの提案にあり、それをビジネスとして展開していくことにある。そのためショーには、ジャーナリストとバイヤーが招待される。ジャーナリストはコレクションの動きをメディアで伝え、そのメディアを通じて生活者は新しい作品に出会う。またバイヤーは、ショーでデザイナーの提案を感じ取り、その後開かれる展示会で仕入商品をセレクトする。ファッションショーは、生活者との接点にある人たちに向けて提案される。

表 1. 2018 年上期に開催された世界の代表的なファッションウィーク

1月	・ロンドンファッションウィークメンズ ・ミラノファッションウィークメンズ ・パリファッションウィークメンズ ・クチュール & オートクチュール
2月	・ニューヨークファッションウィークメンズ ・ニューヨークファッションウィークウイメンズ ・ロンドンファッションウィークウイメンズ ・ミラノファッションウィークウイメンズ
2~3月	・パリファッションウィークウイメンズ
3月	・東京アマゾンファッションウィーク
6月	・ロンドンファッションウィークメンズ ・ミラノファッションウィークメンズ ・パリファッションウィークメンズ

※東京のファッションウィークは、2019 年 10 月に開催された 2020S/S より Rakuten Fashion Week TOKYO（楽天ファッションウィーク東京）となった。

2. 服装史の基礎知識

1 | オートクチュール発祥の時代から第二次世界大戦まで

オートクチュールとは、高級仕立服のことである。

英国出身のシャルル・フレデリック・ウォルト（英語読みでチャールズ・フレデリック・ワース）が、1858年にパリで店を開いたことから始まり、彼はオートクチュールの創始者といわれている。パリ・オートクチュール組合（通称サンディカ）の礎石を築いた最初のクチュリエとしても知られる、フランス・モード産業近代化の推進者である。彼が作り出すファッションは、ヨーロッパのみならず、アメリカやロシアの皇室や上流階級の憧れであった。

製作したコレクションをシーズンごとに発表し、モデル（マヌカン）に着せアトリエの中で歩かせ、その中から顧客に選ばせ注文を受けるという新しい方法を生み出すなど、その後のファッション界に大きな影響を与えることになる画期的な取り組みで世界的に名声を博した。彼の活躍・成功は、ファッション界におけるパリの地位確立に貢献し、今日のファッションにもつながっている。

この時代を代表する女性のスタイルは、スカートを広げるためのクリノリンを着用し、それまで数枚重ねたペチコートの重さが一気に解消された。その後、後方の腰にボリュームをもたせるバッスルと呼ばれる腰枠やクッション、下着などでスタイルを保つようになった。日本にも明治時代にそのスタイルが伝わり、鹿鳴館スタイルと呼ばれ洋装化のきっかけになった。

1889年にエッフェル塔が竣工、翌1900年にはパリ万博が開催された。この博覧会で注目を集めたのが、アール・ヌーボースタイル（新芸術様式）である。以降、20世紀初頭にかけて世界的に広まった。その影響は女性のドレスにも表れ、サイドから見るとS字のように柔らかいシルエットの流行につながっている。

これはコルセットによって構成されたS字ラインのドレスであったが、1906年頃になると、コルセットを必要としない直線的なシルエットのドレスが登場する。女性の体からコルセットのない新しいスタイルを提案したのが、ポール・ポワレだった。彼は生粋のパリジャンで、幼い頃よりファッションに興味をもち、才能と経験を認められてウォルトの店に入る。独立後はコルセット追放という衣装革命を推進し、数年間ですべての女性の衣装を変えてしまった。彼の提案する数々の新しいファッションは、人々の美意識と生活習慣を大きく変化させたのであった。

1920年代から30年代には、世界中よりさまざまな才能あふれる人々がパリに集結した。芸術家たちがジャンルを超えて交流し、パリは芸術の都になる。その中で生まれたのが、簡素で機能的な直線美を特徴とするアール・デコスタイル（装飾芸術様式）である。

また、第一次世界大戦は、女性の社会進出のきっかけとなり、新しい女性像を誕生させることになった。

経済的に自立する若い女性が増え、余暇を自由に楽しむライフスタイルへと変化した。ショートヘアに直線的なドレス、スカート丈は日々短くなった。このスタイルは、ギャルソンヌスタイルと呼ばれた。

1930年代に入ると不況が世界を覆い尽くし、オートクチュール業界もそのあおりを受けることになる。丈が短くシンプルなドレスは姿を消し、肩パッドの入った細長いドレスが流行した。

スポーツウェアやリゾートウェア、化粧などがファッション雑誌の話題になり、ハリウッドの映画を通して女性のファッションはより身近なものになった。

当時活躍したデザイナーは、ジャージー素材を使ってシンプルなドレスを発表したココ・シャネル、バイアスカットを考案したマドレーヌ・ヴィオネ、シュールレアリスムのエルザ・スキャパレリなどである。

2 第二次世界大戦後の服装

戦後、女性のファッションの変化は急激に加速し、多様化を遂げる。その舞台を作ったのは、クチュールメゾンであった。

なかでもクリスチャン・ディオールは、その作品の素晴らしさと新しさで世界に名をとどろかせた。当時の女性たちのファッションは、肩幅の張ったテーラードスーツが主流であったが、ディオールは1947年春のコレクションで「ニュールック」を発表して大成功を収め、1954年には「Hライン」を、1955年には「Aライン」と「Yライン」を発表した。彼のずば抜けた造形感覚は、人々の心を強くとらえ、10年にわたりオートクチュール界のスターデザイナーであり続けた。1957年のディオール死後は、愛弟子のイヴ・サンローランが後任デザイナーに就任。サンローランの兵役中に、マルク・ボアンに引き継がれた。

また、シンプルなラインを生み出し、「鋏（はさみ）の魔術師」といわれたクリストバル・バレンシアガや、エレガンスを追求し、映画衣装を手掛けたピエール・バルマンなどのデザイナーたちも注目を浴びた。

3 プレタポルテの時代

イギリスとアメリカにおける既製服産業は、19 世紀に始まった。

最初の頃の既製服（コンフェクション）は、今日の既製服（プレタポルテ）産業とは、大きな違いがあった。

長年、安価の既製服（コンフェクション）を大量に生産していた企業は、第一次世界大戦後、大衆女性の衣服に対する考え方の変化に対応できず、つまずく。「衣服は、今までのように単に実用的で安価であればよいのではなく、自分にとって美しいものであるべきである」という考え方に対応せずにいたため、粗悪な製品が在庫となり、急速に姿を消していった。一方、急成長を遂げたのがオートクチュールにより近い洋服を作っていた、高級既製服企業だった。

その後、世界恐慌や第二次世界大戦などを経て、洋服に対する考え方もさまざまに変化していった。1960 年代に入ると、コンフェクションの品質も向上してプレタポルテとの差がなくなり、コンフェクションという言葉は姿を消した。

このようなプロセスを経て、60 年代初頭から衣装の生産形態は 2 種類になる。きわめて高級で少数の商品を出すオートクチュールと、多くの人々の手に届く広範囲の種類の商品を大量生産するプレタポルテである。

さらに、60 年代にはストリートファッションが登場し、その後のファッションに大きな影響を与える。革ジャンとジーンズのスタイルは、多くの人々のカジュアルウェアとして浸透した。これが、最初のユニセックスファッションである。

この時代は、ヤングファッションが、生産・流通分野で躍進する。

オートクチュールの衣装を手がけるデザイナーたちもプレタポルテを発表、一方、プレタポルテのみを手掛けるデザイナーたちも相次ぎ登場し、ファッションはプレタポルテ主流時代になっていく。

アンドレ・クレージュが発表した「ミニスタイル」のコレクションが周囲に大きな影響を及ぼし、これをきっかけにピエール・カルダンやパコ・ラバンヌ、イヴ・サンローランなどが次々とミニスタイルを打ち出した。

特にイヴ・サンローランがオランダの抽象画家のピエト・モンドリアンの作品からヒントを得て発表した「モンドリアンルック」は、世界的に注目された作品の 1 つである。

1965 年以降はミニスカートが、67 年から 68 年にかけてはフォークロア調がモード界に旋風を起こし、69 年には床に達する丈の「マキシ」が流行する。

70 年代は、クロード・モンタナやカール・ラガーフェルド、ソニア・リキエル、そして高田賢三などのデザイナーが活躍した。

このように、20 世紀に入ってファッションは、世界中で大きく変貌を遂げた。

ファッションは、人間の社会的、経済的、技術的、心理的現象を衣服の上に反映してきた。さまざまな出来事をきっかけとして、それまでに生じた変革と変動のすべてを記録し、変化してきた。そして、西洋の影響下に置かれたすべての国々で、ファッションの西洋化が始まった。現在はファッションのグローバル化が、ますます加速している。

4 メンズモードの歴史

第 2 帝政時代（1852 ～ 1870）から 19 世紀末頃にかけて、男性の衣服は上衣、ジレ（ベスト）、パンタロン（パンツ）という三つ揃い（スリーピース）のスタイルが基本形として定着した。

19 世紀中期頃からは、フォーマル（正礼服）とインフォーマル（準礼服）に格付けされ、さらに昼と夜に区別し着用された。

昼間のフォーマルには、膝丈のフロックコート、ジレ、パンタロンが用いられた。だが、20 世紀には昼間のフォーマルは、フロックコートからモーニングコートになっていった。

一方、夜間のフォーマルには、燕尾の付いたイブニングコート（テールコート、燕尾服）が着用され、インフォーマルでは燕尾のないディナージャケットが着用された。ディナージャケットは、フランスではスモーキング、アメリカではタキシードという。

また、昼間のフォーマルに対して日常着として登場したのが、上衣のウエストに裁断線のないラウンジスーツである。これをアメリカではサックスーツと呼び、今日の背広の原型になり、現代のスーツにつながっている。

5 | 日本の現代服飾史

現在、世界のコレクションと肩を並べるまでになった日本のファッション界だが、それは第二次世界大戦以降の社会の変動とともに発展を遂げてきた。

戦争は人々の心に大きな荒廃をもたらしたが、ファッションに対する関心は多くの人がもっていた。

戦後銀座にいち早く高級洋装店ができ、デザイナーたちが活躍した。クリスチャン・ディオールの「ニュールック」の影響などもあり、女性の服装はモンペからスカートへ、洋裁学校も急増した。

50 年代に入ると、映画「ローマの休日」などの主人公のオードリー・ヘップバーンのファッションをモデルにしたスタイルなどが、日本の女性たちの間で流行。60 年代に入ると愛と平和、自由と解放を唱えたヒッピーファッションが誕生し、ビートルズの影響からモッズファッション、ツイッギーの来日によりミニスカートのブームも広がった。また、銀座のみゆき通りに集まる「みゆき族」と呼ばれた若者の間では、アイビールックが流行した。デザイナーでは、中村乃武夫、森英恵が海外でコレクションを開催した時代でもあった。

70 年代に入るとファッション雑誌『an・an』『non-no』が立て続けに創刊され、それらの特集に影響された若者たちが雑誌片手に観光地に押し寄せ、「アンノン族」と呼ばれた。デザイナーでは、高田賢三、三宅一生、やまもと寛斎らが海外でコレクションを行い、活躍した。

80 年代に入ると、ファッションにお金をかける傾向が強まり、アパレル業界は、大きな追い風のもと急成長を遂げた。

デザイナーズ・キャラクターブランドの総称「DC ブランド」、ボディラインを強調したスタイル「ボディコン」、また原宿では派手な衣装やメイクで音楽に合わせてダンスを踊る「竹の子族」も出現した。

デザイナーでは、川久保玲、山本耀司がパリコレクションで話題になった。初の東京コレクションが開催され、東京ファッションデザイナー協議会が発足されるなど、日本のファッション界は多様な変化を遂げ、デザイナーをめぐる環境や背景が整い、新たな時代を迎えることになった。

クリノリンスタイル
バッスルスタイル
直線的なドレス
Sラインドレス
ギャルソンヌスタイル
ニュールック
Hライン
Aライン
ミニスタイル
モンドリアンルック
フロックコート・ジレ・パンタロン
イブニングコート
ディナージャケット
ヒッピー
モッズ
アイビー

3. デザイン史の基礎知識

1 | 産業革命とアーツ・アンド・クラフト運動

18世紀後半から19世紀初頭にかけて、世界に先駆けイギリスで起こった産業革命は、技術的革新や社会構造の変化により、紡績・織物機械、蒸気機関などの発明、石炭へのエネルギーの転換、道具から機械への変換など、産業上に大きな変革をもたらした。政治、経済、社会、そして人々の生活様式にも大きな影響を与え、機械制大工業を確立した。「世界の工場」となったイギリスは、ヴィクトリア女王のもと世界の超大国となる。しかし、その代償として、大気や河川などの汚染や自然破壊、工場における労働環境と条件の劣悪化、職人の技能の衰退などの社会問題も深刻化した。

新しい素材や技術の開発を求めた結果、職人による手仕事を模倣した一見高級感のある装飾過剰な製品が機械によって大量生産された。これらの粗悪な日用品は、大きな力を得つつあった中層階級の人々に自らの富と社会的地位の象徴として熱狂的に迎えられたが、19世紀イギリスにおける趣味の堕落と擬似文化を象徴するものであった。

この時代に登場したのがウィリアム・モリス（1834～1896）である。彼は詩人、作家、数十種類の技能に精通した工芸家、「ケルムスコット・プレス」の創始者、そして社会主義者として活躍し、「近代デザインの父」「万能の天才」と称された。

分業システムによる労働を批判し、理想的な労働の実現のために社会主義運動に身を投じる一方、当時の粗悪な日用品や趣味の堕落に対する危機感からアーツ・アンド・クラフト運動を展開。1861年に総合室内装飾会社「モリス・マーシャル・フォークナー商会」（1875年に「モリス商会」となる）を創設した。

この商会は、住宅や教会などの内装、ステンドグラス、家具、テキスタイル、金属細工などの日用品の創造を目的とし、世界で最初の試みとなった。その製品は美術工芸史上、最高級の業績と評されている。

モリスが展開したこのデザイン運動は、種々の団体の支援を受け、ヨーロッパ、アメリカに大きな影響を及ぼすことになった。

2 | アール・ヌーボーとアール・デコ

モリスのデザイン運動の影響のもとに、各国で新しいデザイン運動が展開された。

前述したアール・ヌーボーとは、19世紀末から20世紀初頭にかけてヨーロッパやアメリカ各地で流行した装飾様式で、その特徴は優美で流動的な曲線やしなやかな曲面であった。

「新しい芸術」を意味するこの名称は、ハンブルグの美術商ビングが1895年、パリに開店した美術工芸品店の名前に由来する。ベルギーのアンリ・ヴァン・デ・ヴェルデが店の内部の装飾や家具などのデザインを担当したが、この店はパリの流行そのものを創り出した。

ビングは1900年のパリ万国博覧会でも大成功を収め、アール・ヌーボー様式は定着していった。パリの鋳鉄製の地下鉄入口や集団住宅の設計で名高いギマール、ポスターのミュシャ、ガラス工芸や家具のデザインで名高いエミール・ガレなどが、代表的な作家である。

広範な国際性をもつアール・ヌーボー様式の優雅さや高度な美的洗練といった特徴は、「退廃」と表裏一体のものである。やがて、「装飾」そのものが不用とされる時代の訪れとともにこの様式は衰退していったが、近年のアール・ヌーボー再評価の気運は、切り捨てられていった「装飾性」や世紀末の「退廃的」雰囲気がもつ抗しがたい魅力によるものかもしれない。

一方、アール・デコは、1925年にパリで開催された「現代装飾・工業美術国際展(アール・デコ展)」の名称に由来する。曲線的なアール・ヌーボーとは対照的に直線的、なおかつ連続的な波模様、基本形態の反復など、幾何学的傾向が顕著であり、機械の時代を感じさせる。

アール・デコはアール・ヌーボーからの脱却を指向しつつも、本質的にはアール・ヌーボーがもつフランスの美的洗練を継承しているといえよう。ウィーン工房の主宰者であり、「方形のホフマン」と呼ばれるヨーゼフ・ホフマン、ポスターのカッサンドルなどが代表的な作家である。

3 | バウハウス

「バウハウス」とは、建築家ウォルター・グロピウス(1883～1969年)が、1919年にドイツのワイマールに創設した美術学校である。その先駆的な理念と多様な業績によって、ウィリアム・モリスに始まる近代デザイン運動の歴史に大きな足跡を残した。

グロピウスは、機械時代における「芸術と技術の統一」を理念として掲げ、学校教育を通してその実践を図ったが、1933年、ナチスの弾圧によって閉鎖された。

ルネサンス以降、ヨーロッパの合理的な近代精神は機械時代の訪れとともに大きな物質的繁栄をもたらしたが、同時に、近代社会の誕生とともに始まった学問、芸術、産業などのあらゆる分野における専門化、分化の傾向も強めていった。

モリスは、絵画や彫刻といった純粋芸術と日用品に代表される「装飾芸術」との乖離(かいり)を指摘し、装飾芸術の復興のために闘ったが、グロピウスによるバウハウスの精神も、専門化し孤立化するあらゆる芸術を総合し、人々の生活のなかに統合することであった。

グロピウスがそのためのキーポイントと考えたのが「建築」である。建築はあらゆる芸術をまとめる母体であると同時に、生活の総合的基盤でもある。この建築のもとに「芸術と技術の再統一」を実現しようとするのがバウハウスの基本的な理念であり、この考え方を継承するデザイナーや芸術家の育成がその目的であった。

ル・コルビュジェ、カンディンスキーやクレー、モホイ・ナジなどの芸術家たちが協力し、バウハウスの理念の実践に努めた。

4 | モダニズムとポスト・モダニズム

1970年頃までは、機能主義がモダンデザインにおける絶対的な精神であった。

超高層ビルや能率を第一とするオフィス、規格化された住宅、画一化された日用品など、すべて機能主義的な標準形態の展開といえる。しかし、家族や地域社会とのコミュニケーションの減少が顕在化するとともに、便利で、合理的ではあるが、人間らしさや余裕に乏しい世界の行き詰まりが多くの矛盾とともに表面化し始めた。

このようなモダニズムの行き詰まりを打破しようとする動きが、1970年代に入ると顕著になり、「ポスト・モダン」と呼ばれる新しい運動がデザイナーや建築家たちによって展開され始めた。彼らは「既存の価値体系の見直し」をスローガンに、機能主義が不要なものとして切り捨ててきたものに注目しようとした。

装飾的なもの、民族的なもの、古典的なもの、メルヘン的なものなどが作品に盛り込まれ、そこには旺盛な「遊びの精神」が感じられる。機能主義に貫かれたモダニズムのストイックで理知的な冷徹さから抜け出し、人間性を回復しようとする試みそのものがポスト・モダンといえよう。

5　テキスタイルデザインの変遷

人間は、自然環境の中で暑さや寒さなどから身を守るために衣服をまとうようになり、その後、衣服はおしゃれや権力を誇示することも目的になった。

長い人類の歴史の中で、人間と衣服など繊維との関係が生まれ、人類の文化は発展してきた。

フランス語でテキスタイルとは織られたものを意味する。織物とは経糸(たていと)と緯糸(よこいと)を交差させて、平面状に作るもので、その交差の状態、糸の種類や色、形状や機能によって外観・性質が異なるものを表現でき、種類も極めて多い。これをテキスタイルデザインという場合もある。

模様や図案をテキタルデザインとして考えていくと、それはイギリスでの産業革命をきっかけに、ウィリアム・モリスのアーツ・アンド・クラフト運動、アール・ヌーボーからアール・デコ、バウハウス、モダンからポスト・モダンへと、芸術運動、美術様式やデザイン様式などのさまざまな影響を受けながら変化を重ねてきた。

今後は、ハイテク素材などの開発や織機の技術進歩、コンピュータ技術の導入などにより、テキスタイルデザインはさらに発展していくだろう。

モリス・アンド・カンパニー
(Morris & Company)

英国の詩人で工芸家・社会運動家のモリス(W.Morris, 1834 ～ 96)が、アーツ・アンド・クラフツ運動を実践し、ステンド・グラスや家具、室内装飾品、テキスタイルなどを製造販売した会社。1861 年設立の「モリス・マーシャル・フォークナー商会」が改編されたもので、1875 ～ 1940 年の間、運営された。

出典／『ファッション辞典』
(文化出版局)

4. 現代ファッション、現代デザインの知識

1 現代ファッション

19世紀後半以降のファッションは、欧米の近代服装文化のもと、オートクチュール（高級仕立服）からプレタポルテ（既成服）へと発展してきた。しかし21世紀に入り、ニューヨークで起きた同時多発テロやリーマンショックなどの影響で世界は混乱し、経済も低迷していった状況下で、洋服に対する考え方も新たな方向へ動き出した。

ファッション市場でグローバルな広がりを見せたのは、一定した品質を保持しながら大量に生産し販売するファストファッションであった。それまでの企画・生産期間を大幅に短縮したシステムにより、トレンドファッションアイテムも低価格で入手できるようになった。中価格の購買層もファストファッションなどを取り込み、ファッションの市場は高価格なものと低価格なものが複雑に混在し、2極化が進んでいった。

さらに、インターネットを使ったネットビジネスが始まると、洋服は店舗に行かなくても手軽に買うことができ、販売の形態や購入の方法も大きく変化した。

「ファッションは、洋服だけではなく、生活全般」と捉える考え方も広がり、繊維産業だけがファッションを象徴する産業ではなくなってきた。

人々の新しい価値観の台頭や生活様式の変化に発する多様なニーズに応える必要があるのが、現代ファッションの特徴である。

2 建築デザイン、インテリアデザイン

インテリアデザインを室内の装飾のみとすることは旧式の観念である。近代的な意味でのインテリアデザイナーは建築家や照明、採光、給配水などを担当するデザイナーや技術者たちと密接な協力関係をもち、住空間を総合的に考えることが必要である。

インテリアデザインが関わる空間は、舞台や展示室とは異なり、人々の生活空間である。インテリアデザイナーは、人々が生活するための快適な環境の創造を目的に、そこに住む人の心理的条件と物理的条件の両方を十分に満たすことが必要である。

鉄、コンクリート、ガラスなどの建築材料の開発や構造力学の発達にともなって近代建築は出現したが、その精神は構成主義、機能主義、合理主義などの考え方に具体化されている。

建築には複雑な機能的要求と物理的構造の両立が要求されるが、最近では新しい建築材料の開発やコンピュータの応用、さらにインテリジェントビル（高付加価値オフィスビル）やウォーターフロントなどの登場により、建築デザインはますます多様化、複雑化している。

20世紀における建築デザインには、グロピウスが提唱した機能主義的な「国際様式」と、ライトなどに代表される有機的な「地方主義」の流れがある。ル・コルビュジェは「国際様式」を代表する建築家である。だが、20世紀後半になると機能主義に基づく近代建築の行き詰まりが指摘され、遊びや装飾の意味が問い直されることとなった。

3 | 店舗デザイン

店舗デザインとは、確立された経営理念、ストアポリシーに基づいて店舗施設をデザインすることである。

店舗の基本機能は、経営サイドにとっては利益を上げることであり、消費者にとっては自分のライフスタイルにおけるニーズから起こった購買意欲を満たすための場所や手段として利用することである。その両者が相対する場所・手段として機能しなければならないのが店舗である。

経営側の目標達成要素が「店舗のハード計画」による利益の追求であり、消費者側のニーズ要素は「店舗のソフト計画」による付加価値の追求である。これらの関係の調和を図りながら、店舗デザインを進めなければならない。

消費者のニーズを調査・検討し、その内容に合った店舗イメージを創造し、その機能を設計することが要求される。販売する商品、建築の条件、店舗の造作、設備、什器、家具などが効果的に機能して初めて円滑に販売活動が行われる、そのようなデザインが望まれるのである。

4 | グラフィックデザイン、写真

グラフィックデザインは本来、ポスターや新聞・雑誌広告など、印刷技術によって大量に複製される宣伝媒体としての視覚的平面デザインのことをいう。だが、メディアの発達にともなってその範囲は広がっている。

グラフィックデザインは、企業の宣伝イメージを扱うものと、公共的なものに大別される。

1960年代以降、さまざまな分野と相互に形態や刺激を与え合うようになってきているが、もとよりグラフィックデザインはその時代や社会の風潮をきわめて敏感に反映し、幾度も繰り返しながら増幅、拡大して伝えるものである。さらに、情報コミュニケーションのネットワーク化の進展とともに、グラフィックデザインは生活空間でもある。より多元的なイメージを伝えることが可能になった。

一方、写真には3つの分野があるといえる。

1つは、写真の記録能力を生かせる分野で、観測、測量、科学、医療などに利用される。

2つ目は、その表現力が重視される広告写真、商業写真、芸術写真などの分野である。

3つ目は、記録性と表現力の両方が求められる報道写真の分野である。

さらに絵画と写真が刺激し合い、交流してきた歴史の中から、フォトグラムやフォトモンタージュなどの新しい写真が出現した。

5 | パッケージデザイン

パッケージデザインは制約や条件の多い分野である。

一般的な制約・条件には、内容物を保設し、安定した状態で移動できること、保管に便利であること、内容物が他のものと区別しやすいこと、販売促進が容易なこと、内容物を美しく見せ、使いやすいことなどがある。さらに、印刷、加工・成型などが容易で耐久性があること、内容物についての表示が明確にされ、広告媒体に載りやすく、ファッション性があることなどが求められる。最近では、環境問題への配慮から、使用後の処理が容易で、リサイクルできるものであることも求められている。

このようなことから、パッケージデザインは、消費者が商品を選ぶときの重要な判断基準となる。

パッケージについての考え方が大きく変わった原因としては、商品の種類や数の急増による販売競争の激化、広告媒体の急増と多様化、セルフサービスの量販店の急増などが考えられる。なかでも、量販店の普及は、パッケージデザインに大きな変革をもたらした。消費者に遠くからでも視覚的に強くアピールする必要性が増すとともに、パッケージにその商品についての十分な情報がわかりやすく表示されていることが必要になったのである。

また、カタログ販売や自動販売機などの販売形態にも対応できるようなパッケージデザインの必要性もますます増している。

6 テキスタイルデザイン

テキスタイルの語源はフランス語の「織られたもの」であると前述した。現在では、手織りのものから量産されるもの、さらにプリントのものも含めた総称として使われている。

テキスタイルデザインの分野としては、ファッション関係、インテリア関係、そしてファイバーワーク、テキスタイルスカラプチャーとも呼ばれるアートタピストリー関係などがある。

ファッションやインテリア関係に使用されるテキスタイルには、機械で大量に生産されるものと、手工芸の要素を含めた半量産されるものがある。

アートタピストリー関係のものには、大別すれば、壁を装飾する平面的なタピストリーと、立体的、空間的なものへと進展するファイバーワークがある。それぞれが手仕事の可能性を生かしつつ、糸や布以外にも新しい素材を取り入れ、新しい現代造形として注目を集めている。

テキスタイルは人間の生活環境に存在する素材の中で、最も人間の肌の柔らかさに近く、最も日常性の高いものである。したがって、自然でソフトな素材感や、美しい色彩、パターンなどが適切に使用されることが必要である。

だからこそ、テキスタイルデザイナーはその使用目的を十分理解して、糸や織物の組織の考案、パターン、カラー、テクスチャーなどのデザインをしなければならない。さらに、工業製品の中に手工芸の良さを生かし、伝統的なものとモダンな感覚をうまく調和させていくことも必要となる。

アートタピストリーの分野で利用されるテキスタイルは、ファッションやインテリアの分野で使用されるものとは異なる。すなわち、「使う」という目的ではなく、「飾る、置く」といった目的のために使用されるものであり、そこには作家の明確なメッセージが込められている。

7 CGとデザイン

CG（コンピュータグラフィックス）とは、コンピュータプログラムによって作り出された映像のこと。製造、設計、デザイン、教育、ビジュアルコミュニケーション、さらに娯楽、芸術の表現手段として利用される場合などがある。3Dプリンターの出現によりデザインの用途も多様化している。

8 現代アート

アートとは従来は絵画と彫刻を意味して

いたが、1960年代以降は絵画でも彫刻でもない作品も多く見られるようになった。

それらの作品は、必ずしも「美しさ」を追求したものではない。例えば、マルセル・デュシャンの作品のように、既製の便器や車輪をそのまま展示したような作品は「美」や「表現」といった概念では測りきれない。アートには思想や精神、哲学や科学までも含まれると考えられ、その定義は極めて困難である。

すなわち、絵画でも、彫刻でもない全く新しい芸術が現代アートであると考えるべきであろう。アートが占める領域は多岐にわたっている。

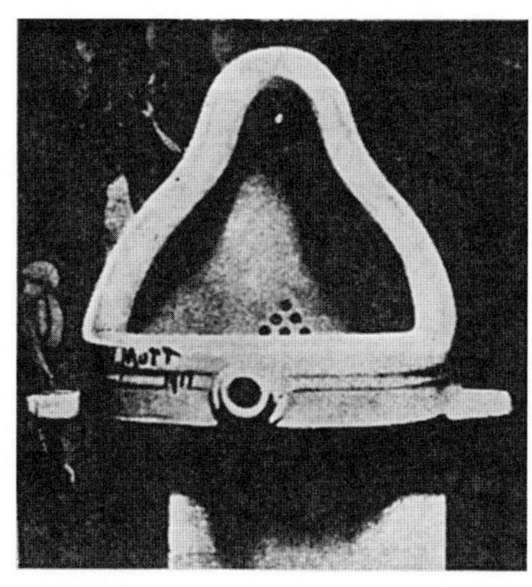

泉（レディ・メイド）、マルセル・デュシャン

FASHION BUSINESS 2

ファッション造形知識

第2章

ファッションコーディネート

1. ファッション企業のスタイリング計画

1 アパレル企業のスタイリング計画

スタイリング計画には、アパレル企業の商品企画部門が行うものと、小売企業のマーチャンダイジング部門が行うものとがある。いずれも、最終的に消費者を訴求対象にしているという点では共通しているが、小売企業のスタイリング計画が直接的に自店のイメージターゲットに焦点を置くのに対して、アパレル企業の場合には、次のように3つの異なったスタイリング計画がある。

①ブランドのスタイリングコンセプトに基づいて、シーズンごとに設計されるシーズンスタイリング計画
②展示会、ショールーム、店頭におけるコーディネート展開やディスプレイのイメージを伝達するための計画
③カタログや広告に取り上げる商品とその演出イメージを伝達するための計画

この3つの計画のうち②と③は、①が設計され、素材・アイテム企画、デザイニングの過程を経て、サンプルづくりまで到達した後にスタートする。これらのスタイリング計画の一例は、図1の通りである。

2 シーズンスタイリング計画

ブランドにはブランドコンセプトがあり、これにはスタイリングコンセプトが含まれている。両コンセプトは、ターゲット、ファッションタイプ、ファッションテイスト、コーディネーションイメージ、オケージョン、グレードなどを設定することによって決められるが、それを実需期ごとの商品として具体化していくには、消費者のニーズに次のような影響力をもつ「シーズン性」を考慮することが重要になる。

- **温度や湿度の変化**／日本は四季の微妙な変化があるため、4～8シーズンに分けられることが多い
- **社会行事との関連**／正月、就職、夏休みなど
- **トレンドとの関連**／四季ごとに消費者の嗜好傾向が変化する他、流行も四季の

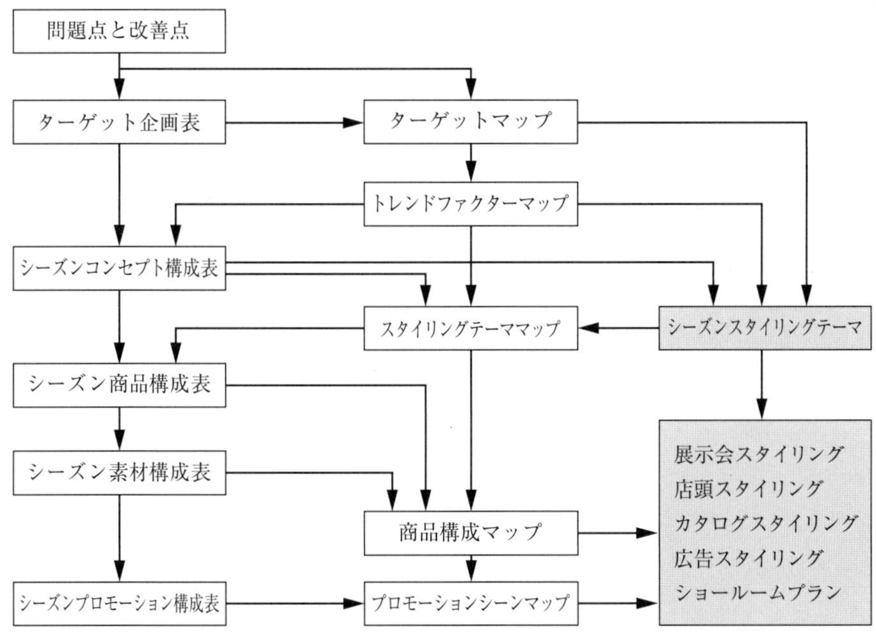

図 1. スタイリング計画のマップ（例）

変わり目ごとに変化する

こうしたシーズン性を考慮し設計されるのが、シーズンスタイリング計画である。

3 | 展示会のスタイリング計画

アパレル企業のブランド別展示会は通常、実売シーズンの3～6カ月前に、一般のレディスアパレルブランドなら100型・300点以上、インディーズデザイナーなどでも50型・100点以上のサンプル商品を用意して開かれる。展示会では、小売企業のバイヤーなどに、そのシーズンのスタイリングコンセプトと個々の商品の特徴をわかりやすく、かつ魅力的に伝達するとともに、店頭でのディスプレイアイデアを提供できなくてはならない。そのため、イメージにふさわしい演出をすることも重要になる。

アパレル企業の展示会は、シーズンサンプルに基づく「受注会」でもあるので、一般に営業部門が主催し、商品企画部門と販促部門が協力して、企画・準備・運営という手順で実施されることが多い。

4 | SPA の店頭スタイリング計画

ブランドのシーズンスタイリング計画やシーズン MD 計画に沿いながら、VP、PP、IP の全般にわたる店頭のスタイリング計画を行う。担当部署から使用商品や演出テクニックなどの指示が写真やイラストで提案され、それを店頭の担当者が実行する。もちろん、店舗の立地・面積・形状などによって修正は加えられるが、それも基本計画の枠内での修正になり、基本的に変更は認められない。企業によっては、店舗を立地や面積に応じてグループ分けし、そのグループ別に少し内容の異なる基本計画を作る例も見られる。

5 ｜カタログ・広告のスタイリング計画

ECサイトを含むカタログや広告の作成は、販促宣伝部門の業務であるが、どの商品（サンプル）を選ぶか、どのようなイメージで、どのようにコーディネートしてモデルに着用してもらうかなどについては、商品企画部門が一定のスタイリング計画を示さなければならない。そのうえで、スタイリストやフォトグラファーと共同で作業を進行する。

6 ｜ショールームプラン

常設展示場（ショールーム）をもつアパレル企業では、そのスタイリング計画も業績アップに重要な役割を果たす。手法は展示会のスタイリングとほぼ同じであるが、新規企画の商品が投入されたら、その販売状況や在庫状況も勘案しながら、陳列商品の出し入れやディスプレイの手直しを図っていく必要がある。

7 ｜小売店舗のスタイリング計画

小売店のスタイリングは、「店頭でのコーディネートによるスタイリング訴求」と、「接客時の顧客別に対応したスタイル創造」に代表される。前者は、ディスプレイなどによって自店の主張するファッションイメージやライフスタイル提案をビジュアル表現するものであり、提案要素が強い。後者は、一人ひとりの顧客のパーソナリティや価値観を踏まえ、柔軟性をもって販売の促進を試みるものである。

店頭のディスプレイは、自店の品揃えを象徴するもので、常に神経を行き届かせておく必要がある。それは、自店の販売計画に基づく、綿密なスタイリング計画によって運用されなければならず、常に旬のスタイリングをコンスタントに提示することが求められるからである。これは、ECサイトの運営でも同じである。

8 ｜マンスリースタイリング計画

店頭スタイリング計画は、自店の品揃え計画をベースに、より具体的に細かくスケジュール化して設定する。そのベースとなるのが、マンスリースタイリング計画である。シーズン（春夏／秋冬）の代表的スタイリングを下記のように細分化し、具体的なVP・PPへと落とし込んでいく。

- 4つの季節別（春・夏・秋・冬）
- おおよそ8つの営業期別（春・初夏・盛夏・晩夏・初秋・秋・冬・梅春）
- 月
- 週

通常はマンスリースタイリング計画に基づいて、店舗全体のフェイスチェンジを行うが、天候の変化や社会行事との連動を考え、週単位でフレキシブルに対応することも、店頭スタイリング計画には必要である。

9 ｜VP・PPのスタイリング計画

マンスリースタイリング計画は次のような手順を踏み、具体的にVP、PP（P.186参照）が設定され、店頭で実施される。

① ターゲットの再確認

大前提として、展開しようとしているシーズンスタイリングと、すでに設定されている自店のターゲットとの整合性を確認する。

② オケージョン設定

シーズンを構成する月別のモチベーションに訴求する代表的着装場面を確認する。

③ ファッション設定

収集したトレンド情報、ファッションの傾向、マーケットや顧客の動向、自店の過去のデータなどの情報を読み合わせ、具体的にカラー、素材、シルエット、テイストなどを組み合わせて、スタイリングストーリーを設定していく。

④ 商品セレクト

作成したマンスリースタイリング計画をベースに、仕入活動に当たる。

⑤ VP・PP の設定

収集した商品を VP・PP する際の、売場の場所、什器、テクニック、ツールなどを決定し、アクセサリーや服飾雑貨も含めた具体的なコーディネーションを設定する。

⑥ VP・PP の実践

計画に沿って、実施・管理となる。ディスプレイ変更は、基本的には週ごとをめどに行われる場合が多いが、急激な天候の変化、あるいは話題性のあるメディアへの露出に対して、当日対応することも度々ある。

以上が店頭でのスタイリング計画だが、品揃え店では取引先が多いほど、この立案・実践が複雑となる。そのため、事前の明確なスタイリングイメージの確立が重要になる。

10 お客様へのフィッティング

接客におけるお客様へのスタイリング提案は、カラー、素材、柄、ディテール、シルエットといった要素をもつそれぞれのアイテムを、バランス良く組み合わせて、統一されたイメージを作るコーディネートが重要となる。コーディネート販売は、魅力的な着こなしの提案とともに、自然な客単価の上昇を促すものであり、販売の基本となっている。

ファッションコーディネートの要素には次のようなものがある。

- **衣服と衣服のコーディネート**／トップスとボトムス、アウターとインナーなどの組み合わせ
- **衣服とアクセサリーのコーディネート**／衣服とアクセサリー、靴、バッグ、ベルト、スカーフ、帽子、時計などとの組み合わせ
- **ヘア・メイクとのコーディネート**／ヘアスタイル、ヘアカラー、リップ、チーク、アイメイクなどとのバランス
- **肉体的な要素とのコーディネート**／ボディプロポーション、肌や髪の色などとのマッチング
- **オケージョンやシーンとのコーディネート**／場所や目的にふさわしい組み合わせ
- **ワードローブとのコーディネート**／顧客の手持ちのアイテムとの有効な組み合わせの考慮

以上がお客様へのコーディネート提案の基本ではあるが、情報が瞬時に消費者に行き渡る現代においては、店頭でも常に最新の情報を収集することが求められる。また、フォーマルウェアやメンズウェアの装いには細かなルールがある場合が多い。それを十分に留意したうえで、お客様にコーディネート提案をすることも忘れてはならない。

11 ECサイトでのコーディネート提案

ECサイトでの購入は、試着・接客できないこと、お客様と顔を合わせてコーディネート提案ができないことが、実店舗に比べて最大のデメリットと考えられてきたが、下記のような方法で解決されつつある。

- **コーディネートアプリの活用**／コーディネートのスナップが投稿されるアプリは、かつてのファッション誌のように着こなしの参考に使われている。お客様が求めるアイテムやスタイルを簡単に検索でき、連携するECサイトで商品を簡単に購入できる
- **SNSの活用**／販売員やPR担当などが自社の服を着用したコーディネートをSNSで発信し、ファンを広げて購買につなげるケースも多い。お客様は店頭に足を運ばなくてもそれを見ることができ、実店舗の販売促進にもつながる
- **バーチャル（仮想）試着サービスの活用**／アバターなどを使ってコーディネートを試すソフトの開発も進んでおり、さらなる精度の向上による活用の拡大が期待される

これらのサービスをアップデートしながら、購買頻度、客単価を上げる工夫を各社が行っている。また、実店舗のように直接販売員に質問ができないというデメリットに対しては、チャットコンサルティングで対応したり、動画配信サービスを利用して視聴者の声に応えながら商品説明などが行われている。今後、さまざまな技術の進化やAI（人口知能）の活用などにともない、実店舗とECサイトの差がなくなるだけでなく、ECサイトならではの利便性の高いサービスが追求されると考えられる。消費者の購買動向が大きく変わることも予想され、その変化に合ったスタイリングの提案が求められる。

2. VP、PP、IPの計画

1 VMDとVP、PP、IP

VMDは、売場をVP、PP、IPの3つのゾーンで構成して実施される。

① VP（ビジュアルプレゼンテーション）

VPとは、売場の中核となるディスプレイを指し、その店のコンセプトイメージやメッセージを体現するウェアリングを演出して、顧客に強い印象を与える役割を担う。ショーウインドーやメインディスプレイなどがこれにあたり、マネキンやトルソー、プロップなどを使ってインパクトのある魅力的な提案を行うことにより、顧客の入店促進を図る。

② PP（ポイント・オブ・セールスプレゼンテーション）

PPは、売場各所で強調したいアイテムをピックアップしてコーディネート陳列し、顧客の注目を引き、購買につなげることが目的となる。柱回りや棚の上、ハンガーラックの端などで展開することにより、顧客の回遊性を高め、滞在時間を長くする役割がある。

③ IP（アイテムプレゼンテーション）

IPは、セリングストックの陳列の見せ方

のことである。ここではサイズや色違いなどが、顧客にとって「わかりやすくて、買いやすい」という点を考慮した陳列が求められる。また同時に、思わず手を伸ばしたくなるようなフェイシングにも留意する必要があり、薄い色から濃い色へ、ショート丈からロング丈へといった、その店の一定のルールを設け、常に整然とした美しさを保つことにより、販売効率の上昇が望める。

2 什器の種類と活用法

売場什器には商品を「見せる、吊るす、置く、入れる」といった機能がある。

【ハンガーラック】

最もポピュラーな什器で、種類が多く、それぞれの活用法やグレード、イメージもさまざまであるため、目的に応じて使い分ける必要がある。市販されているものは平凡なものが多いため、ハイファッションを取扱うようなショップでは、個性的な什器の開発が行われる。またメインとなるハンガーラックは、売場の施工時に作り付ける場合が多い。

【棚什器】

基本的に商品をたたみ置く什器で、ハンガーラック同様、棚什器もデザインや素材、サイズ、グレードなど多種多様なため、商品特性を十分に考慮して、適切にレイアウトする必要がある。

【Gケース】

安価な小物雑貨類は、気軽に手に取れるようにバスケットやボックスに入れて陳列することが多い。一方、高額商品を入れる什器としてはGケースが代表的といえる。Gケースはガラスケースの略。高額商品の陳列とストックを兼ねた箱型の什器で、基本的に対面販売に用いられる。

【ステージ、テーブル】

ステージ、テーブルともに、集客効果の高い場所に設置してシーズン表現などの商品演出に用いられる。形状は正方形、長方形、三角形、円形、楕円形などがあり、サイズや素材もさまざまであるため、よく吟味する必要がある。

【システム什器】

互換性を狙いとした什器で、棚やハン

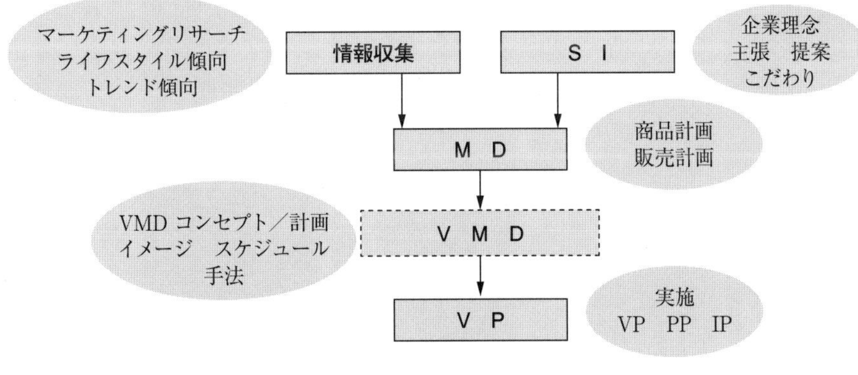

図2. VMDのフロー

ガーを容易に組み替えることができるため、シーズンごとのアイテム構成の変化に対応しやすい。主にカジュアル系ファッション店舗で使用されるケースが多い。

【マネキン、ボディ、コーディネートスタンド】

いずれも商品のコーディネート提案の魅力アップを図るために用いられる。

- **マネキン**／マネキンには、人間そっくりに作られたリアルマネキン、抽象的イメージのアブストラクトマネキン、頭部がギリシャ彫刻風のスカルプチャーマネキン、頭部がないヘッドレスマネキン、部位を自由に動かすことができるフレキシブルマネキンなど、多種のタイプがある。それぞれイメージや機能を勘案して、その店のコンセプトに適合するものを慎重に選定する必要がある
- **ボディ（トルソー）**／ボディは基本的に胴体のみのものを指すが、なかには頭部や手が付いているものもあり、樹脂製、布張り、ワイヤー、籐など、さまざまな素材のものがある。またパンツを着装することができないタイプもあるため、パンツルック中心のブランドやショップでは注意を要する
- **コーディネートスタンド**／機能はボディと同じであるが、厚みがないためスッキリとしたシャープなイメージ表現に適し、ハンガーラックの前や売場のコーナーに設置しても場所をとらない

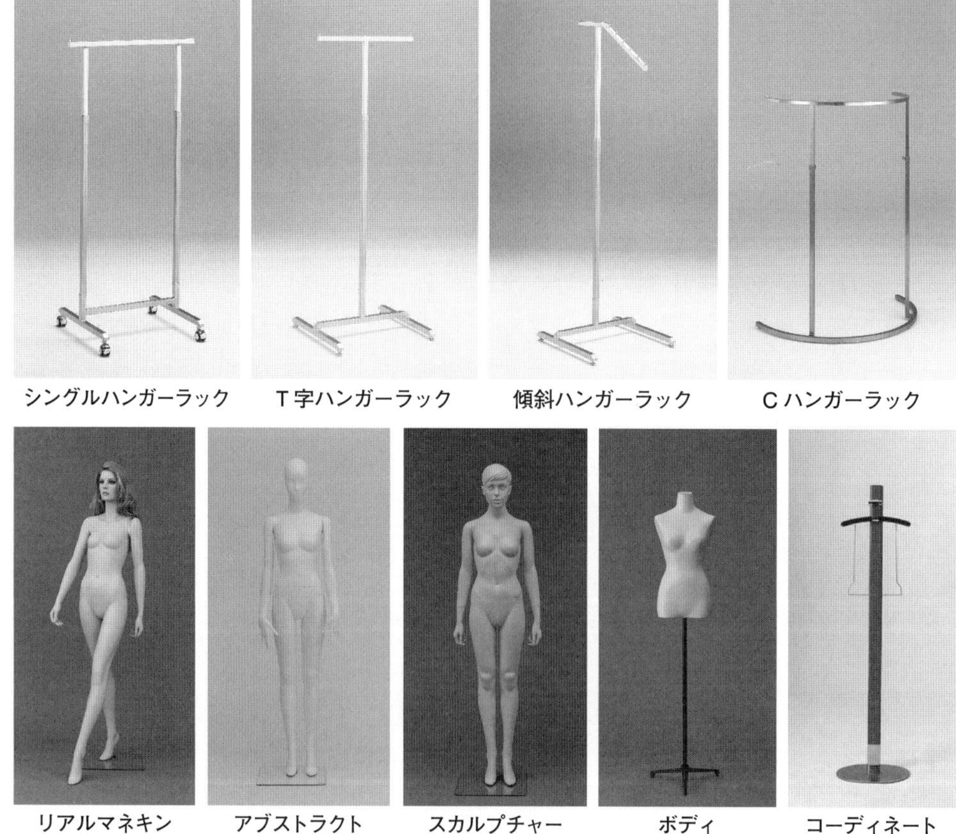

シングルハンガーラック　T字ハンガーラック　傾斜ハンガーラック　Cハンガーラック

リアルマネキン　アブストラクトマネキン　スカルプチャーマネキン　ボディ（トルソー）　コーディネートスタンド

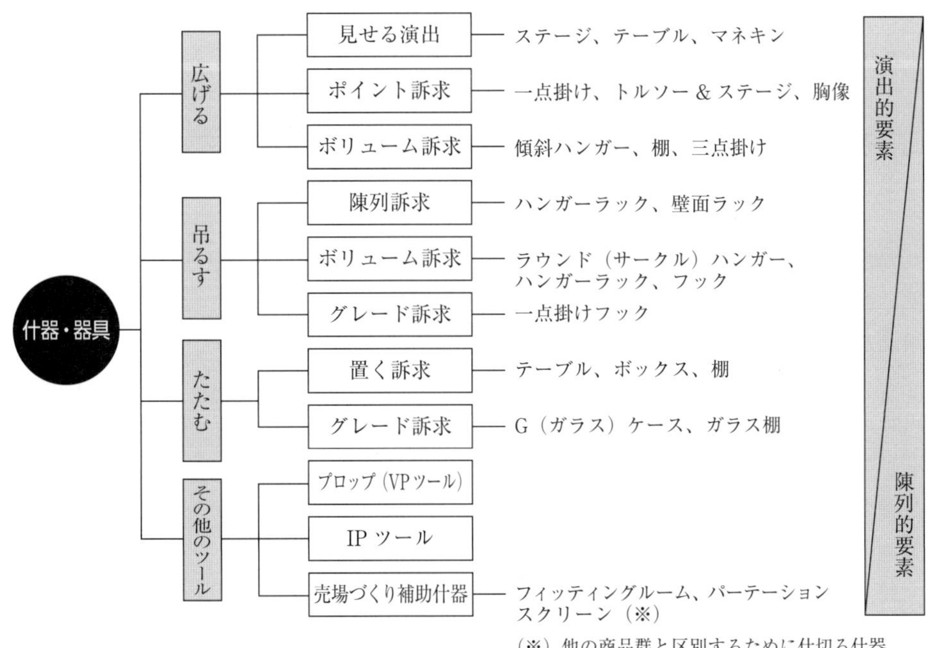

図3. 売場什器の機能

【プロップ、エフェクト】

プロップとは、デッキチェアやパームツリー、クリスマスツリーなど、季節感やライフシーンを表現するディスプレイを、より効果的に演出するためのツールを指す。

エフェクトとは、例えば室内でアウトドアを演出する際、高揚感を出すために特殊効果のある照明を当てるといったような、より演出効果を高めるための技法を指す。

3 | 売場の照明

売場づくりの手順は、初めにショップコンセプトに相応しい「床・壁・天井」の色調と素材を決定し、次にそのスペース内を設備や什器、表示物などで構成していく。さらに、顧客にとって魅力的で買いやすい売場を実現するには、周到な照明計画が欠かせない。特にファッション売場の照明は、店内イメージの活性化を図り、商品の色彩や質感を認識させるといった重要な役割を担う。売場照明には、次のようなタイプがあり、それぞれの効果を認識して、メリハリのある組み合わせでバランス良く展開する必要がある。

【ベース照明】

売場空間全体を、均一の明るさで照らす照明。

【タスク照明】

商品への注目度を高め、商品に関する情報を正しく伝え、スムーズに購買行動につなげるための照明。局部照明の手法を用いる場合が多い。

【ムード照明】

店の世界観を創出し、顧客に高揚感を与えるための照明。現在主流となっている

「ウォールウォッシャー」とは、壁面を光で洗うような照明手法を指し、壁の素材感を強調して店内イメージを高めたり、空間の広がりや奥行きを感じさせたりする効果がある。

【照度、輝度、色温度、演色性】

照明計画を立案する際は、照明の特性を表す用語及び単位を理解しておく必要がある。

- **照度**／対象物を照らす明るさの度合いを示し、単位はルクス（lx）である。業態や店の方針で異なるが、通常の売場では、店頭、店奥、店内の順に明るくする
- **輝度**／ある方向から見た物の輝きの強さの度合いのことで、単位はニト（nt）、またはカンデラ（cd/㎡）。商品を明るく見せるのに、程よいレベルの輝度は、顧客に快い刺激やきらめきを与える。輝度が高すぎるとグレア（眩しさ）となり、不快感や疲労感を与える。近年では、高輝度で長寿命、省エネのLEDランプが、白熱球やハロゲンランプに代わって普及している
- **色温度**／光源に含まれる青紫光と赤色光の相対的な強さを表す尺度のことで、単位はケルビン（K）。光色の色温度が低いと見え方が黄赤味がかり、落ち着いた雰囲気などの演出に適す。一方、色温度が高くなるほど青味がかり、さわやかなカジュアルイメージに適すといえる

2500K	4500K	6000K
静		動
落ち着き		躍動感
暖かい		涼しい
優しい		シャープ
朝・夕方		真昼
冬	春・秋	夏
アダルト		ヤング
高級品		普及品

図4. 色温度

- **演色性**／人工照明の光源の種類によって、商品や空間の色の見え方が、太陽の下での見え方と異なるため注意を要する。太陽光線下で見た色に近いほど「演色性がよい」となり、平均演色評価数（Ra）で評価する

ファッション造形知識

第3章 ファッション商品知識

1. アパレル商品の応用知識

アパレルは「商品部門→服種→アイテム（品目）→型」という順序で細分化され、商品部門には、レディスアウターウェア、メンズアウターウェア、ニットアウターウェア、ティーンズアウターウェア、子供服、ベビーウェア、インナーウェア、ルームウェア、ジーンズ、ワーキングウェア、学生服、レインウェアがある。

本２級テキストでは、３級テキストで解説されている商品部門については服種・アイテムを列記するにとどめ、３級テキストで解説されていないレディスとメンズのフォーマルウェアと、インナーウェア、ルームウェア、ワーキングウェア、学生服について説明する。

1 | レディスアウターウェアの服種・アイテム

レディスアウターウェア

服種	アイテム
ドレス（ワンピース）、コンビネゾン	エンパイアドレス、チャイニーズドレス、コートドレス、シャツドレス、カクテルドレス、スリップドレス、サックドレス、タンクワンピース、キャミソールワンピースなど
スーツ、アンサンブル	テーラードスーツ、チュニックスーツ、シャネル風ワンピース、サファリスーツ、シャツスーツ、カーディガンスーツなど
コート、ケープ、ポンチョ	ピーコート、トレンチコート、チェスターフィールドコート、プリンセスコート、ケープコート、ラップコート、Ａラインコート、ステンカラーコート、マント、ダッフルコート、モッズコート、ポンチョなど

ジャケット、ブレザー、ジャンパー、ブルゾン、スモック、ベスト	テーラードジャケット、ブレザージャケット、ボレロジャケット、ライダースジャケット、スタジアムジャンパー、ミリタリージャケット、マウンテンパーカ、セーラージャケット、カーディガンジャケット、クロップトジャケット、チロリアンジャケット、スペンサージャケット、ボンバージャケット、ダウンジャケットなど
ブラウス、シャツ	カシュクールブラウス、セーラーブラウス、スモックブラウス、フリルブラウス、シャツブラウス、ペプラムブラウス、ボーブラウス、キャミソールブラウス、ペザントブラウス、チュニックブラウス、ドレスシャツ、クレリックシャツ、ボタンダウンシャツ、タイカラーシャツなど
スカート	タイトスカート、Aラインスカート、ゴアードスカート、フレアスカート、サーキュラースカート、ギャザースカート、プリーツスカート、マーメイドスカート、インバーテッドスカート、ティアードスカート、ジャンパースカート、キュロットスカートなど
パンツ	スキニーパンツ、ベルボトムパンツ、フレアパンツ、サルエルパンツ、ニッカーボッカーズ、ショートパンツ、ジョドパーズ、カーゴパンツなど

2 | レディスフォーマルウェア

レディスウェア、メンズウェアとも、フォーマルウェアには正礼装、準礼装、略礼装の3つのドレスコードがある。そして、それぞれ時間帯によって、昼の礼装と夜の礼装がある。

正礼装は、格式高い結婚式及び披露宴、記念式典（創立記念、落成式など）、公式行事（叙勲、園遊会）、入学式、卒業式や、これらに準ずる着席パーティなどで着用する。

準礼装は、一般的な結婚式、披露宴、祝賀会の他、ホテルやレストランのビュッフェスタイルのパーティなどで着用する。

略礼装は、形式にこだわらない結婚式、披露宴や、平服指定のパーティ、クリスマスやバースデイパーティ、親しい人同士の集まりなどで着用する。

また、レディスフォーマルウェアの弔事用として着用される礼服は喪服で、ブラックフォーマルとも呼ばれている。喪服には、正喪服、準喪服、略喪服がある。葬儀・告別式では正喪服または準喪服が、通夜や急な弔間では略喪服が着用される。

正装（昼）
ウェディングドレス

正礼装（昼）
アフタヌーンドレス

正礼装（夜）
イブニングドレス

準礼装（昼）
セミアフタヌーンドレス

準礼装（夜）
セミイブニングドレス

喪服
ブラックフォーマルウェア

略礼装
ニューフォーマル

3 メンズアウターウェアの服種・アイテム

紳士服系

スーツ	テーラードスーツ、アンコンストラクテッドスーツ、ソフトスーツ、カントリースーツなど
コート	トレンチコート、チェスターフィールドコート、ステンカラーコート、ピーコートなど
ジャケット、ブレザー、ベスト	ブレザージャケット、ノーフォークジャケット、ハンティングジャケット、シューティングジャケットなど
パンツ	
ドレスシャツ	ドレスシャツ、ボタンダウンシャツ、クレリックシャツなど

メンズカジュアル系

スーツ、つなぎ服	ジャンプスーツ、ワークジャンプスーツ（つなぎ）など
コート	ダッフルコート、ランチコートなど
ジャケット、ブレザー、ジャンパー、ブルゾン、ベスト、ポンチョ	スタジアムジャンパー、ミリタリージャケット、マウンテンパーカ、スイングトップ、ウエスタンジャケット、ダウンジャケットなど
シャツ	ウエスタンシャツ、ミリタリーシャツ、サファリシャツ、ハンティングシャツ、ワークシャツなど
パンツ	

正礼装（昼）
モーニングコート

正礼装（夜）
テールコート

準礼装（昼）
ディレクターズスーツ

準礼装（夜）
タキシード

喪服
ブラックスーツ

略礼装（昼）（夜）
ダークスーツ

5 ニットアウターウェアの服種・アイテム

成形タイプ

セーター（プルオーバー、カーディガン）	クルーネックセーター、Vネックセーター、タートルネックセーター、ドルマンスリーブセーター、カーディガン、アーガイルセーター、チルデンセーター、アランセーター、フェアアイルセーター、カウチンセーター、ノルディックセーターなど
ニットスーツ、ニットドレス	ニットスーツ、セータースーツ、カーディガンスーツ、ニットドレスなど
ニットジャケット、ニットブルゾン、ニットベスト	
ニットスカート、ニットパンツ	

カットソータイプ

Tシャツ、タンクトップ、スウェットシャツ、スウェットパンツ	Tシャツ、タンクトップ、キャミソール、ベアトップ、スウェットシャツ、ジップアップパーカ、スウェットパンツなど
ポロシャツ、カットソーシャツ	ポロシャツなど

6 子供服、ベビーウェアの服種・アイテム

① 子供服

子供服には、3～5歳のトドラー、6～9歳のキッズがある。

トドラーには、ロンパース、Tシャツ、ワンピース、ボレロなどがある。

キッズには、ポロシャツ、半ズボン、ジーンズ、ジャンパースカート、ブラウスなどがある。

② ベビーウェア

ベビーとは、生後24カ月（0～2歳）までの乳児、赤ん坊のことで、インファントともいい、そのアウターウェア、インナーウェア、アパレル小物（帽子、手袋、靴下など）をベビーウェアという。

おくるみ、ベビードレス、オーバーオール、おむつカバー、ケープ、スモック、レギンスなどがある。

7 インナーウェア

① レディスインナーウェアの服種

一般的に衣服の下に着る衣類、つまり下着全般をインナーウェアと呼ぶ。これは、外の衣服を意味するアウターウェアに対して生まれた言葉である。略してインナーと呼ぶ場合もあるが、前述のようなジャケットインの別名としても使われるので注意を要する。

また、下着には他に、アンダーウェア、インティメートなどの呼び方もあり、インナーウェア業界では次のように分類する。最近は国内外で下着全般をランジェリーと呼ぶことも多い。

①－1. ファンデーション

ボディラインを整え、理想のプロポーションに近づけるためのアイテム。体に密着し補整することが目的のため、素材や構造には伸縮性とある程度の強度が必要。サイズが合ったものを正しく着用することが

不可欠である。

①－2. ランジェリー

機能性と装飾性を兼ね備えたアイテム。服の滑りを良くしたり、下着の色が透けたり、ラインがひびくのを防いだりする機能性がある他、華やかなレースや刺繍をあしらったものも多く、ファッション性も楽しめる。

①－1. ファンデーション

ブラジャー
カップの下辺に補整のためのワイヤーが入っているものと入っていないものがあり、カップの形態もさまざまなタイプがある。

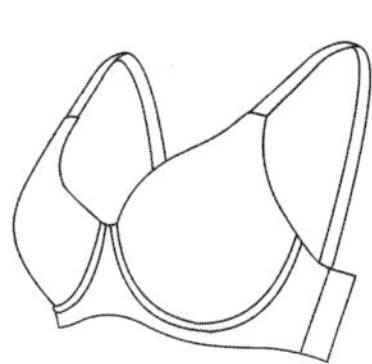

ガードル
ヒップアップしたり、下腹を押さえたり、ウエストを細くするなどの機能がある。

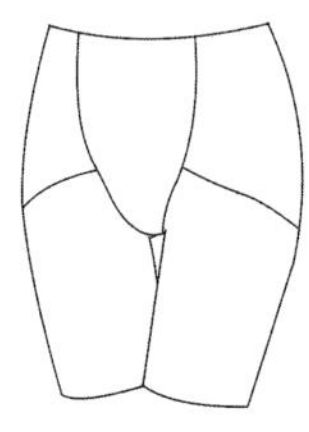

ボディスーツ
ブラジャーとウエストニッパー、ガードルの機能が1つに合体したもので補整機能が高い。

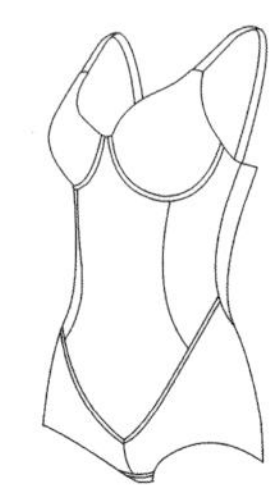

ガーターベルト
太ももまでのストッキングを吊るためのガーターが付いたベルト。

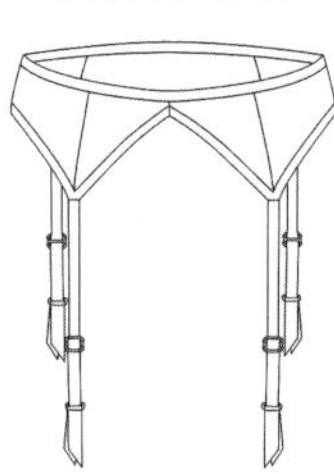

スリーインワン
ブラジャー、ウエストニッパー、ガーターベルトが1つに合体したアイテム。

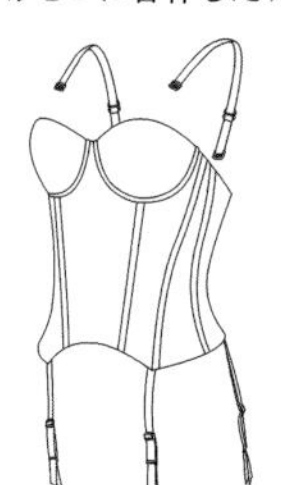

ウエストニッパー
ボーンや当て布でウエストを補整するもの。

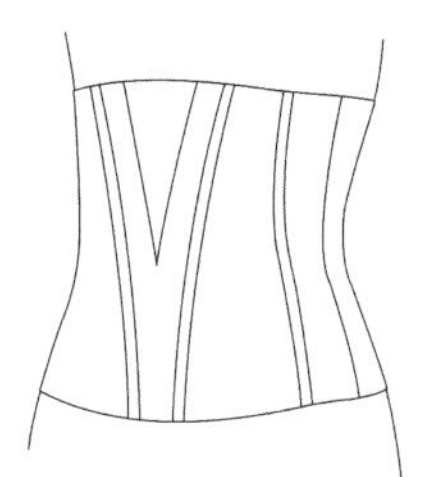

①－2. ランジェリー

スリップ
ワンピースの形をしており、袖付きやブラジャーと一体化したものなどもある。

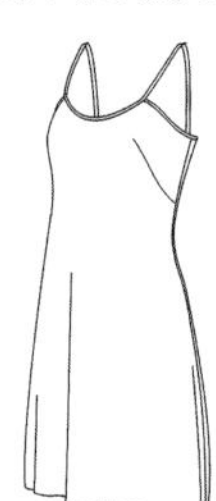

キャミソール
スリップを上半身部分のみにしたもの。

テディ
キャミソールとフレアパンツが1つに合体したもの。股部分が開閉できるものが多い。

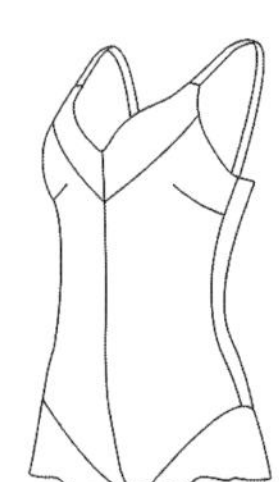

ペチコート
スカート型や、キュロットパンツ型、ショート丈のフレアパンツなどがある。

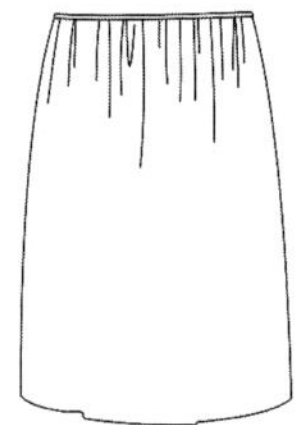

①－3. ニットインナー

保温や汗の吸収などを目的として着る肌着で、皮脂が服に付いたり、下着が透けるのを防いだりする役割もある。使用する素材は発熱、吸汗、速乾、保湿などさまざまな機能をもつものが多く、季節の変化などで選択する。

①－4. ショーツ

デリケートな部分を保護し、衛生的に保つもので、パンツ、パンティとも呼ばれる。はきこみ丈によって下図のように分類され、他にもヒップ部分がＴ字になっているソング（Ｔバック）や月経時にはくサニタリーショーツなどがある。

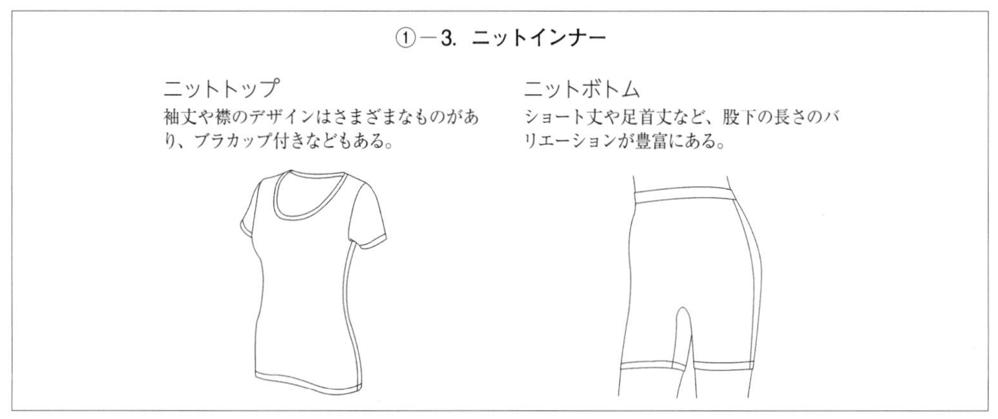

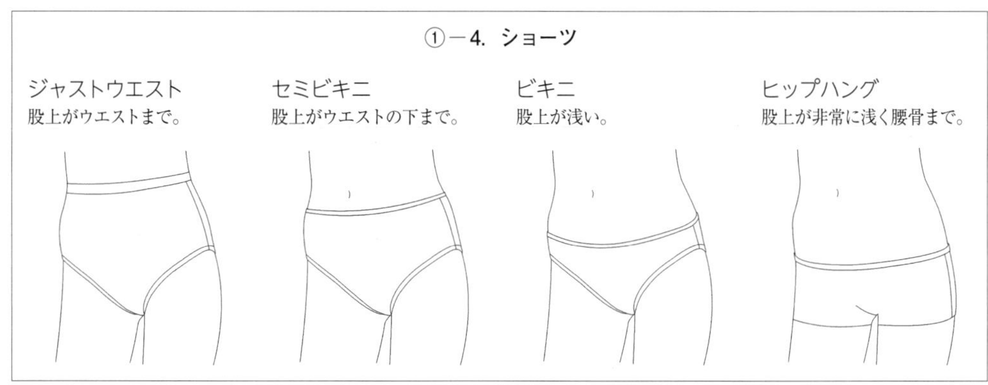

② メンズインナーウェアの服種

女性用と同様、衣服の下に着る衣類全般をインナーウェアと呼ぶ。昨今はファッション化が著しく、女性用に開発された素材を男性用に使用するケースも増えている。

②－1. パンツ

デリケートな部分を保護し、衛生的に保つもの。海外では呼び名が異なる場合もある。

②－2. シャツ

汗や皮脂の服への付着防止、保温などを目的に着る肌着。さまざまなデザインがあり、袖の長さなどで主に次頁の図のように分類される。

②－3. ボトム（ズボン下）

ズボンの下に着用し、ズボンの滑りを良くしたり、ズボンへの汗や皮脂の付着を防ぐ。

②－1. パンツ

ブリーフ
伸縮性のある素材を使用したＹ字型のパンツ。はきこみ丈が浅いものはビキニ、セミビキニと呼ばれ、それらの多くは前開きがない。

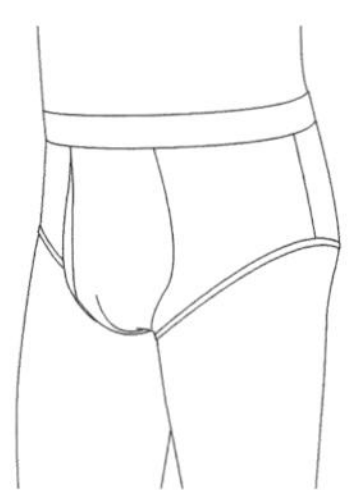

トランクス
織り生地を使用したボックス型のパンツ。同じ型でも、ニット生地を使用したものはニットトランクスとして区別することが多い。

ボクサーブリーフ
伸縮性のある素材を使用した、体にフィットしたボックス型のパンツ。さまざまなはきこみ丈があり、浅いものの多くは前開きがない。

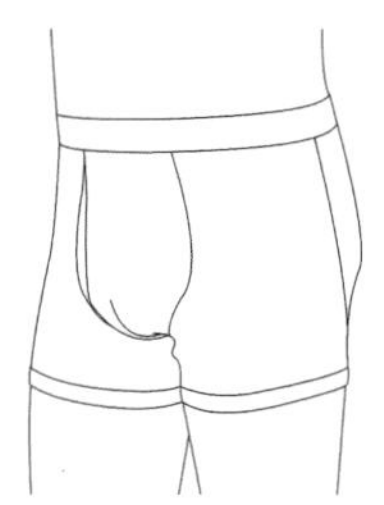

②－2. シャツ

半袖シャツ

長袖シャツ

ランニング（タンクトップ）

スリーブレス

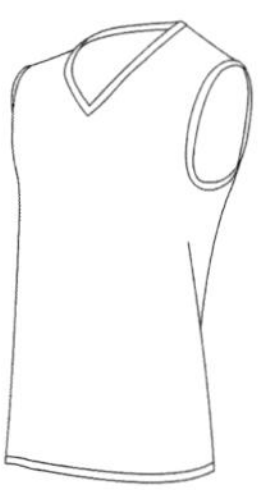

②－3. ボトム（ズボン下）

ステテコ（半ズボン下）
主に夏用の膝下丈のズボン下。クレープ素材が多かったが、最近は多様な素材が使われる。

タイツ（ももひき・長ズボン下）
主に冬に着用するくるぶしまであるズボン下で、防寒のために着用することが多い。

8 ルームウェア

ルームウェアは、部屋の中で着るアウターウェアの総称である。似た名称に、ホームウェア、ワンマイルウェアがあるが、これらは近所への外出に着用する場合があることを想定した商品で、外出に着ることのないルームウェアとは基本的に異なる。

- **リビングウェア（室内のくつろぎ着）**／ローブ（ラウンジウェア）、ペニョワール、バスローブなどがある
- **スリーピングウェア（寝室着）**／ネグリ

ジェ、パジャマ、ベビードール、ナイトシャツなどがある

- **キッチンウェア（炊事用、接客用の仕事着）**／エプロン、割烹着、サロン前掛けなどがある

9 ワーキングウェア、学生服

ワーキングウェアとは、作業服や事務服（オフィスウェア）など、職業用の衣服の総称である。現在はカジュアル系のウェアであるジーンズ、ジージャン、オーバーオール、ペインターパンツなども、もともとは作業服であった。現在のワーキングウェアは、職種別にさまざまなアイテムがある。

ワーキングウェアは、制服として着用される場合も多い。制服（ユニフォーム）とは、会社、学校、軍隊・警察、宗教関係、スポーツなど、特定の集団や組織に所属している者が着用することを目的に規定された服のことである。このうち、学生・生徒が着用する制服が学生服である。

10 シルエット、ディテールの知識

シルエットに関しては、基本的には３級テキストで解説している。

ディテールに関しても、基本的には３級テキストで解説しているが、本２級テキストでは、３級テキストで解説されていないプリーツについて解説する。

【プリーツ】

プリーツは、衣服に運動量をもたせたり、立体感を出したり、装飾性を表現したりするために付けられる「ひだ、折り目」のこと。スカートに最も使われる他、ブラウスやシャツの胸部の装飾、両脇や背中の中央の運動量付加にも用いられる。

一般に、折り山が直線的ではっきりしたものをプリーツといい、丸みのあるものはドレープまたはギャザー、折り山がはっきりしないものはタック、途中で消えるものはダーツというように区別される。

プリーツは、現在では加工が進む一方、織り・編みによっても表現され、さまざまなものが作られるようになってきた。名称は、ひだの取り方や形によって多様であり、代表的なものを挙げると下図のようになる。

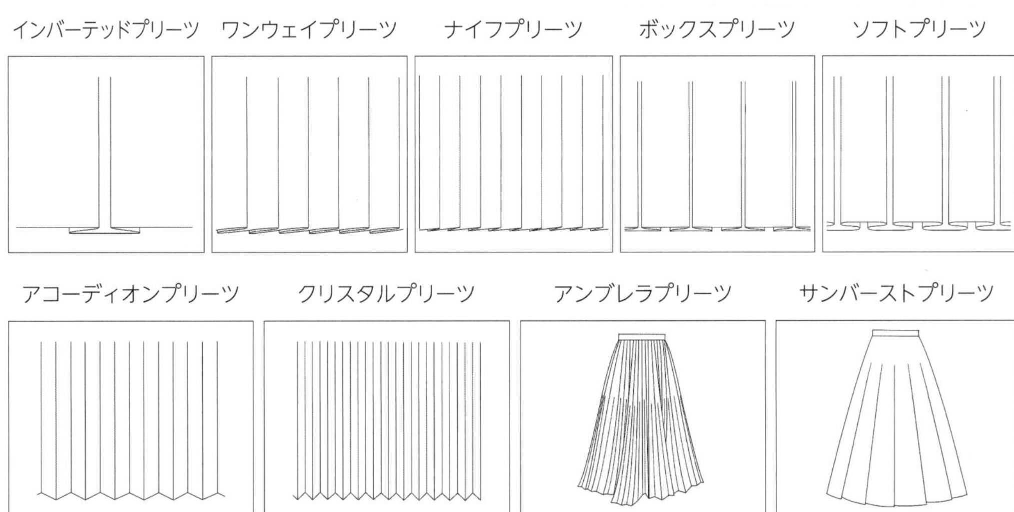

2.　服飾雑貨の商品知識

1 │ 服飾雑貨の分類

アパレルに限らず、あらゆる衣服は、着用するときに、装飾用、あるいは実用を兼ねたさまざまな服飾雑貨をコーディネートパーツとして併用することが多い。

服飾雑貨は広義にアクセサリーとも呼ばれる。大きくは繊維製服飾雑貨（アパレル小物）、装身具（狭義のアクセサリー）、シューズ、ベルト、バッグなどの商品部門に分けられ、さらに形状や素材、身につける箇所などによって、さまざまな品種、アイテムに細分される。

2 │ ネクタイ

襟首の回りに結ぶ帯状または紐状の布のことで、「タイ」とも称され、主として紳士のビジネススーツやフォーマルウェアのコーディネートパーツに使われるが、カジュアルウェア、スポーツウェアにも、またレディスアウターウェアや子供服でも、同様の使い方をすることがある。

ネクタイは、大きく次のように分類される。

① 結び下げタイプ

一般にネクタイといわれているのがこれで、フォア・イン・ハンド・タイ、スクエアエンドタイなどがある。フォア・イン・ハンド・タイは締めたとき、結び目から先端までの長さが掌（てのひら）の約4倍あることによる。ダービータイ、幅タイともいわれる。スクエアエンドタイは、剣先が水平にカットされた結び下げるタイプで、代表的なものにニットタイがある。

② ボータイ

蝶型に結ぶネクタイで、蝶ネクタイともいう。自分で結ぶものと、作り付けのものがある。

③ アスコットタイと変形タイ

アスコットタイの他、クロスタイ、ストックタイ、リボンタイなどの変形タイがある。

3 │ 靴下

レッグニットは、一般には靴下と呼ぶ。

靴下は丈の長さで区分され、膝下までのも

フォア・イン・ハンド・タイ
ダービータイ

スクエアエンドタイ

ボータイ

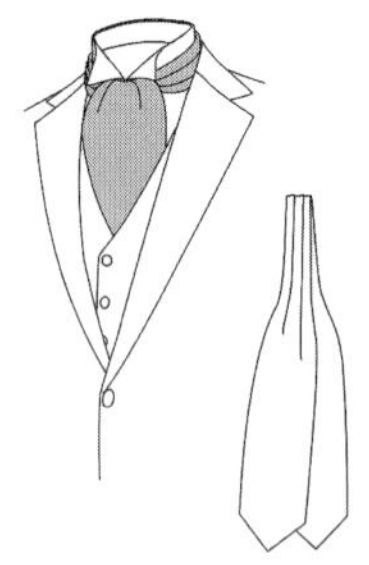
アスコットタイ

図5. ネクタイ

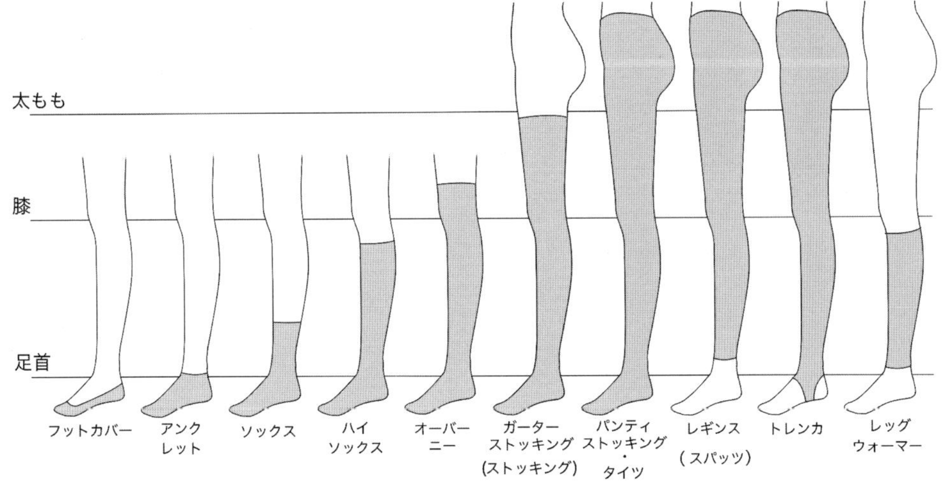

図6. 靴下の丈の名称

のをソックス、薄地で膝下からもも丈までのものをストッキング、ストッキングにパンティ部が付いた薄地のものをパンティストッキング、厚地のものをタイツという。変わり型として、フットカバー、レッグウォーマー、レギンス（スパッツ）、トレンカなどがある。

4 | 手袋

手袋は、丈や形状によって分類される。業界では縫い手袋、編み手袋、革手袋、作業手袋に分類する。

5 | 帽子

帽子は、防寒、日除け、頭の保護などの実用機能や、身分、階級、宗教的権威の象徴機能をもつものとして用いられてきたが、現在ではコーディネートパーツとしての機能が重視されている。

帽子は、ハットとキャップに大きく分けられ、変わり型としてターバンやフードなどがある。

① ハット

ブリム（つば）とクラウン（帽子の山の部分）がある帽子をいう。女性用では、キャプリーヌ、クローシュ、ブルトンなどが、男性用では中折れ帽（ソフトハット）、シルクハットなどがある。

② キャップ

ブリムがないか、前部だけに付いていて頭にフィットする帽子をいう。ブリムのないものでは、ベレー、トーク、前部だけ付いているものでは、ハンチング、ベースボールキャップなどが代表的である。

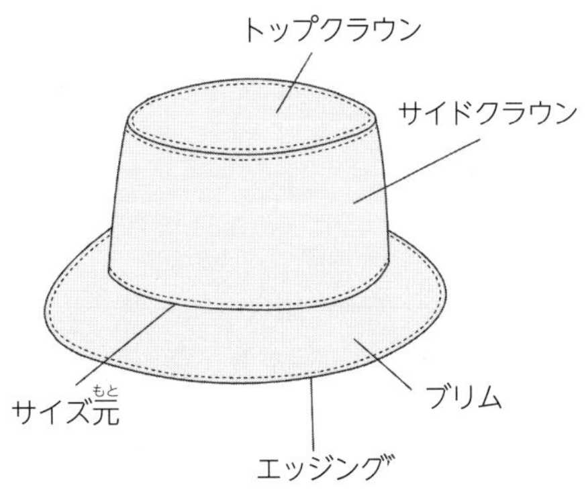

図7. ハットの部位の名称

図 8. 帽子の種類

6 スカーフ、ハンカチーフ類

① スカーフ

絹、アセテート、ポリエステル、ナイロンが主に使われ、組織はサテン、シフォン、クループデシン、ジョーゼットなどである。ほとんどはプリントもので、大きさは 90cm 正方が主流だが、ビッグサイズの正方形や長方形などのものものある。

② ストール

婦人用の細長い肩掛けのことで、絹、ウール、カシミアなどの織物製の他、ニット製、毛皮製のものもある。

③ マフラー

素材は、絹、ウール、カシミアなどの織物製の他、ニット製のものもある。

④ ハンカチーフ

素材は、綿、麻が主体で、レース、刺繍、タオル（パイル）、ガーゼ及び絹ハンカチなどの種類がある。

⑤ バンダナ

絞り染めや更紗（さらさ）染めの綿製大型ハンカチーフのことで、首に巻いたりして用いる。

7 装身具、宝飾品

① 装身具

装飾として身体や衣服につけるアクセサリーを装身具（オーナメント）と呼ぶが、一般にアクセサリーは装身具を指すことが多い。

装身具には、イヤリング、ピアス、ネックレス、ペンダント、ブローチ、コサージュ、ブレスレット、アンクレット、リング、ヘアアクセサリーなどがある。

この他、スポーツアクセサリーも装身具に分類される。

② 宝飾品（ジュエリー）

宝石、貴金属を用いた、高額な装身具や腕時計などを宝飾品（ジュエリー）という。

宝石とは、鉱物のうち、色が美しく、硬度に優れ、産出量が少なくて資産価値のあるものを意味する。代表的なものに、ダイヤモンド、エメラルド、ルビー、サファイア、パール（真珠）、翡翠などがある。

貴金属は金、銀、プラチナが代表的である。

8 ベルト

ウエストや腰回りに締める紐状の服飾雑貨のことで、普通、バックルで留めるようになっている。ベルトの材料には、皮革、人工皮革、繊維生地、金属、プラスチックなどが用いられる。なお、サスペンダー、ガーターベルトもベルトの仲間である。

9 バッグ、かばん、袋物、革小物

これらはもともと物を入れて運ぶための実用品であったが、現代では装飾機能を併せもつ服飾雑貨としての要素が強くなっている。ヨーロッパのラグジュアリーブランドには、これらをルーツとするブランドも多い。

現在では、かばんはトラベル用、ビジネス用、スクール用、スポーツ用に、バッグ（袋物）はハンドバッグ、ウエストポーチ、オープンバッグに、他に袋物（狭義）、革小物などに分化している。

また英語では、ショッピングバッグ、トートバッグ、ハンドバッグなどの袋状のかばんにはバッグという言葉が付き、ブリーフケース、アタッシェケース、スーツケースなど固い箱状のものにはケースが付いている。他に、デイパック（リュックサック）のように、袋をサックとかパックという言葉で表したものもある。

これらのかばん、バッグ、袋物、革小物の材料には、皮革、人工皮革、繊維生地、金属、プラスチックなどが用いられている。

10 シューズ（靴）

靴は、レディスシューズ（婦人革靴）、メンズシューズ（紳士革靴）、ケミカルシューズ、ゴム靴、スポーツシューズなどに分けられる。

レディスシューズには、パンプス、ウォーキングシューズ、サンダル、ミュール、ブーツなどがあり、用途やシーズンによって異なってくる。

メンズシューズには、紐付きのオックスフォードタイプ、簡単に履けるスリッポンタイプ、ブーツタイプ、スニーカータイプなどがある。

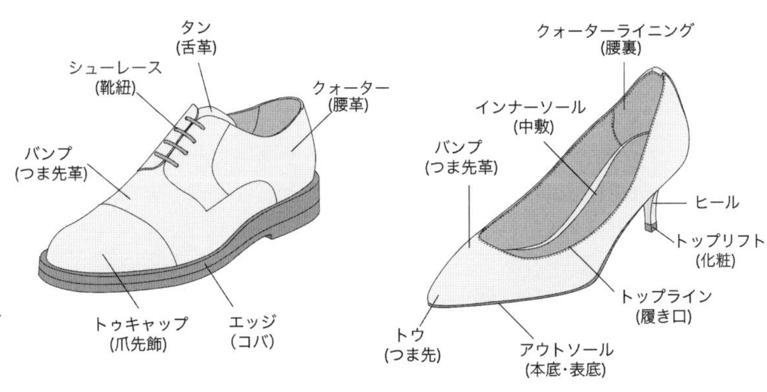

図 9. 靴の各部名称

トランク
ガーメントケース
スーツケース
ボストンバッグ
アタッシェケース
ダレスバッグ
ブリーフケース
デイパック
(リュックサック)
トートバッグ
クラッチバッグ
シャネル風バッグ
ケリー風バッグ
ウエストバッグ
ウエストバッグポーチ
ポシェット

図 10. バッグ、かばん

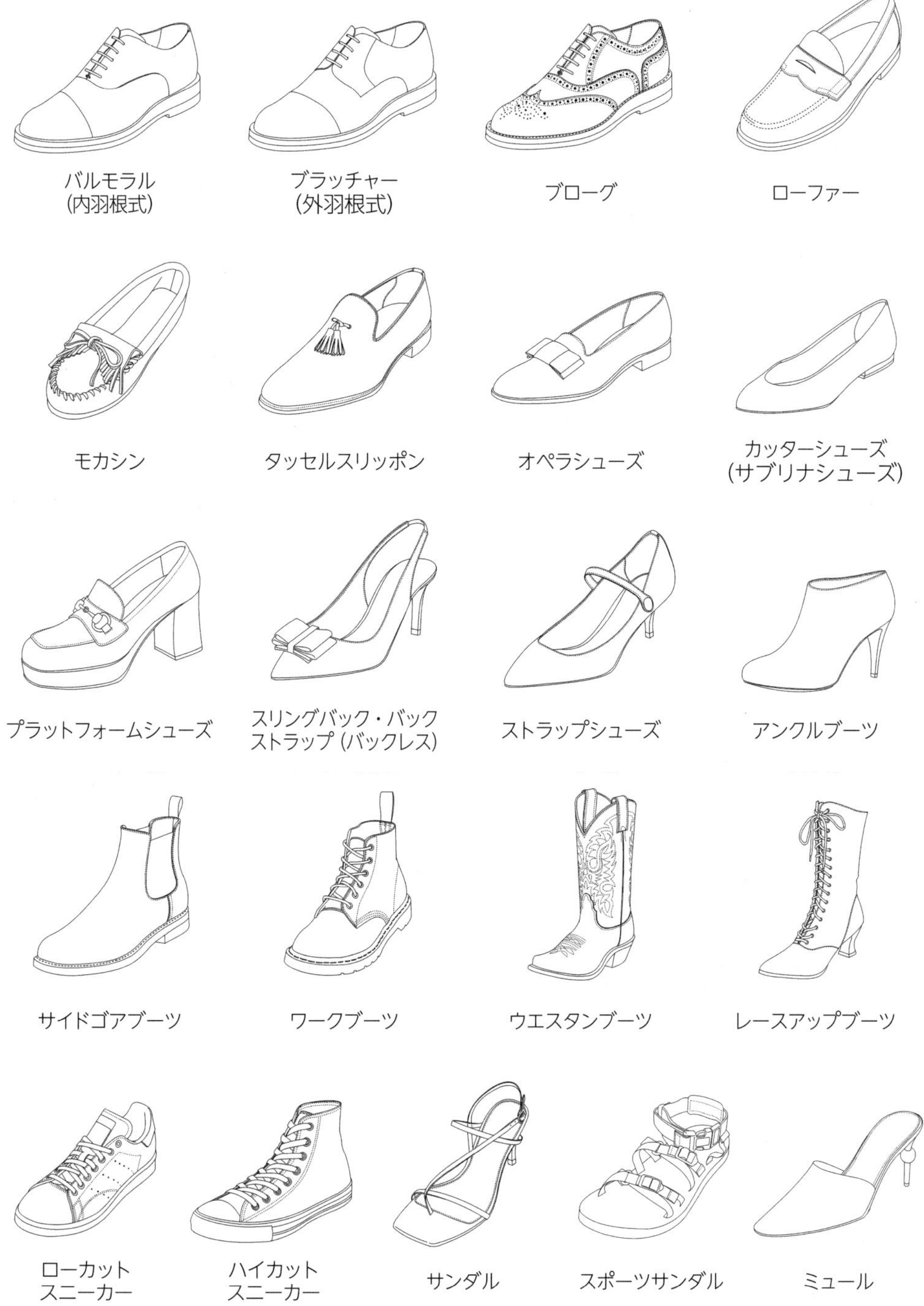
バルモラル
(内羽根式)
ブラッチャー
(外羽根式)
ブローグ
ローファー
モカシン
タッセルスリッポン
オペラシューズ
カッターシューズ
(サブリナシューズ)
プラットフォームシューズ
スリングバック・バック
ストラップ(バックレス)
ストラップシューズ
アンクルブーツ
サイドゴアブーツ
ワークブーツ
ウエスタンブーツ
レースアップブーツ
ローカット
スニーカー
ハイカット
スニーカー
サンダル
スポーツサンダル
ミュール

図11. シューズ(靴)

3. 品質、サイズの専門知識

1 | 日本のサイズ

① JIS 衣料サイズ

日本人のサイズは、経済産業省所管の国家規格であるJIS（日本工業規格：Japan Industrial Standard）で決められている。

日本人の体型に合わせて生産されている既製服の寸法は、衣料サイズ規格（JIS L 4001～4007）で決められており、「乳幼児」「少年用」「少女用」「成人男子用」「成人女子用」「ファンデーション」「靴下類」のサイズの7種類がある。

婦人服を例にとると、「JIS規格の成人女子用衣料サイズ（JIS L 4005：2001）」の中で、基準となるバスト寸法、ヒップ寸法、身長などを示す数字と記号によるサイズ表示が規定されている。

サイズ表示には「体型区分表示」「範囲表示」「単数表示」の3通りがある。フィット性を求められるスーツやジャケット、コートのように、対応するバスト、ウエスト、ヒップの寸法と身長の表示を必要とする服種には「体型区分表示」が使用される。

バスト寸法と身長の表示またはバスト寸法のみで表示できるドレスやブラウス、あるいはウエストとヒップの寸法、またはウエスト寸法だけで表示できるスカートやパンツの表示など、フィット性を求められない衣料に使用されている表示を「単数表示」と呼んでいる。

また、Tシャツやフリーサイズに近いフィット性を必要としない服種ではS、M、L、LL、3Lといった「範囲表示」が一般的に使用されている。Mサイズはバスト寸法が79～89cm、Lサイズでは86～94cmといった着用可能な寸法の範囲が示されているのが「範囲表示」である。

② JIS 成人女子衣料の標準体型

3通りのサイズ表示の中でも最も詳しい表示方法である「体型区分表示」を理解するには、標準サイズの寸法を記憶する必要がある。成人女子の標準サイズとされる「9AR」サイズの場合、先頭の「9」は対応する身体のバスト寸法が83cmであることを示しており、「A」は日本の成人女性の中で、それぞれの身長とバスト寸法を組み合わせたときに出現率が最も高いヒップ寸法の組み合わせをもつ体型であることを示している。「R」は身長が158cmで、普通を意味するレギュラー（Regular）の略である。

③ JIS 衣料サイズ記号の意味とサイズピッチ

サイズ表示の先頭にあるバスト寸法を表す数字は3・5・7・9・11・13・15・17・19・21と奇数で表示されており、3～15の間は3cmピッチ（間隔）、15～21の間は4cmピッチで増減する。

中央の英文字はバストとヒップのバランスを重視した体型を表現しており、A体型、Y体型、AB体型、B体型の4種類に分類されている。同じバスト寸法で体型が変わるとヒップ寸法が変化する。例えば9ARのヒップ寸法は91cmであるが、9YRのヒップ寸法は4cm小さく87cm、9ABRは4cm大きくて95cm、9BRは8cm大きい99cmとなり、同じバスト寸法では4cmのピッチでヒップ寸法が変化する。

右側の英文字は身長を示すので、Rが身長158cm、Pが身長150cm、PPが身長142cm、

Tは身長166cmと、8cmのピッチで身長が変化する。

以上のように、標準サイズ「9AR」はバスト83cm、ヒップ91cm、身長158cmを表している。10代、20代の場合のウエストは64cmだが、ウエスト寸法は年代別に異なる。

2 輸入商品のサイズ

JISに関係する規格にISO（国際標準化機構：International Organization for Standardization）がある。JISが日本の標準化機構であるのに対し、ISOは世界共通の国際規格を決めている。自由貿易が行われるようになり、JISも世界の工業規格に合わせる必要に迫られ、改定が積極的に進められた結果、2016年12月1日より衣類等の洗濯表示が改定された。

衣料品のサイズにおいても国際規格の制定に向けた会議が行われているが、国による体型の違いが大きく、国際規格の制定は難しいため、諸外国においても独自の衣料サイズ表示となっている。

3 組成表示、取扱い表示、原産国表示

「家庭用品品質表示法」は、消費者保護のために1962年に制定された法律で、一般消費者が製品の品質を正しく認識し、その購入に際し不測の損失を被ることのないように事業者に家庭用品の品質に関する表示を適正に行うよう要請し、一般消費者の利益を保護することを目的に制定された。

家庭用品の品質表示の方法などを定めた法律で、繊維品については、繊維の組成、取扱い方法（洗い方、塩素漂白の可否、アイロンのかけ方、ドライクリーニング、絞り方、干し方）、収縮性、撥水性などに関して、「繊維製品品質表示規程」で表示の方法などが詳細に決められている。

なお、同法に基づいて合成樹脂加工品、雑貨工業品（かばん、洋傘、サングラス、合成洗剤、ショッピングカートなどを含む）などの表示規程も定められている。

① 組成表示

製品に使用されている繊維ごとに、その製品全体に対する質量割合を「%」で表示する方法である。また、製品の部位を分離

表2. 日本と諸外国とのサイズ比較表

日本	7 (80)	9 (83)	11 (86)	13 (89)	15 (92)	17 (96)	19 (100)	21 (104)	23 (108)
アメリカ	XS	S		M		L		LL	
	4 (84)	6 (86.5)	8 (89)	10 (91.5)	12 (95)	14 (99)	16 (103)	18 (108)	20 (113)
イギリス	8 (80～85)	10 (84～89)	12 (88～93)	14 (92～97)	16 (97～102)	18 (102～107)	20 (107～112)	22 (112～117)	24 (117～122)
フランス	36 (84～92)	38 (87～95)	40 (90～98)	42 (93～101)	44 (96～104)	46 (99～107)	48 (103～112)		

※（　）内の数字はバスト寸法（cm）

してわかりやすく示し、それぞれの部位について、当該部位の組成繊維であるすべての繊維の名称を示す用語に対し、それぞれの繊維の当該部位の組成繊維全体に対する混用率を%で示す数値を併記して表示する方法である。

表示するにあたり、同じものを麻やリネン、ラミーなどと異なる表現にしては消費者にわかりにくいため、繊維の種類の表現方法を統一した「統一文字」が決められている。

その他、使用繊維ごとの混用割合を質量%で表示した「混用率表示」、経糸と緯糸の繊維の種類が違う場合や、裏生地付きやボンディングファブリックなどの場合は表生地と裏生地を分けて表示する「分離表示」、表示者の正しいフルネーム（登録社名）または繊維製品表示者番号承認規程による承認番号（経済産業大臣承認）を組成表示に併記しなければならない。

② 取扱い表示

繊維製品品質表示規程により定められた取扱い表示は、衣料品の取扱い上家庭洗濯などで失敗し損害が発生しないように情報を表示することを取り決めた規程であり、表示方法は、JIS L 0001「繊維製品の取扱いに関する表示記号及びその表示方法」で定められている。

繊維製品の洗濯等の取扱い方法に関する洗濯表示記号、表示方法及び試験方法は国際規格に整合するように2016年12月1日に改定された。新しいJISでは取扱い表示が新しくなり、種類が22種類から41種類に増え、繊維製品の洗濯の取扱いに関するきめ細かな情報提供が可能となった。また、洗濯表示記号が国内外で統一されることによって、利便性向上が期待されている。

③ 原産国表示

公正取引委員会所管の不当景品類及び不当表示防止法の衣料品の規定表示が「原産国表示」である。原産国表示は、衣料品の吊りラベルや包装箱など、商品購入時にわかりやすい箇所に表示しなければならない。

衣料品における原産国とは、縫製品の場合には縫製した国、縫製しない編立て製品の場合は編立てした国となる。

原産国表示は日本語で表示され、「(株)○○製造」「日本製」または「国産」の文字を使用する。外国製の場合は、「イタリア製」など商品を生産した国名に「製」を付けて表示する。また、他国で製造し国内で加工した場合には「縫製 ベトナム、染色 日本」と表示することができる。この場合に「日本製」と表示することはできない。

輸入品については、「MADE IN ITALY」と書かれている場合、他に吊りラベルなどで日本の商標名など日本文字やイタリア以外の文字が使用されている場合は、日本文字で改めて「イタリア製」と表示する。原産国表示は、表示箇所が目立たない場合や誤認されそうな場合なども不適当と判断されるため、適正な表示が求められる。

4 品質試験の仕組み

工業製品において、品質を保つことは大きな課題である。1995年7月1日から施行されている製造物責任法（PL法）により製造物の欠陥により障害が生じた場合には製造業者等の損害賠償責任が求められる。

アパレル製品においては、設計品質や材料の品質、工場の加工品質など、さまざまな要素が複合的に関わってくる。そのため、素材の段階では原料の物性を調べたり、染色や加工に至るまで人体に対する影響や、素材自体の品質を確認するため「染色堅牢度」「強度」「寸法変化」などの試験が行われたり、素材において一定の基準に達しているかを検査する。

4. 素材の応用知識

1 | 素材知識の重要性

アパレルデザインを商品として完成させるとき、使用するアパレル素材（マテリアル、テクスチャー）の選択が重要である。シルエット、ディテール、カラーなどがイメージ通りのデザインは、適切な素材選びをすることで実現できる。素材によって異なる風合いをもつため、それぞれの特徴の理解が、商品価値を高める工夫をしていくことにつながる。

アパレル素材として、天然繊維だけが使用された時代が長く続いたが、約100年前に化学繊維の製造が始まった。その後、再生繊維、半合成繊維、合成繊維にさまざまな種類が作られるようになった。現在は、再生繊維に環境に配慮した繊維が加わり、天然繊維の模倣から始まった合成繊維にも、天然繊維を超える新素材が次々と開発されている。このような時代では、さらに素材の重要性が増し、商品の価値を素材が決定する場合も少なくない。形態安定素材は、商品開発がデザイン開発ではなく素材開発によって実現した例である。

また、クールビズやウォームビズなど社会的な取り組みの一環として、身近な素材に関心がもたれる機会も増加し、新素材の開発による商品開発が行われる形が定着してきている。それぞれの目的に応じた糸や生地も提供されるようになった。

素材により付加価値が加わった現在、選択肢も増え、関心も高まってきたといえる。商品企画、生産、物流、販売に携わる人は、素材についての高度な知識をもつことが、消費者に商品価値を伝えるために重要である。

2 | 素材の基礎知識

一般に素材というときは、繊維の素材を指す場合と、糸や生地を指す場合があり、両方についての基本的な知識が素材の基礎知識である。この基礎知識としては、次のことを十分に理解しておきたい。

- **繊維の種類**／天然繊維、化学繊維に属するすべての繊維名、統一呼称、ブランド名、メーカー名、特徴、取扱い方、長繊維（フィラメント）と短繊維（スパン、ステープル）、繊維長など
- **糸の種類**／糸の太さの呼称（番手、デニール）、長繊維糸（フィラメントヤーン）と短繊維糸（紡績糸、スパンヤーン）、混紡糸と混織糸、糸加工、かさ高加工糸、撚糸（ねんし）、意匠撚糸、中空糸、異形断面糸、コアヤーン、コンジュゲートヤーンなど
- **生地の種類**／織物、ニット、組物、レース、不織布、フェルト、合成皮革と、それぞれに属する生地名、組織、特徴、機械の種類、生地幅など
- **生地加工の種類**／起毛、フロック、し

わ、ワッシャー、光沢、モアレなどの表面変化加工や、機能性を付与する加工

- **染色の種類**／原料染め、糸染め、浸染（しんせん）（生地染）、捺染（なっせん）（プリント）、製品染め、抜染（ばっせん）、防染、一浴染め、転写プリントなど

3 素材の専門知識

繊維の種類（天然繊維、化学繊維など）や素材の種類（織物、編物）に関する基礎知識を踏まえたうえで、それをアパレルとしてどのように利用し、最大限に表現して魅力ある商品の開発につなげていくかが重要である。

4 染色・仕上げ加工

繊維製品の多くは通常、着色の目的で染色され、さらに用途に適した性能をもたせるためにさまざまな仕上げ加工が施される。

① 準備工程

染色・仕上げ加工に先立ち、これらの工程をスムーズに、より美しく均一に仕上げるために行われる準備工程には次のようなものがある。

- **毛焼き**／糸や布の表面の毛羽をガスバーナーや電熱器などで焼いて取り除き、染料や薬品、仕上げ加工剤の浸透を良くする
- **糊抜き・精練**／布を織る工程で用いた糊剤、繊維にもともと含まれる不純物、紡糸・紡績・編織工程で付着した油や汚れを取り除き、染料や薬品、仕上げ加工剤の浸透を良くする
- **漂白**／繊維の色素を漂白剤で化学的に分解して除去し、染料の発色を良くする

これらの工程の後、繊維によって異なる加工が行われる。例えば、セルロース系繊維のシルケット（マーセル）加工、羊毛繊維のクリアカット仕上げ加工、ミルド仕上げ加工、合成繊維のリラックス処理、アルカリ減量加工、ヒートセット処理などである。

② 染色工程

天然繊維の多くは原料の繊維を紡績して、化学繊維の多くは原料の液体（紡糸原液）を紡糸して、糸を作る。糸を編織して布が作られ、布を縫製してアパレル製品が完成する。染色はこれら製造工程の各段階で行われる。紡績前に短繊維の状態で染色することを「原綿染め」「原毛染め」、トップ（紡績前の毛繊維を棒に巻き取った太い束状のもの）の段階で染色することを「トップ染め」、化学繊維の紡糸原液を着色することを「原液染め」といい、これらをまとめて「原料染め」という。糸の段階で染めることを「糸染め」、布の状態で染めることを「布染め」、縫製、編みが終わり、ボタン付けなどをする前の半製品の状態で染めることを「製品染め」という。

また、原料染めと糸染めは布を織る前に染色するので「先染め」といい、布染めと製品染めは布を織った後に染色するので「後染め」という。

③ 着色材料

染色に用いる着色材料として、染料と顔料がある。染料は繊維に対する親和性があり、水や溶剤に溶けて繊維内部に吸収され染着する。

染料には植物や昆虫、貝など自然界にあるものから得られる天然染料と、石油などを原料として化学合成によって作られる合

成染料とがある。現在、繊維製品に工業的に使われているのは、ほとんどが合成染料である。合成染料は、化学構造上の特徴または染色性の特徴によって分類される。染料の中で、蛍光染料（蛍光増白剤）は色をもたず、紫外線を吸収して青色の蛍光を発することで被染物をより白く見せる染料である。

一方、顔料は繊維に対する親和性をもたず、水や溶剤に溶けにくいので繊維内部に吸収されることはない。繊維表面に付着するだけで、顔料単独では染着しにくいので、バインダーとともに用いられる。繊維製品の染色には多くの場合、染料が使われる。

5 染色方法

① 浸染

染料と場合によっては助剤（染色を助けるための薬剤）を溶かした溶液（染浴）に被染物を浸漬し、攪拌して染色する方法が「浸染」である。基本的には無地染めであるが、糸や糊、ろうなどで防染して浸染することで模様を作ることができる。絞り染めは糸で、ろうけつ染めはろうで防染する方法である。浸染には染色、乾燥、加熱による染料固着の全工程を連続して行うパッド式（連続式）と、染色のみを行うバッチ式（非連続式）がある。

② 捺染

バインダーの働きをする捺染糊と顔料を混ぜた色糊を、熱や蒸気で被染物に固着して染色する方法が「捺染」である。基本的には模様をつけるための型を用いる。捺染の一般的な工程は、「デザイン→色分解→製版→色糊作製→印捺→固着（スチーミング）→脱糊（水洗・ソーピング）→乾燥」である。捺染の方法には、模様部分に色糊を直接印捺する直接捺染法と、抜染、防染によって染まらない部分を作ることで間接的に模様にする間接捺染法がある。

i）直接捺染法

「ローラー捺染」は、銅製ロールを彫った凹部に色糊を詰めて布の上を回転させ、印捺する方法。「スクリーン捺染」は、スクリーン型を用いる方法である。スクリーン上に置いた色糊を人の手でスキージング（へら＝スキージを使って広げる）で印捺する「ハンドスクリーン捺染」と、エンドレスベルト上にセットした布を自動的に移動させ、スクリーンを上から押し当てて、色糊をスキージングするという一連の工程を自動的に行う「オートスクリーン捺染」、円筒形のロールに巻き付けたスクリーンを用いてオートスクリーン同様に自動で印捺する「ロータリー捺染」がある。現在主流はロータリー捺染である。

日本の伝統工芸である「型友禅」は、型紙を用いた捺染といえる。「転写捺染」は、転写紙に昇華しやすい分散染料で印刷した模様を高温で昇華させて布に転写する。「インクジェット捺染」は、インクジェットプリンターと同様の原理で、ジェットノズルからインクを布に直接噴射する。コンピュータと連動させ、コンピュータに取り込んだ画像をほぼそのまま再現できる。

ii）間接捺染法

染色された布に抜染剤を含む糊を印捺して染料を分解脱色する「抜染」、未染色の布に防染剤を含む糊を印捺してから染色する「防染」、可抜染料を未固着の状態で浸透させた布に抜染剤を含む糊を印捺してから染料を加熱固着する「防抜染」がある。

6 仕上げ加工工程

繊維製品に美しさ、快適性、耐久性、取扱いやすさなどの付加価値を与えるためにさまざまな仕上げ加工が施される。基本的なものから最近よく見聞きするものを含め、いくつかを取り上げる。

① 風合いを変化させる加工

- **柔軟加工**／柔軟剤（界面活性剤や樹脂など）の浴に浸漬する。滑らかでしなやかな風合いを与える
- **シルクライク、レザーライク**／シルクライクは、ポリエステルの断面をシルクと同じ三角形にすることで、シルク同様の風合いをもたせたもの。レザーライクは、合成繊維で天然皮革（レザー）の構造を模して作られる
- **メルトン、ベロア、ビーバー**／羊毛の縮絨（しゅくじゅう）を利用した加工。縮絨後の毛羽（けば）を、「メルトン」は絡ませて表面を覆い、「ベロア」は起毛後に揃えて切って光沢を与え、「ビーバー」は起毛後に揃えて切った後でプレスして一定方向に伏せる

② 外観を変化させる加工

- **つや出し加工**／布の表面に光沢をもたせる加工。ローラーで加熱加圧するカレンダー加工やシュライナー加工、加湿加圧するプレス加工、樹脂を付けて加圧するDG加工などがある
- **モアレ加工**／モアレはフランス語で「波紋様」のこと。波状または木目状の模様を彫刻した金属ロールでプレスして、布にこれらの模様を出す加工
- **フロック加工**／布に接着剤を塗布し、短く切断した繊維（フロック）を高圧の静電気によって垂直に立たせて接着する
- **エンボス加工**／凹凸模様を彫った２本の金属ロールの間に布を通してつけた模様を熱で固定する
- **リップル加工**／セルロース系繊維（綿・麻・レーヨン）を高濃度の水酸化ナトリウムなどのアルカリで処理して収縮させてリップル（さざ波）模様を作る
- **オパール加工**／耐薬品性の異なる複合糸を用いた布に、一方の繊維を溶解させる薬剤を含む糊を熱固着し、その部分を溶解除去して透かし模様を作る加工

③ 機能性を付与する加工

- **形態安定（防縮、防しわ、W＆W：Wash & Wear）**
- **防水加工**
- **撥水（はっすい）加工**
- **透湿防水加工**／布に、水蒸気は通すが水滴は通さない大きさの孔を持つ樹脂またはフィルムをコーティングする。撥水加工より防水性が高く、通気性と透湿性も失われない
- **抗菌防臭加工**／微生物の増殖による悪臭の発生を抑える加工
- **UVカット加工**／紫外線を吸収する物質（酸化チタン、特殊セラミックなど）を繊維に練り込む、またはコーティングする
- **吸水（汗）速乾**／吸水性はないが速乾性の高いポリエステル中空糸にする、多重構造にするなどの方法で吸水性を高くする
- **吸湿発熱**／吸湿による発熱（吸着熱）の大きいアクリレート系繊維の使用、または吸着熱の大きい加工剤をコーティングし、皮膚から発散する水分を熱に変換する

④ ガーメントウォッシュ（製品洗い）

新品のジーンズを着古した感じにするために、縫製後に洗濯して表面の色を落とす加工。プラスチックの石状のものなどと一緒に洗うストーンウォッシュ、ケミカルウォッシュ、サンドブラスト、バイオウォッシュなどがある。

7 染色物の堅牢性

染色物は、生産、流通、使用の過程で、外的刺激を受ける。これらに対する染料の抵抗性を堅牢性という。堅牢性の程度を堅牢度といい、JIS に定められた方法によって試験され、数値で評価される。

8 皮革の知識

皮革を使用した製品には、アパレル、靴、バッグ、ベルト、手袋などのファッション製品の他、スポーツ用品、自動車のシート、家具など数多くある。

これら皮革製品の素材は革（レザー）であり、革の原料は生皮（厚くて重いハイド、薄くて軽い皮がスキン）である。生皮を腐らないように、なおかつしなやかさを失わないように「なめし」という技術を使う。

原皮（げんぴ）には、哺乳類、爬虫類、両生類、鳥類、魚類などの皮が使用される。

① 革の製造工程

革の製造工程は、

ⅰ）準備工程（原料皮の不要物を取り除く）
ⅱ）なめし工程
ⅲ）仕上げ工程（乾燥、染色、オイル添加などをして、表面加工する）

に大別される。

〔表面加工〕

- **アニリン革**／革本来の銀面（表皮）
- **底革**／厚いまま硬く仕上げた革
- **ぬめ革**／タンニンなめしだけのもの
- **スエード革**／起毛させた革
- **ベロア革**／スエードに比べ起毛が粗く毛足が長い
- **ヌバック革**／牛革の表面を削って、起毛させた革
- **バックスキン**／起毛した革の総称
- **揉み皮**／表面にさまざまなシボをつけた革
- **シュリンクレザー**／薬品などを使って皮を縮ませた革
- **型押し革**／革の表面にさまざまな模様をプレスした革
- **エナメル革**／革の表面に、合成樹脂の塗装をして光沢を出した革
- **オイルレザー**／動物脂などを用いて、表面仕上げ加工された革
- **革メッシュ**／ひも状の革を編んでシート状にしたもの

9 塩化ビニールレザー、合成皮革、人工皮革の知識

塩化ビニールレザー、合成皮革、人工皮革は比較的薄く柔らかく、臭いがなく、部位による厚さの差がない。天然皮革の代替として、合成化学によって開発された素材である。

塩化ビニールレザーとは、塩化ビニール樹脂をシート状に貼り合わせる、または基布の上に塩化ビニール樹脂を塗布した素材である。

合成皮革とは、外観、表面の強さ、切断に対する強さなどを革に似せた素材で、ナイロンまたはポリウレタン樹脂で作られたスポンジ層を表面層とする。

人工皮革とは、外観、表面の強さ、風合い、屈折疲労に対する強さ、２次加工性、着用性などの基本的機能を革に類似させた素材である。

10 毛皮の知識

現在、毛皮は防寒（極寒地は別として）というより、ファッションとして着用されることのほうが多くなってきている。また一方ではエコファッションの流れもあり、エコファー（起毛パイル素材）が以前のイミテーションファーという概念を超え多く使用されるようになってきている昨今だが、基本的な毛皮の種類は知っておきたい。

① 毛皮の種類と用途

- **テン**／セーブル、黄テン、胸白テンなど
- **ミンク**／ワイルドミンク、養殖ミンク（サファイア、ホワイト、デミパフ、パステルなど色調別でネーミングされている）など
- **イタチ**／ウィーゼルなど
- **ヒツジ**／ラム、スワカラなど
- **フォックス**／シルバーフォックス、ブルーフォックスなど
- **その他の毛皮**／猫科、ビーバー、オットセイ、アザラシ、カワウソ、タヌキ、有体目、チンチラ、トナカイ、リス、ラビットなど

毛皮にも皮革とは異なるなめしの工程がある。

なめし工程とは、生皮を剥(は)ぎ処理（脂肪の削除、乾燥など）をし、その動物が生きていたときのような柔らかさと、つやつやとした毛並みに戻すことを指す。

毛皮は自然色のままで使われることが多い。最近ではファッショントレンドによってカラーバリエーションもデザインも多く、さまざまな形の製品が見られるようになった。

5. 副資材の知識

1 副資材の分類と意味

副資材とは、表地以外の材料すべて、裏地、芯地、留具（ボタン、ファスナー、ホック、スナップなど）、パッド、縫い糸などのことである。一般に衣服は表地が主体と考えられがちであるが、副資材なくしてアパレルは成立しない。

2 裏地

衣服の裏に使用される生地の総称で、衣服以外にもかばんや帽子などにも使用される。特に衣服の場合の裏地の機能は、①滑りを良くすることで着心地や肌触りを良くする、②表地との摩擦を防ぐことで、シルエットを美しく整える、③表地に張りを与え、補強し形態を安定させる、④表地と裏地の間に空気をためて温度や湿度を保つ、⑤衣服から下着などが透けるのを防ぐ、などである。

元来、裏地は絹の平織りや綾織りの羽二重で作られていた。現在は絹の外観、風合いに近いキュプラやポリエステルなどの化学繊維が多く使われている。また、保温性を高めるために薄手のウールや毛皮、キルティングが使用されることもある。

裏地は、素材の種類も多く機能性に富んでいるがゆえに、取扱いには注意を払いたい。アルパカ、絹などの天然繊維と、レーヨン、キュプラ、アセテート、ナイロン、ポリエステルなどの化学繊維とではその扱い方が異なる。天然繊維と化学繊維、また化学繊維の中でも再生繊維と合成繊維とで異なるので、その差異をよく研究しておくことが大切である。

裏布によく使用されるキュプラを手洗いするときは、液温は30℃を限度とする。洗濯機を使用するときは、水流は弱にして液温は40℃を限度とする。アセテートは水洗いできず、手洗いするときの液温30℃を限度として洗う。ナイロンは塩素系漂白剤による漂白はできないなど、商品として表地に合った取扱いができる裏地を選ぶことも、企画をするうえで重要な知識である。

3 | 芯地

芯地は、接着芯地と非接着芯地（フラシ芯地）に大別される。接着芯地を用いることで品質や機能を付帯させることができる。

具体的には、①接着芯地で表地の寸法変化や挙動を抑制し、布地の安定を図ることで可縫性が高くなる、②シルエットや機能性が必要な箇所に張りや硬さをもたせ、布地の強度やシルエットの成形性を高める、③経年劣化や着用・洗濯・クリーニングによる形崩れを防ぐ、などである。

① 接着芯地の構成

接着芯地は、基布（きふ）と接着樹脂からできている。基布（不織布、織物、編物）＋接着剤（ポリアミド系、ポリエステル系、ポリエチレン系、エチレン酢ビ系）＋塗布の形状（薄手用＝ランダムパウダータイプ、小粒タ

表 3. 芯地の分類・種類と使用素材

分類	種類	主組織	主使用繊維
非接着芯地（フラシ芯地）	織物芯地 毛芯、麻芯 綿芯、化合繊芯	平織り	綿、麻、毛、 ポリエステル レーヨン
	編物芯地	緯糸挿入経編	ナイロン、ポリエステル アクリル、レーヨン
	不織布芯地		ナイロン、ポリエステル レーヨン
接着芯地	織物接着芯地	平織り 朱子織	綿、ポリノジック ポリエステル
	編物接着芯地	経編（トリコット） 経編（ラッセル） 緯糸挿入経編	ナイロン、ポリエステル アクリル、レーヨン
	不織布接着芯地		ナイロン、ポリエステル レーヨン、ウール
	不織布複合接着芯地		ナイロン、ポリエステル ウール

イプ、中肉用＝やや小粒タイプ、厚手用＝ドットタイプ）で成り立っている。

接着芯地は、一般的にはダブルドットタイプで、樹脂の大きさやポイント数で種類が異なる。ドットタイプにもダブルドットとシングルドット加工のペーストドット加工やパウダードット加工がある。他にも接着テープなどの完全接着に使用されるくもの巣状のスピンウェブ加工や、仮接着のシンター加工（パウダー加工）がある。

② 接着芯地の選び方

接着芯地を選ぶ場合には、必ず表地に試し貼りを行う。接着芯地を貼り、表面の風合いが変わっていないか、表地が収縮して寸法変化を起こしていないか、織り地が重なったときに起こるモアレ現象（木目模様状の柄）が起きていないか、接着剤が表地に染み出していないかなど、外観の仕上がりを確認する必要がある。

接着芯地や接着方法の選択によっては、剥離（はくり）（接着不良）、樹脂うつり、樹脂あたり、芯地あたり、表面あれ、目つぶれ、カール現象、変色、ローラープレス機による波状のしわなどのトラブルが生じることがある。

4 | 肩パッド

肩パッドは、ショルダーラインのシルエットを構築する副資材である。種類は大別するとセットインスリーブとラグランスリーブの２種類であるが、セットインスリーブにラグランを使用する場合もある。

肩パッドのトラブルは、主に家庭用洗濯及びクリーニングのトラブルが大半を占めるが、まれに検品のとき、金属片が感知されることがある。不織布や樹脂綿を作る段階で、ニードルパンチの針先が折れて混入する場合や待ち針の抜き忘れなどがあるので、パッドの縫製にあたっては細心の注意が必要である。

5 | ボタン

ボタンは留具の１つであり、古代に誕生したといわれている。点（P.221 参照）で開閉することができ、留具としての機能性だけでなく、装飾性との両面を併せもっている。

素材は、プラスチックを原料とした樹脂素材ボタン、メタルや銀などの金属ボタン、木や貝、角（つの）、皮革などから作られた天然素

表 4. 接着剤の粒の大きさによる適応素材と服種

適応素材	適応服種	接着剤の粒の大きさと塗布形状
薄手素材 デシン、ボイル、 ローン、羽二重、など	ブラウス ワンピース	小粒（ドット形状・ランダムパウダー） （112P/cm^2 ～ 180P/cm^2） （27P/inch ～ 34P/inch）
中肉素材 キャンバス、ギャバジン、 ベネシャン、など	スーツ ジャケット	中粒（ドット形状） （37P/cm^2 ～ 112P/cm^2） （15P/inch ～ 27P/inch）
厚手素材 ビーバー、ツイード、 シャギー、など	スーツ ジャケット	大粒（ドット形状） （8P/cm^2 ～ 37P/cm^2） （7P/inch ～ 15P/inch）

※樹脂のポイント数の数え方
　不織布芯地の数え方（P/cm^2）……1cm の樹脂の個数
　織物、編み物芯地の数え方（P/inch）……1inch（2.54cm）

材ボタンに分類される。その他にもガラスや七宝（しっぽう）、陶磁器、ビーズ、布などさまざまなものがボタンの原料となっており、素材だけでなく形や大きさなどもさまざまなものがある。構造としては、表穴と裏穴があり、前者はタライ型、皿型、オワン型、後者は碁石型、天丸型（半丸）、山高型（半玉）、玉ボタンがある。ボタンの裏には、さまざまな形の脚（シャンク）が付いている。

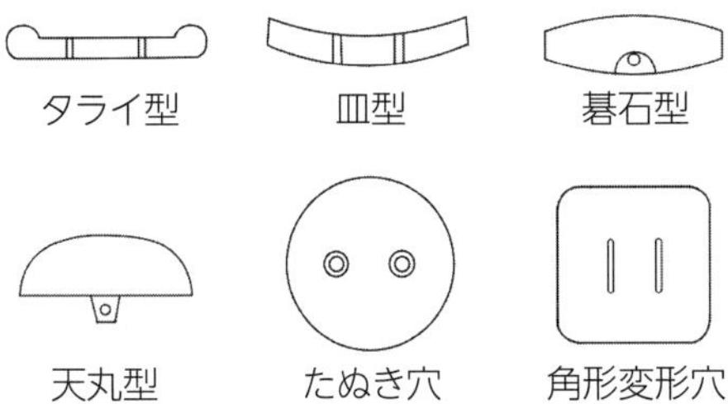

図 12. ボタンの構造と種類

6 ファスナー（ジッパー）

ファスナーは、スライダーを上下させることでエレメント（務歯）が開閉する留具で、線で開閉する。

大きく分けて3種類がある。エレメントが金属でできている「金属ファスナー」、コイル状の「樹脂ファスナー」、樹脂製のエレメントがテープに射出成型された「ビスロンファスナー」である。通常使用しているファスナーは、スライドファスナーと呼ばれ、シッパーまたはジップファスナーとも呼ばれる。

線で開閉するファスナーに対し、面で開閉する面ファスナーがある。微少なかぎ状のフックとループが引っかかることによって開閉する。面ファスナーは、フックとループの並びによってさまざまな種類のものがある。

7 縫い糸

よく縫えるだけでなく、縫製品の仕立て映えを高め、長期の実用・使用に耐え得るものでなければばならない。また見た目にも美しい縫い糸が好まれ、素材（天然繊維、合繊繊維）のバリエーションも豊富である。

縫い糸には、天然繊維の綿糸（カタン糸など）と絹糸、合成繊維にはポリエステルでできたフィラメント糸、スパン糸、ウーリー糸などがある。他にもナイロンや再生繊維のレーヨン、他にも2種以上の繊維素材を組み合わせて作る複合糸がある。

ミシン糸は製造工程の違いにより、フィラメント糸とスパン糸に分けられる。フィラメント糸は、繊維長が1000 mも連続しているものをフィラメント（長繊維）と呼び、紡績の必要がない。天然繊維では絹糸のみである。スパン糸は、短繊維を引き揃え、撚りをかけることで繊維が絡むことにより滑脱を防ぎ、1本の糸に紡績したものである。縫い糸は単糸で使われることもあるが、複数の糸を撚糸することで可縫性が良くなる。

伸縮素材に対応する伸縮加工糸など、素材特性に合わせた糸の開発も進んでいる。その1つにウーリー糸がある。

縫い糸の太さは、縫製する生地に合わせてさまざまなものがある。糸は長さと重さの関係で太さを表す。長さを基準とする恒長式表示法と、重さを基準とする恒重式表示法がある。恒長式表示法は、糸の一定の長さ（標準長）に対して、重さがどれだけかを番手で表したもので、デニール（D）、テックス（tex）、デシテックス（dtex）などの単位がある。恒長式表示法は、糸の一定の重さ（標準重量）に対して、長さがどれだけあるかを表したもので、メートル番手や英式綿番手などがある。糸の太さも日本工業規格（JIS）で使用できる呼び名と繊維度の範囲で規定されている。

8 | 織りネーム、タグなど

ブランド名が記載された織りネームやタグなども副資材の1つである。織りネームの他にプリントネームや型押しネーム、刺繍ネームなどがある。なかには、素材に直接印刷する企業やブランドもある。

また、繊維製品になくてはならないのが、ケアラベルである。品質表示法に基づいて義務づけられており、指定用語による繊維の組成表示、取扱い表示、付記用語、生産者名、生産者の住所または電話番号、原産国表示等の情報が印字され、衣服に取り付けられる。製品の内側に取り付けられるからこそ、その品質や着心地に配慮が必要になる。

9 | その他

装飾やハンガー吊り下げ用として取り付けられるテープ、リボン、ブレードや、伸縮性をもたせたり、フリーサイズの衣服に使用されたりするゴム、刺繍糸やビーズ、スパンコール、ファーなど、衣服にはさまざまな副資材が使用されている。

他にも、金属や樹脂でできたさまざまな副資材がある。ベルトやかばんなどに使用されるバックルやナスカン、Dカン、平カン、スポーツウェアなどのひもに使用されるコードストッパーやコードエンドなどがあり、素材や大きさ、用途もさまざまである。使用方法も含め、多種多様な副資材が存在する。

ファッション造形知識

第4章

ファッションデザイン

1. アパレルデザインの提案とディレクション

1 アパレルデザインの特性

アパレルデザインとは、「アパレルの製作や着装についての美的計画」である。言い換えれば、人が着るものを作る（製作）、人が着ることを作る（着装）、美的計画である。アパレルの製作や着装に関して、発想し、計画し、製作する一連の創作活動がアパレルデザインである。

デザインの価値は、美しさや快適さを求める人間の欲求に起因する。アパレルデザインでは、人と出会うときに美しく装いたい、レジャーのための快適で美しい服を着たいなど、人間の生活欲求を満たすためのアパレル商品が計画される。

アパレルデザインは、建築や工業デザイン、インテリアデザインなど他の分野のデザインと比べて変化が激しい。また、生活者一人ひとりの個性は異なっているので、選ばれるデザインは多様化する。ファッション分野のデザインは、①「変化する」、②「多様である」、という2つの特徴を有している。

2 アパレルデザインの要件

アパレルは、身体の多くの部分を装う商品であり、服飾表現の中核的な位置を占めているため、着る人のライフスタイルが強く表れる。アパレルデザイン活動では、着る人のライフスタイルを想定した着装を計画するために、次のような５Ｗ１Ｈが検討される。

① Who（誰が）

誰が使用するのか、誰が着装するのか、デザインされたものには必ずそれを使う人がいる。この使用する、着装する人間像を把握することが、デザインの基本条件となる。年齢、性別、職業、好みや趣味、個性、体型、さらにはその人のライフスタイルを知り、その人に合ったスタイルを創造する。

② When（いつ）

どんなときに着装されるデザインなのか、時間や季節を定めることが必要となり、気温や湿度の他、季節の歳時にも注意を払う。

また、早く春が来てほしい、早く涼しくなってほしいなど、季節の変化を先取りしたいとする人の心理にも留意する。

③ Where（どこで）

どこの地方で、どこの場所で、どんな生活環境で着装されるデザインなのか。オフィスで着る服かレジャーで着る服なのか、インドアかアウトドアか、都会なのか地方なのかによって、当然デザインは異なってくる。また、各民族の宗教や文化の違いによっても、配色や柄、素材や形に対する好みも異なってくる。デザインをするときに、その服を着装する生活局面、すなわちオケージョンを想定する。

④ Why（なぜ）

デザインされるものには、必ずその目的がある。かつて衣服は、身体の保温や保護を目的としていたが、その後、性差や身分を表現する象徴としても使われた。現在ではそれらに加え、自分の個性を表現する、言葉と同じように他人や社会とコミュニケーションする、などの目的が重視される。デザイン活動は、着装する人の目的を考慮して計画される。

⑤ What（何を）

どんな形の服を作るのか、どんな心理的効果を生むのか、どんな物理的特性を発揮させるのかを検討して、シルエット、ディテール、色彩、素材などのデザインが計画される。

⑥ How（どのようにして）、How much（いくらで）

デザインは、芸術とは違い、時間の制約と経費予算の制約がともなう。最小の経費で最大の効果（着る人の満足）が発揮できるように、どのようにして作るか、どのようにして見せるか、どのようにして売るか、いつ買ってもらうか、いくらで買ってもらうかを検討して、バランスの良い計画を組むこともデザイン活動では重要な要件となる。

3 アパレルデザインの構成手順

アパレルデザインでは前述したアパレルデザインの要件を前提に、デザインが発想され、**図 13** のような構成手順を経て完成されていく。

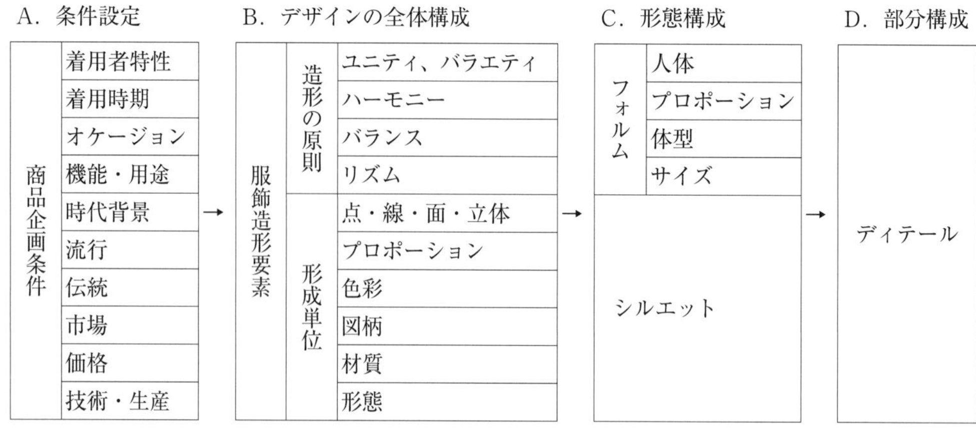

図 13. アパレルデザインの構成手順

ⅰ）ユニティ（統一）

多様な独立した個々の美が、1つひとつ調和してまとまりをもち、統一された美。アパレルデザインでは、シルエット、ディテール、色、柄、素材の各要素が調和し、それに服飾雑貨やヘアメイク、プロポーション等が調和して、1つのまとまりが完成される。

ⅱ）バラエティ（変化）

全体の構成要素になる個々のもつ性格で、ユニティと反対の現象である。具体的には、分量の変化、円や曲線形と直線形、方向の変化、色の変化、素材の変化などがある。アクセントは、このバラエティの一種であり、強調させるものや引き立たせることである。

ⅲ）ハーモニー（調和）

音楽の和音に相当し、形、色、柄、素材などの2つ以上の要素が、それぞれの特徴を生かして連結され、美しく整うことによる美。ハーモニーには、似た関係の要素で調和させる「類似の調和」と、対立する関係にある要素で調和させる「対比（コントラスト）の調和」がある。

ⅳ）バランス（平衡）

デザインでは「安定の原則」として使われており、面積や体積の比率、色彩の配分などがある。シンメトリー（相称形）では、左右の形や質量が等しいときに、支点が中央になり安定したバランスになる。衣服には、人間の身体がほぼシンメトリーであることから、シンメトリーのデザインが多い。シンメトリーの衣服は、最も自然であり着心地が良いが、変化をつけるために、ディテールを変化させたり、小物やアクセサリー等によって変化をつけることも多い。また、アシンメトリー（非相称形）とは、左右の大きさや重さが異なっていても、交点の位置を移動させることによって安定させるバランスをいう。動的で変化に富む。

ⅴ）リズム（律動）

音楽の3要素の1つであり、繰り返されることなどによって生じる動きの状態をいう。リズムは、①繰り返しの運動が感じられるときの他、②一定の方向性をもった線や図形、③運動の軌跡、④成長感や生命感を暗示する線や図形、⑤移動発展しつつある線や図形のときに感じられるとされている。繰り返しのリズムには、1）規則的な繰り返し、2）不規則的な繰り返し、3）階調（グラデーション）的な繰り返しがある。なおグラデーションは、強くなったり弱くなったり、拡大したり縮小したり、明るくなったり暗くなったりする場合がある。

ⅵ）点・線・面・立体

形態の基礎となるのが、点・線・面・立体である。

- ●点／アパレルデザインでは、ボタン、アクセサリー、メイク、ドット柄などがある
- ●線／直線（垂直線、水平線、斜線）と曲線がある。直線は、シルエット（例えばストレートライン）や柄（ストライプ、チェックなど）に見られる。曲線は、ドレープや柄（ペイズリーなど）などに見られる
- ●面／直線面、曲線面、直線面と曲線面の組み合わせなどの面の形、大きさ、角度・カーブ、配分、重なりなどの要素がある
- •立体

ⅶ）プロポーション（比例）

比例、割合のことで、アパレルデザイ

ンでは寸法と寸法の関係に美的統一のある状態が、美的なプロポーションである。例えば、身長に対するドレスの丈、ジャケットの丈に対するスカートの丈、ボタンやポケットの大きさと位置など、部分と部分、全体と部分の適切な比例関係をいう。

4 アパレルデザインの提案

アパレルデザインは、着用する顧客を想定してデザインされ、最終的には顧客に向けて店頭その他で提案される。しかし、アパレルデザイナーが創造するデザインは、マーチャンダイザー、パターンメーカー、生産スタッフ、工場、VMDスタッフ、営業担当者や店頭スタッフ、販促スタッフ、取引小売店など、多くのスタッフや企業が協働することによって、生活者である顧客に最適な商品が提案される。アパレルデザイン提案では、業務の各段階において、下記のようにさまざまな表現手法を使ってデザインの意図を伝達することになる。

- イメージマップによる表現
- デザイン画による表現
- 製品図（絵型、ハンガーイラスト）による表現
- サンプルによる表現
- 現物商品による表現

5 デザインディレクション1／ターゲット、ブランドコンセプトとデザイン

ファッションブランドは、ターゲット顧客を明確にし、そのターゲット顧客に対する価値創造・価値管理を目的にして、適切な商品戦略と流通・コミュニケーション戦略を進めている。この顧客満足価値を、デザインの観点から創造し、管理していくことがデザインディレクションの役割である。

ファッションブランドのデザインディレクションの基本となるのが、デザインコンセプトである。ブランドのデザインコンセプトとは、1）年度・展示会（各月）を横断して、2）商品デザインからコミュニケーションデザイン（店舗デザイン、グラフィックデザインなど）までをトータルに提案するための、デザインの基本的な方針である。

デザインコンセプトを設定するに際しては、次の点が考慮される。

① 着装してもらう生活者像（ターゲット顧客像）を想定する

ターゲット顧客の生活観、ライフスタイル（衣・食・住・遊・知・休）、購買活動のプロファイルを想定する。

② デザインが主張する美的満足価値をイメージする（ブランドイメージの想定）

いつ、どのような生活の場面で着装するか、ライフスタイルは？、着装するときに求める美的価値は？、どのようなフォルムに魅せられるか？、質感は？、色は？、デザインを着装するときに感じる空間美は？、購買するときに感じる空間美は？、など。

③ 商品デザインの方針をイメージする（MD方針に反映）

基本的なフォルム、特徴的なスタイリングイメージ、特徴的なシルエット・カラー・素材、基本的なアイテム構成・素材構成、基本的な価格ゾーン、店頭販売時期のガイドラインなど。

④ デザインの製品化の方針を輪郭づける（MDと生産の方針に反映）

基本的なパターン特性、基本的な品質特

性、基本的な生産特性（工場を選ぶにあたっての留意事項）、コスト・数量・生産のリードタイムなどのガイドラインなど。

⑤ コミュニケーションデザインの方針をイメージする

BI（ブランドアイデンティティ）計画、グラフィック表現のイメージ、店舗空間イメージ、メディアミックス、サイン計画、基本的な店舗のゾーニング・VMDなど。

6 デザインディレクション2／シーズンコンセプトとデザイン

シーズンデザインコンセプトとは、ブランドのデザインコンセプトを基に、ファッション情報や生活者情報などを参考にしながら計画する、シーズンのデザイン方針である。

シーズンデザインコンセプトを設定するにあたっては、まずターゲット顧客像とブランドのデザインコンセプトを確認して、マーチャンダイザーと連携をとりながら、次のような内容を作成する。

- シーズンイメージの決定
- シーズンの基本的なスタイリングとシーズンマスターデザインの作成
- シーズンの基本カラー、イメージ素材の設定
- シーズン商品構成の大枠の作成（アイテム、型数、アイテム別プライスゾーン）
- 月別ゾーニング・商品構成の大枠の作成
- 店頭表現計画の作成

7 デザインディレクション3／アパレルデザイン業務のプロセス

アパレルメーカーでは、マーチャンダイジング業務に対応しながら、デザイナーは次のようなポイントをチェックしながら業務を進めていく。

①「ブランドコンセプト確認」段階

ターゲット顧客像、デザインコンセプト、マーチャンダイジング方針、BIなどを確認。

②「シーズンコンセプト設定」段階

各種情報を参考に、春夏、秋冬などのシーズンイメージ、スタイリング、シーズンマスターデザイン、基本カラー、イメージ素材、アイテム構成などの基本方針を設定する。その後、シーズンコンセプトに基づいて、月別（または展示会）のデザインテーマ、ゾーニング、商品構成などを検討。

③「デザイン決定、商品構成立案」段階

シーズンコンセプトと月別コンセプトに沿ってデザインや素材開発を行う。その後、スタイリング計画と並行して、アイテムごとにデザインを決定し、商品構成を計画。決定したデザインのパターンメーキングを指示する。

④「商品決定・上代決定・生産の大枠と素材の決定」段階

サンプルメーキングを指示。出来上がったサンプルを基に、上代と生産数量・納期を決定する。

⑤「最終生産数量・納期」決定

社内外の意見も参考にして、最終的な生産数量と納期を決定し、生産にかける。

⑥「店頭販売、期中企画・生産」段階

生産された商品を店頭に納め、陳列し販売する。最近ではこの段階で、店頭の顧客動向を見ながら追加したいデザインを企画し、生産する期中企画を行う例も多い。

表 5. アパレル企業の業務プロセスとデザイナー業務

業務プロセス	デザイナー業務
ブランドコンセプトの確認と再構築の段階	・ターゲット顧客像の確認（MD と調整） ・ブランドのデザインコンセプトの確認など
シーズンコンセプトの設定の段階	・シーズンイメージの決定 ・シーズンの基本的なスタイリングとシーズン基本デザインの作成 ・シーズンの基本カラー、イメージ素材の設定など
デザインと商品構成の立案の段階	・デザイン決定、デザイン修正 ・素材構成表の作成、テキスタイルデザインの管理（MD と調整） ・パターンメーキングの指示、パターンチェックなど
上代決定と生産の大枠決定の段階	・サンプルメーキングの指示、サンプルチェック ・原価表の作成と上代決定（MD をサポート）など
展示会	・MD、営業をサポート
最終生産数量・納期の決定の段階	・製品のデザイン上のチェックなど
店頭販売の段階	・店頭ディスプレイイメージ等の提案（MD をサポート） ・期中企画商品のデザイン、パターンメーキングの指示など

8 デザインディレクション 4 ／商品構成、スタイリングと、デザイン

デザイン業務は、シーズンマスターデザインに基づいて、担当デザイナーによって進められる。デザイナーの担当範囲は、ブランドの規模によって異なり、最も小さなブランドは1人のデザイナー（すなわちチーフデザイナー）が全商品をデザインし、少し規模が大きくなれば布帛担当、ニット担当、カットソー担当に分かれる。さらに規模の大きなブランドであれば、重衣料担当、ボトム担当、シャツ・ブラウス担当などと細分されている。

担当デザイナーは、チーフデザイナーによるシーズンや各月のイメージとマスターデザインを基にして、担当分野のデザイン、具体的にはデザイン画を通して表現する。

デザイナーはこのとき、月別の店頭展開計画やプライスゾーン、それに対する原価率や原価も考慮してデザインする。要は、デザインという創造的な側面に、価格やアイテム構成・型数といったビジネスの合理性を融合させながら業務を進めていく。

担当デザイナーの創造したデザインは、チーフデザイナーならびにマーチャンダイザーによって取捨選択される。その後、最終的にデザインが決定すれば、アイテムごとに製品図を作成する。

マーチャンダイザーとチーフデザイナーは、このような製品図を活用して、月別商品構成表を作成し、商品構成を検討する。商品構成では、月ごとのスタイリングを想定して、最適な時期に最適なコーディネーションが店頭で提案できるように、店頭のフェイスを想定しながら最適な型数、色数、サイズ数を設定し、アイテムごとのデザインを構成する。

なお、最近のアパレルブランドでは、この段階で決定する商品は、実需期に売場で展開する商品の半分にも満たないことが多く、残りの商品は売場で商品展開している期中にデザイン、パターンメーキングをして、生産する例が多い。

一方、デザインが決定するこの時期には、

素材構成表を作成し、素材ごとのカラー構成、カラーごとの品番構成を検討する。素材構成表でチェックするにあたっては、素材ごとのアイテムコーディネーションと同時に、素材ロットと原価も併せて検証し、素材の納期を確定する。

商品構成は、ブランドが描くライフスタイル、デザイン価値、コーディネーションを想定して、組み立てられる。

もちろん、アイテムによっても、また各商品によっても販売期間は異なる。顧客が長く着たいとするデザインは店頭で陳列される期間が長く、今の旬を味わいたいとするデザインは陳列される期間が短い。デザイナーは、それぞれのデザインが着装される場面や意図をマーチャンダイザーに伝達し、それがマーチャンダイジングに反映されるようにしなければならない。アパレルデザインの着装意図によって、販売時期・販売期間、陳列場所、陳列数量・ストック数量、販売数量・生産数量、追加フォローの有無が異なるからである。

9 | VMDとデザイン

生活者との接点は店頭にあり、デザインは最終的に店頭で顧客に伝達されることによって、着装に結びつく。そのため、デザイン提案はマーチャンダイジングのみならず、VMDに反映されることも重要となる。

VMDとは、マーチャンダイジングの視覚表現であることから、その範疇(はんちゅう)は店舗デザイン、サイン、導線、ゾーニング、什器構成、照明、フェイシング、ディスプレイまで多岐に及ぶ。そのような視覚要素をまじえた店頭提案から、顧客は自分が望む商品を取捨選択し、自分なりのスタイルを形成していく。

デザイン提案をVMDに反映させるにあたっては、次のような点を配慮する。デザイン提案の魅力が増幅するような、導線計画を作成する。

- デザインイメージ、デザイン構成、スタイリングに配慮した什器構成とする
- 月ごとのスタイリングが形成しやすいような、フェイシングを提案する
- 週ごとの最適なスタイリングを、ディスプレイ提案する
- カラー提案が意図通りに伝達できるような、照明を検討する
- デザインコンセプトを反映した、店舗デザインとする
- デザインコンセプトを反映した、サイン計画を展開する
- DM、ショッピングバッグなどにも、デザインコンセプトを反映させる

2. ファブリケーション

1 | ファブリケーション（素材計画）の発生

日本でも1960年代から既製服化が進んで、衣服のほとんどが工場生産されるようになり、不特定多数の消費者を対象に商品として企画されるようになった。このため、ファブリックも造形材料としてだけでなく、生産資材として、価格、デリバリーの時期、発注の単位、可縫性、安全性など、商品化のための要素や条件についての検討が必要

になっていった。

ところが、ファブリックの企画や生産は、アパレル企画や生産よりも１年以上も早く行わなければならない。さらにファブリックは原材料の特性や、糸、撚り、組織、加工、仕上げの違いによってテクスチャーや物理的性能もまったく異なるものになり、工業資材としては汎用性の乏しいものである。また、ファブリックはかなりの付加価値を備えた中間製品であり、その付加価値はアパレル商品の価値に大きな影響を与えている。

したがって、既製服時代に入って以降、商品企画、デザインに直結するファブリックの選定には、綿密で周到な計画が必要となり、デザインに先立つファブリケーション（素材計画）という行程が加わるようになった。

2 ファブリケーションとは

自社が意図する商品を実現させるためには、最適なファブリックをあらゆる角度から検討して、選択したり、開発したりする作業が必要である。この行程を「ファブリケーション」という。つまり、ファブリックプランニング（企画）とファブリックデザイン（設計）を意味する。

商品企画の方法として、直感で選んだファブリックからイメージを得てデザインする場合と、あらかじめ検討された企画やデザイナーの描いたイメージに適合したファブリックを探していく方法が一般的である。そして数多くのファブリックの中から適切なものを選んだり、ファブリックメーカーの協力のもとに開発などをする工程が、ファブリケーションである。

品名・品番	SS － 10001
素材名	綿
品質	C100
番手・打込 (in)	40 ／ 1・72
目付け・ゲージ	100g ／㎡
組織	平織り
生地幅	92cm
仕上げ加工	シルケット加工
加工場	浜松
生産ロット	50m
生産期間	3 カ月
納期	11 月末
価格	900 ／ m
その他	
備考　・配色変更可	

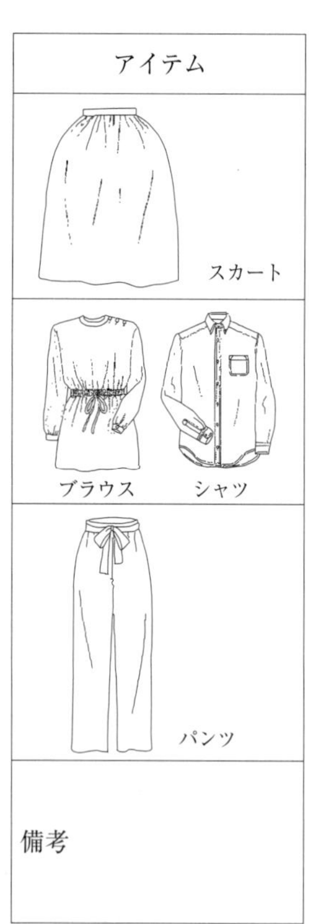

図 14. スワッチシート

3 ファブリケーションの検討事項

ファブリケーションに際しての検討項目として、次の事項が挙げられる。

- **適合性**／商品企画の意図するファッション、イメージやシーズン性との適合
- **機能性**／運動機能、気候適応性、生理衛生機能、保護機能、着心地など
- **経済性**／適正な価格、取扱いやすさ、耐久性など
- **造形要素**／色彩、柄、テクスチャー（表面感、風合い）など
- **縫製加工上の要素**／可縫性、プリーツ性、立体造形性、芯地との適応性、アイロンの種類と温度など
- **マーチャンダイジング上の要素**／デリバリー、発注ロット、価格、モノポリー（独占）の可否、品質保証など

これらの検討に基づいて、ブランドごとの商品企画書に使用素材のスワッチを貼付したスワッチシート（**図14**参照）を作成する。

なお、テキスタイルデザイナー（織り、編みの開発デザイナーとプリントデザイナー）は、糸メーカー、ファブリックメーカー、テキスタイルコンバーターに所属しているか、フリーで活躍しているのが普通である。ごく一部、アパレル企業にも存在しており、この場合はファブリケーションの中心的な役割を果たしている。

4 ファブリケーションと情報

多種多様なファブリックの中から、自分たちが目指している製品の素材に最適な素材を選定するのは、容易なことではない。最終的にはマーチャンダイザーやチーフデザイナーの主観による判断に委ねなければならない場合が発生しても、それまでにできる限り、客観性のあるスクリーニング（絞り込み）をしておく。そのことがファブリケーションの情報活用の目的である。（ファッションビジネスの情報源については、ファッションビジネス知識「第5章−5. ファッション情報の収集・分析」P.85を参照）

5 商品企画とファブリケーション

アパレルマーチャンダイザーと商品企画スタッフはシーズン企画のコンセプトを構築した後、シーズン中の展開商品のプロトタイプ（試作品）を作り、一方では、国内外の川上段階の情報と顧客ニーズに基づいて、取り入れるファブリックのアイデアをまとめる。つまり、製造現場と製品化工程・納期などの総合的な情報を基に、ファブリックアイデアを構築する。

そのアイデアを基に、アパレルの商品企画スタートのタイミングと合わせて開催される各種・各地のファブリック展示会を訪問したり、ファブリックメーカーやテキスタイルコンバーターと具体的に交渉したりしながら、シーズン企画で求めるイメージに近づけるために、経糸・緯糸の組成や番手による変化、撚りによる変化、仕上げや加工による変化、色など、できる限りのアイデアを検討し合う。

その結果をサンプリングし、性能や品質をチェックし、おおよその生産量、納期、生産期間、コスト、採算などを考慮して、ファーストサンプル用の見本反（通常は1着分の要尺）を発注する。

一方、同時にスタイリングストーリーやデザインストーリーも完成させておかなければならない。それに基づいてサンプルパターンの作成、及び見本反によるサンプルメー

キングが行われる。

他社や他ブランドとの違いを出すには、色、柄、デザインの他にテキスタイルが重要なポイントであり、その表面形状・風合い、性能を生かしたパターンが、着心地の良い服を完成させることにつながる。説明した商品企画とファブリケーションの流れをまとめると図15の通りである。

6 柄模様の種類

ファブリケーションでは、柄が重要な役割を果たすことがあるため、テキスタイルデザイナーには、柄に関する知識が不可欠である。

テキスタイルやアパレルには、無地のものと、柄のついたものとがある。この柄は、柄のつけ方によって、織ったり編んだりする段階で表現した柄（織り柄、編み柄）、生地や製品の上に染めつけた柄（プリント柄）、生地に刺繍したり縫いつけたりした柄（刺繍柄、アップリケ、ワッペンなど）に分けられるが、柄模様そのものについての呼び方は、ほぼ共通している。これを分類してみると次のようになる。

- **ストライプ**／縞柄のことで、たて縞、よこ縞、斜め縞がある。また縞の幅や組み合わせ方によって、さまざまな呼び方がある。なお、現代ではよこ柄の縞状を総称して、ボーダーといっている。織り柄、編み柄、プリント柄もある
- **チェック**／格子柄のことで、プラッドプレード（plaid）ともいい、多くの種類がある。その中で、タータンチェックは「縞を構成する色数・縞幅が同一

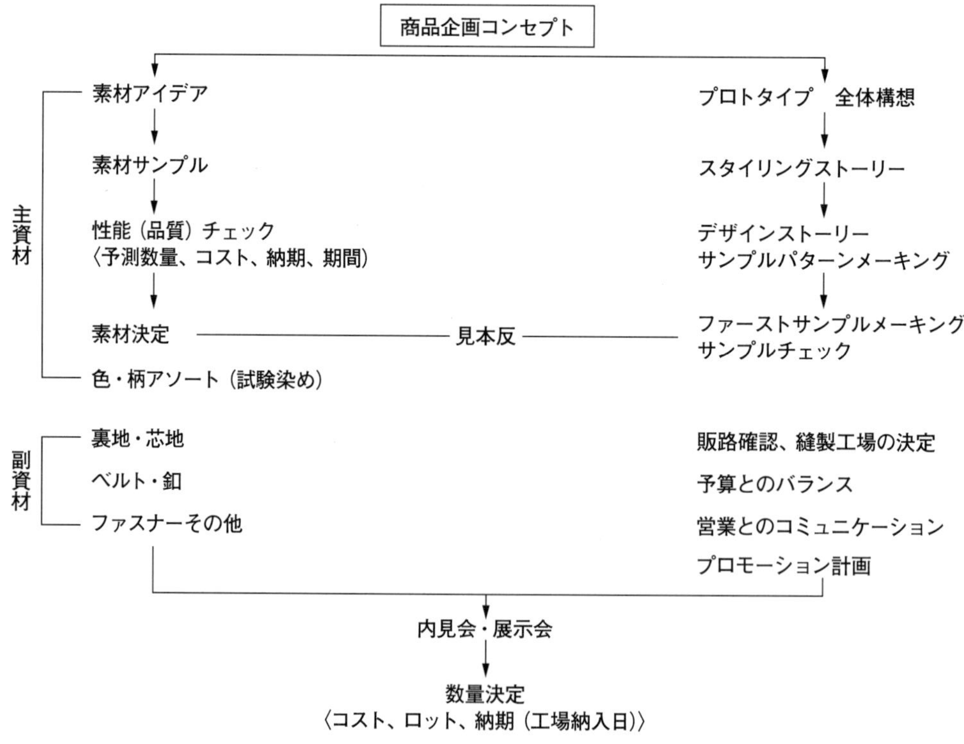

図15. 商品企画とファブリケーションの流れ

の」たて縞とよこ縞を組み合わせた織り柄で、色の重なる部分では複合色が発現することになり複雑な色調を呈する。チェックも織り柄、編み柄が多いが、プリント柄もある

- **具象柄**／花柄、動物柄をはじめ、瓶・缶詰、人の顔、風景など現実に存在するものを描いた柄のこと。コミックやアニメのキャラクターのCG画像をそのままインクジェットプリントしたものも多く登場する時代となっている。一方、ジャカード装置のある織機(しょっき)や編み機などを用いて、花柄などの具象柄を表現する方法や刺繍柄の表現も並行してある
- **抽象柄**／水玉（ドット)、ペーズリー、幾何学柄をはじめ、さまざまな抽象柄がある。抽象柄の場合もプリント柄が多いが、柄表現を得意とするジャカードの織り柄、編み柄もある。
- **文様**／まとまりのある構成で装飾的効果をもつ1つの図形を「文様」という。この文様は、世界のあらゆる地域、あらゆる時代に見い出すことができる。例えば、ヨーロッパや日本の家紋、縄文模様、アラベスク（アラビア模様）など。ファッション分野では身近なものとして、ポロシャツなどのワンポイントマーク、セーターによく見られる雪の結晶模様、バッグなどに見られるモノグラム（ロゴマーク）などが挙げられる

7 | 柄のデザイン企画

マーチャンダイザーとデザイナーが共同してシーズンごとのテーマを複数設定する。初めにイメージマップを作成し、柄デザインの製品化の方向性を示す。次にリサーチを徹底的に行い、イメージを具体的な製品の柄とするために、主たるテキスタイル（糸、組織、柄、大きさ、配置、リピートなど）の議論をしながら、製品に使う柄ごとのリサーチ結果をマップにまとめ可視化する。その後、テキスタイル設計された指図書に従って、織物、ニットに分かれ、得意とする生地産地やメーカーとの協力体制をとる。

一方、テキスタイルデザイナーとプリント担当者は手描きやCGでデザインを考案し、工場で紙やサンプル用生地でサンプル染めをする。検討を重ね、マーチャンダイザーやデザイナーの狙いによって企画したサンプルを最小単位で作製し、その生地の上に試色したプリントデザインを再度試色する。その仕上がり状態について総合的（糸・生地設計、染料・助剤、染色工程など）に検討する。そして、本番へ向けた織布設計条件の確認、プリント指示書などと供給時期、ロット数の決定をし、次のステップの製品アイテムとのマッチングをしてアイテムとテキスタイルとの関係で検討し、微調整する。

3. 色彩応用知識と色彩計画

1 | 色彩実務の全容

ファッション企業では、業種・業態により多種多様な色彩実務が行われている。次のような色彩実務がある。

- **色彩情報の収集・分析**／ファッションカラー予測、売場実績色分析、カラー調査など
- **シーズンコンセプトの設定**／シーズンカラーテーマ、カラーストーリー、カラーコーディネート方針、VMDカラー方針、コミュニケーションカラー方針などの設定
- **デザイン**／商品デザインにおける色出し・配色
- **素材計画**／プリントやジャカードの図案の配色、ビーカーテスト・染色指図など
- **商品構成**／商品別カラー構成・カラーコーディネート、素材別カラー構成など
- **VMD**／VP・PP・IPのカラー表現、照明計画、店舗デザインのカラー計画など
- **プロモーション**／販促カラーテーマの作成、グラフィックデザイン、カラー印刷、ウェブデザインなど
- **販売**／店頭接客やネット販売におけるカラーコーディネートなど

2 | 色彩情報の収集と分析

色彩情報は、図16のように、将来の予測情報と、前シーズンの販売良好色や不振色などの結果情報の2つに分けられる。

色彩情報		
	予測情報（未来）	24カ月前／インターカラー
		18～12カ月前／JAFCAカラー、海外トレンド予測情報（サイト）、素材団体の情報、海外・国内素材見本市
		6カ月前～／アパレル・服飾雑貨見本市、ファッションウィーク、ファッション専門誌紙・サイト
	結果情報（過去～現在）	メディア情報／ファッション雑誌・一般誌、ファッションサイト、テレビなど
		販売結果からの情報／自社の店頭情報、競合店の店頭情報、業界の色彩情報、販売員からの情報
		市場調査による情報／街頭消費者調査、競合店舗の定点調査、ライフスタイル調査・消費者の嗜好調査

図16. 色彩情報

3 アパレルマーチャンダイジングにおける色彩計画

アパレルマーチャンダイジングの色彩計画では、①シーズンカラーコンセプトを作成したうえで、②デザインと素材計画においてカラリングを行い、デザイン決定後に③カラー構成が検討されることが多い。

①シーズンカラーコンセプト

ブランドのターゲット顧客特性とコンセプトを基に、前述した色彩情報を参考にして、そのシーズンのデザイン方針、素材方針、MD方針などを総合的に考え、シーズンのテーマカラー（シーズンディレクションカラー）を提案する。テーマカラーは、シーズンのデザインやスタイリングの方針を基に、ブランドとしての基本カラーとトレンドカラーのバランス、スタイリングにおけるカラーコーディネート方針、商品アイテムの特性などを考慮して提案される。

②デザインと素材計画

アパレルデザイナーは、シーズンカラーコンセプトに基づいてデザインを創造するが、カラーについては数タイプの提案色をデザイン画に着色する。一方、素材計画では、テキスタイル企業の提案した生地の提案色からセレクトする場合もあるが、アパレルデザイン提案に合わせた独自のカラーを別注する場合も多い。なかでも、後染めは小ロット生産が可能であり、アパレル企業がオリジナルカラーを提案している。プリントでは、色数が増えるに従って原価が上昇することに留意する必要がある。

③カラー構成

商品構成を決定するときに、品番別カラーと、品番別カラー別数量を決定する。

4 デザイン、素材と色彩計画

色をつける着色材には、物体の中に浸透して色を出す「染料」と、物体の表面に付着させる「顔料」があるが、アパレル素材であるテキスタイルには染料が主に使用される。

テキスタイルを染める前に、染色データを得るためのビーカーテストが行われる。ビーカーテストでは、色見本を参考に染料を選択し、ビーカーで試染めを行って染色の処方を決定する。この処方を決定する作業をカラーマッチング（調色）という。

ビーカーテストの色が希望する色に染まっていない場合は、修正指示をして再びビーカーテストをする。何回もテストを重ねることは、時間と費用のロスになり生産スケジュールにも影響するので、本生産で使用予定の色を過不足なく選択し、色見本を色がよく見える大きさで渡して依頼する。このとき、染めようとする繊維と同じ材質の色見本で依頼するのが最も望ましいが、無理な場合は似たような素材の色見本を使用するように心がける。

また、染工場の調色場の光線と、依頼者が色を照合する場所の光線が異なるために、メタメリズム（条件等色）が原因で、微妙な色の差が生じる場合がある。メタメリズムとは、ある光線の下では等しい色に見えた2つの色が、光線が変わると少し異なった色に見える現象である。

染色においては、品質管理上、染色堅牢度にも留意する必要がある。染色堅牢度とは、染色された糸・織編物における色の染色的抵抗、耐久度のことをいう。JISでは、日光・汗・摩擦・昇華・ドライクリーニングなどの各種の堅牢度の基準が設けられている。

一方、プリントのカラー計画では、プリント柄が生地の上に1色ずつ型を使って重ねて染めていくことで表現されることから、プリント下地、図案、色数、リピートについて検討する必要がある。

- **プリント下地**（P下（ぴーした））／プリントを行う生地の選択
- **図案**／柄を表現したもので、つなぎとリピートが考慮されている
- **色数**／柄の色の数だけ型版が必要とされる
- **リピート**／型の繰り返しのこと。リピートする際に柄のつなぎが自然に見えるようにする

5 | カラーコーディネーション

ファッションの世界では、それぞれのカラーとともに、その組み合わせによるカラーコーディネーションが重要な要素になる。テキスタイルでのプリントやジャカードの配色、アパレルでのアイテム同士の組み合わせ、商品構成におけるカラー構成、ウインドーディスプレイやフェイシングにおける配色など、さまざまな場面でカラーコーディネーションを考えることが必要になる。

① ベースカラー、アソートカラー、アクセントカラー

カラーコーディネーションでは、それぞれの色の役割は大きく次のように区分される。

- **ベースカラー**／全体の基調となる色
- **アソートカラー**／ベースカラーに組み合わせる色
- **アクセントカラー**／全体の演出効果を上げる色

同じベースカラーでも、組み合わせるアソートカラーやアクセントカラーを替えると、全体のイメージは大きく変化する。

② 配色の類型と用語

配色には、次のようなさまざまな類型がある。

ⅰ）色数による類型

- **1色配色**／「モノクローム配色」（表面感などが異なる同一色の配色）
- **2色配色**／「バイカラー配色」「ビコロール配色」
- **3色配色**／「トリコロール配色」
- **多色配色**／「マルチカラー配色」

ⅱ）色相による類型（**図17**、P.235参照）

- **補色配色（コンプリメンタリー配色）**／色相環上で180度の関係にある2色配色
- **トライアド配色**／色相環上で120度の関係にある3色配色
- **テトラド配色**／色相環上で90度の関係にある4色配色

ⅲ）色相とトーンによる類型（**図18**、P.235参照）

- **トーン・オン・トーン配色**／同系色濃淡といわれる配色で、同一（または類似）色相で統一を図り、トーンで変化をつける配色
- **トーン・イン・トーン配色**／同一トーンで統一を図り、色相で変化をつける配色
- **トーナル配色**／トーン・イン・トーン配色のうち、主に中明度・中彩度の色である中間色を用いた配色
- **カマイユ配色**／「カマイユ」とは単一色のいくつかの色調変化で描く単彩画法のこと。色彩の世界では、色相、明度、彩度とも微妙な差しかない色同士の組み合わせをカマイユ配色という
- **フォ・カマイユ配色**／フランス語の「フォ」には「見せかけの」「不正確な」

といった意味があり、フォ・カマイユ配色とは、カマイユ配色よりややずれを感じさせる配色をいう

iv）多色配色のテクニックによる類型（図19、P.236参照）

- **ドミナント・カラー配色**／「ドミナント」とは「支配する」という意味。色彩の世界では、全体の統一感をもたせるために、色相やトーンによる支配調を作ることを「ドミナント」という。このうち色相によって支配する配色をドミナント・カラー配色という
- **ドミナント・トーン配色**／ドミナント・カラー配色と同様に、多色使いで支配調を作る配色であるが、トーンによって支配する配色をドミナント・トーン配色という
- **グラデーション**／「階調」という意味。多色配色において、段階的に徐々に変化させていく配色で、自然な流れとリズム感が生まれる。グラデーションには、色相のグラデーション、明度のグラデーション、彩度のグラデーション、トーンのグラデーションがある
- **セパレーション**／「分割」や「分離」という意味。複雑になった配色の混乱を整えたり、あいまいな配色を明確にするために、配色の接し合っている部分に別の色を入れて緩和させる配色である。一般には、白、黒、グレイの無彩色や、自然界に見られる金、銀、銅などの鉱物の色や、砂、土、木肌の色を挿入することが多い

③ 色の対比と同化

２色以上の色が影響し合って見える現象に対比と同化がある。対比とは、対象となる色と背景色との違いが強調されて見える現象をいい、同化とは逆に近い色に見える現象をいう。対比では、明度対比、色相対比、彩度対比の順に知覚される。

- **明度対比**／対象となる色が、明るい背景色で見ると暗く、暗い背景色で見ると明るく見える
- **色相対比**／明度対比が同じ場合、背景の色相が変わると見え方が変わり、仮に対象となる色がグレイであってもかすかに色みが知覚される。知覚される色相は、背景の色の補色に近い色相である
- **彩度対比**／背景の彩度が大きく変わると、彩度の高い背景色では対象となる色の彩度が下がり、逆に彩度の低い背景色では対象となる色の彩度が上がって見える

また、これらの対比は、

1) 対象となる色に対し、背景色が大きいほど対比は大きい
2) 対象となる色と背景色が離れるほど対比は生じにくい
3) 明るさの差が最小のとき、有彩色の対比は最大になる
4) 有彩色のもつ明るさが一定のとき、彩度が上がるほど対比は大きくなる

といわれている。

6 | 売場とカラー

売場は、特定されたスペース（床、天井、壁）の中に、商品・什器・その他表示などで構成されている。商品がより魅力的に見えるためには、商品・什器や店内空間の色彩と、それを明確にする照明計画が必要である。売場では、照明があって初めて色彩や質感が認識できるのであり、照明における照度・色温度は、色彩を的確に表現する

ために十分に留意する必要がある。

① 照度

「照度」とは、単位面積当たりに入射する光の量を表し、単位はルクス（lx）で表示される。つまり、照度の高い光源ほど、商品や壁などの光を受ける面が明るく感じられる。一般に、デパートなどの売場は750～1000lx程度、店内のディスプレイ部分などは1500～2000lx程度、店頭部分では2000～3000lx以上が必要とされている。またファッション専門店では、店内が300～750lx、店内ディスプレイ部分は750～1000lx、店頭は1500～3000lx以上が必要とされている。

② 演色性と色温度

照明は、光源の光色によって、太陽光の下で見る色と見え方が変わってくる。このように、ある光源の色が色の見え方に影響を与える効果を「演色性」という。そして、太陽光のような基準となる光の下で見た場合の色に近く見える照明ほど、「演色性がよい光源」とされている。

光の色は色温度によって異なっており、色温度の単位はケルビン（K）で表示される。色温度が低い場合は赤みがかった光となって温かく落ち着きのある雰囲気になり、逆に色温度が高い場合は青みの光となって涼しさやシャープさのある雰囲気となる。標準的な昼光の色温度は5000Kであり、白熱電球は2800Kで色温度が低く、水銀ランプは5800Kと色温度が高い。蛍光灯は、昼光色が6500K、昼白色が5000K、白色が4200K、温白色が3500Kである。

7 | 印刷物や映像における色彩表現

印刷におけるカラー表現は、紙などにのせるインクを変えてさまざまな色を作り出す方法である。通常のカラー印刷では、色料の三原色であるシアン（C）、マゼンタ（M）、イエロー（Y）とブラック（B）のインクを使用して、それが単独であったり、重なって新たな色を作ったりして表現される。具体的には、色が重なる部分は減法混色で、重ならない部分は並置混色で色を作り出している。また、このような4色印刷の他、特色（特別に指定した色）をベタで印刷したり、特色を網版で印刷したりして表現することもある。

テレビ画面やパソコンのディスプレイは、色光の三原色である赤（R）、緑（G）、青（B）による加法混色で色が作られる。

図 17. 色相による類型

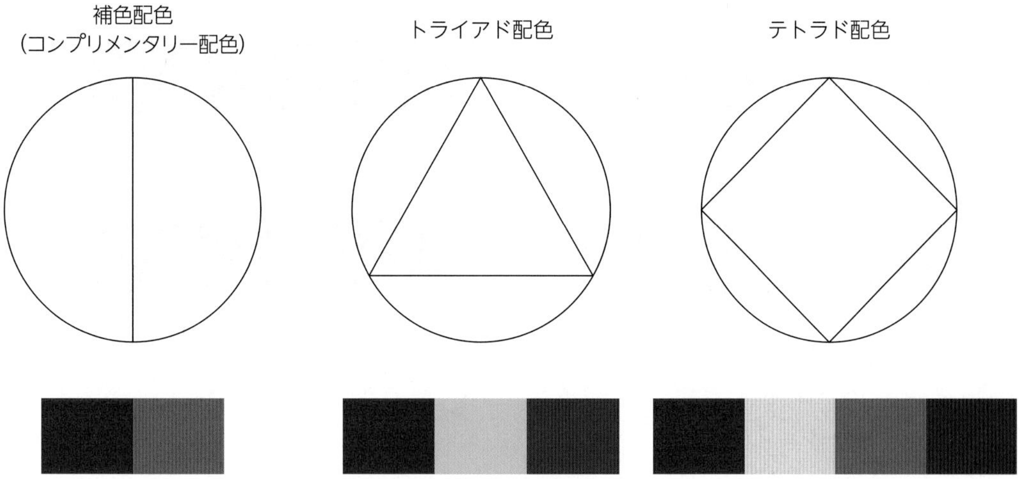

補色配色
(コンプリメンタリー配色)

トライアド配色

テトラド配色

図 18. 色相とトーンによる類型

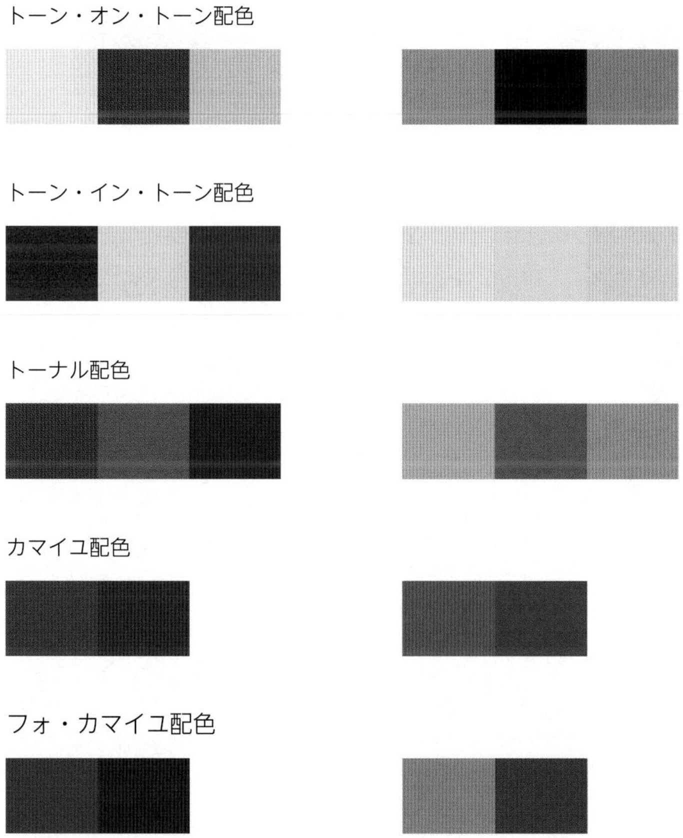

トーン・オン・トーン配色

トーン・イン・トーン配色

トーナル配色

カマイユ配色

フォ・カマイユ配色

図 19. 多色配色におけるテクニックによる類型

ドミナント・カラー配色

ドミナント・トーン配色

図 20. グラデーション

色相のグラデーション

明度のグラデーション

彩度のグラデーション

トーンのグラデーション

(高明度低彩度色から
低明度高彩度色へのグラデーション)

図 21. セパレーション

(類似色相で明度が同じ色を
グレイでセパレーションした例)

4. デザインと CG

1 | アパレルデザイン

アパレルデザインに関する CG はさまざまな場面で使用されている。デザイナーがデザイン画を描く際に、グラフィックソフトを使用することで、メインデザインを基に、デザイン、カラー、柄などのバリエーションを短時間で展開することが可能となる。ラフスケッチへの着色やバリエーション展開、インスピレーションの元となった写真データの加工、展示会で使用する製品図など、グラフィックソフトでは容易な制作加工を行うことが可能である。

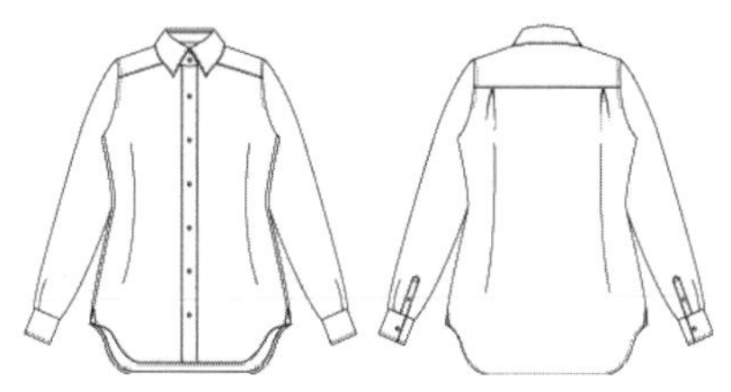

図 22. シャツの製品図

また、数値の入力されているデータと連携させることで、3D シミュレーションを行えるソフトやサービスもある。

手で描いたパターンをスキャンしてデジタルデータ化し、CAD を使用してプロッターでカッティングされたパターンを制作するだけでなく、グレーディングや量産に向けて CAM で使用するデータの作成をすることができる。

CAD ソフトとの連携により、使用する予定の布の色や特性に近い 3D のビジュアルで、商品の完成図を見ることもできる。3D による表現では、画面上で商品を回転させたり、内側を覗き込んだりすることができ、360 度さまざまな角度から質感や生地の落ち感などの風合いまでもリアルに表現したシミュレーションが行える。ニットであれば、ホールガーメントのソフトと連携して、目数や色を、デザインを基にシミュレーションすることもできる。

これらの 3D シミュレーションを行うことにより、サンプルを製作しなくても、大体の仕上がりをビジュアルで確認しながら、変更や加工を検討することができる。これにより無駄なサンプルや生産の時間とコストを省くことができる。

PC 画面やモニターの平面上で表示される 2D・3D ソフトだけではなく、VR（仮想現実）や AR（拡張現実）を使用した CG デザインツールもある。ゴーグルを使用することで、3 次元の目の前の空間にデザインを立体的に描いたり、呼び出したりすることができる。AR の場合は、デバイスのレンズを通すことで、実際にはないモノを現実世界に付加して見せる技術も使用できる。

これらは、平面のディスプレイ上の 3D ではなく、すぐ目の前の実際の空間にあたかも実物があるようなビジュアルを付加できる。立体的なデザインを行うことで、平面データを作った後の立体データ形成という段階を経なくても、商品の完成図に近いデザインをほぼ実寸で体感しながら、シミュレーションできる。また、レーザープリントによる緻密な加工や、3D プリンターによる新たなテキスタイルやアパレル・服飾雑貨の創造もできる。これらの元の制作データも CG で制作される。PC 上の専門ソフトを使用してデザインし、それを出力へとつなげていくことで、さまざまな可能性が生まれてきている。

2 テキスタイル・プリントデザイン

テキスタイルのデザインをPCや端末機器の画面上で、糸1本1本からのシミュレーションを行い、編みや織りの組織からシミュレーションを行うソフトもある。また、プリントに使用するための送り柄のパターンの作成やワンポイントプリント、全体のプリントデザイン等を画像編集ソフトやベクターイメージ編集ソフトウェアを活用して行う。ペンや筆等で紙に描いたイラストやデザインをスキャニングして、デジタルデータとして加工することもある。

3 印刷やウェブでの活用

CGで作成したブランドコンセプトやシーズンコンセプトに基づいたキーデザインやテキスタイルデザインなどは、さまざまな場面で活用できる。これらは、ブランドのロゴマークやロゴタイプもシーズンデザインなどとともに、ブランドデザインの一環として、印刷された紙媒体やウェブ上での展開など多岐にわたって使用される。

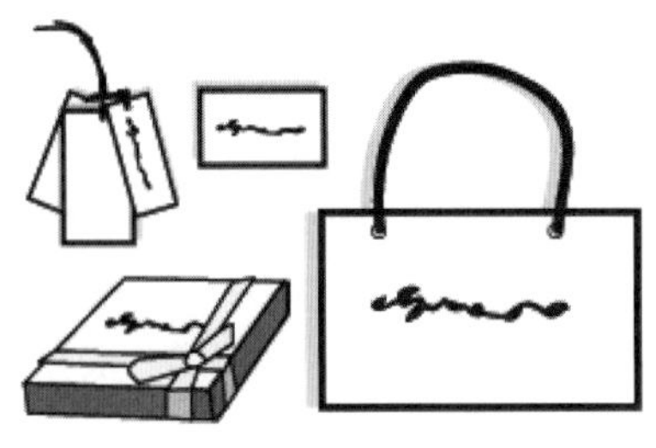

図23. アプリケーションで使われるロゴ

卸先や出店先などの取引先へのプレゼンテーションで使用する参考資料データやビジュアルとして資料の中に使用したり、店頭で最終消費者に向けてアピールする際に、ポスターやVMDの一部として使用したり、店頭で配布するシーズンテーマに合わせたカタログやビジュアルブック、店頭にあるPOP、デジタルサイネージで流すイメージ動画、画像、DM、消費者が商品を購入した際のショッパー（ショッピングバッグ）のデザインなどにも使用できる。

図24. 店頭POPのイメージ

また、企業のウェブサイトなどのオウンドメディア上でも、自社のイメージを発信するために、自社のブランドをイメージさせる写真やイラスト、動画を活用して世界観を伝えていくことができる。ターゲットとする消費者が使用するSNSを把握したうえで、そのターゲットに向けた発信を行う。その際にも同じように、文字だけでなく、イラストや動画等をフル活用した発信が可能となる。PC・タブレット・携帯電話、もしくは街頭や店頭のデジタルサイネージなど、表示するメディアと場所に合わせたサイズやレイアウトはもとより、視覚性を考慮してデザインのバリエーションを広げることも容易にできる。これが、デジタルデータを扱うCGのメリットである。

ネットショップでのビジュアル表現は、ブランドや商品の世界観の演出により、見やすくわかりやすい情報提供が必要となる。商品画像もイメージ写真によって、よりターゲット消費者が自分自身の着用イメージを想像しやすくなる、写真・商品・ディテールがわかりやすい写真の使用が好ましい。明るさの加工や不要な背景・物の削除なども行い、商品がより見やすい状態にする。

また、消費者がブランドに愛着をもつきっかけになったり、親しみをもったりするCGデザインとして、キャラクターがある。そのブランドを象徴するキャラクターを設定し、商品デザインに取り入れて販売したり、イベントや店頭での販促物やアニメーションにして動画に使用することもできる。そのキャラクターを消費者が街や店頭で、もしくは他の消費者が使用しているシーンを見ることで、ブランドを認識、周知、そして再認識するというブランディングにも役に立つ。

4 店舗デザイン

店頭や内装イメージを考える際にもCGは活用される。建築における模型のような感覚で、店舗を取り巻く景観シミュレーションを行うのである。周囲の商業施設や店舗とのバランス、ブランドの世界観がきちんと表現できているか、視認性が高いかどうかを確認するなどして、完成予想図を現場の雰囲気に近いシミュレーションとして見ることができる。

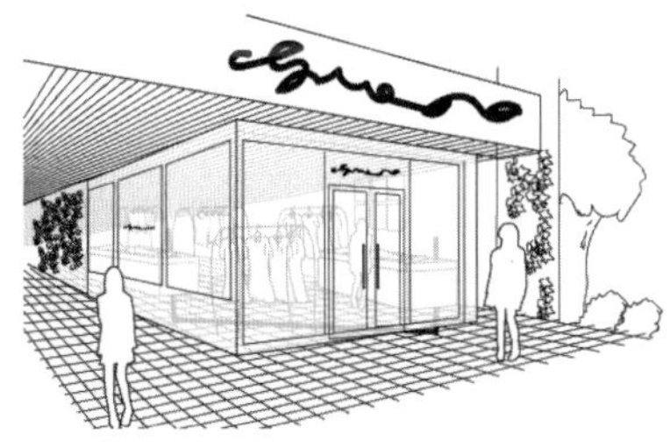

図25. 店舗シミュレーションイメージ

天候や日の当たり方で建物や店舗がどう見えるか、また店舗内外の照明の配置と光量をシミュレーションして、時間による明るさ、商品の見やすさなどを事前に正確に確認することもできる。

5 タイポグラフィ

文字による視覚的表現のことを、タイポグラフィという。デザインしたCGの中に、写真やイラストとともに、文字を組み合わせることも多々ある。タイトルや見出しなどの最初に視線を導く部分に大きなサイズの文字を用いたり、書体の組み合わせや文字の大きさのメリハリをつけることなどで、消費者の注意を引きつける。

文字を使用するときには、文字としての認識のしやすさ（可視性）と、文章としての読みやすさ（可読性）を考慮する必要がある。一般的には、ゴシック体は可視性が高く、遠くからでも認識されやすい。明朝体は可読性が高く、新聞や書籍などの多くはこれを使用している。

MS ゴシック /typography
MS 明朝 /typography
なごみ極細ゴシック /typography
Kunstler Script /typography

図26. タイポグラフィのサンプル

また、レイアウトは形や色と同様に心理的効果を生み出す。例えば、左右対称に配置されたテキストや画像は安定した静的な印象を与え、左右非対称に配置されたデザインは不安定で動的なダイナミックな印象を与える。このようなフォントやレイアウトがもつ特徴を理解したうえで、ブランドイメージや伝えたい内容、表現する場所等を考慮して、デザインを行う。

6 | これからのCG

これからのCG活用の方向として、AI（人工知能）によるデザイン創造が挙げられる。AIは、人間の脳神経の構造を模したアルゴリズムであるニュートラルネットワークを発展させたディープラーニング、画像認識、音声認識・自然言語処理といった分野で高精度化している。

その結果、さまざまなサービスが開発されている。例えば、過去のさまざまなデザインデータを基に、今までにない組み合わせから新しいデザインを創造させることもできる。AIは、人間が想像できないクリエイションを生み出すことが可能といわれている。

しかし、今までにない新しいものだからいいというわけではない。人間の感性に響くようなデザイン・風合いがあって、さらにその商品と価格のバランスがうまく合わないと、消費者は購入に至らない。そのバランスの中には、他のさまざまな要素も含まれる。歴史や時代、宗教や文化、市場や流行、環境や季節、TPOや立場など、ファッションを構成する要素は非常に複雑に絡み合っている。これらを加味しながらデザインの創造を行い、消費者一人ひとりのニーズに合った商品を、ベストなタイミングで提供していくこと。それを行うのが人ではなく、テクノロジーであるという日はそう遠くない。

また、AI技術の活用方法としては、デザインに関するリスクマネジメントも挙げられる。例えば、蓄積した過去のデータの中から、現在制作しているデザインが過去にデザインされたものの模倣ではないかの確認を行うことができる。これにより、意図的ではないデザインコピーによる訴訟などを回避するリスクマネジメントに活用できるようになる。このように、CGと他の新しいテクノロジーとの融合によって、CGの可能性はまだまだ広がっていく。

第5章 ファッションエンジニアリング

1. パターンメーカー実務に関する基礎知識

1 | パターンの基礎知識の重要性

① 企画・生産担当者に必要なパターン知識

企画・生産にあたって、企画したデザインの工業縫製が可能かを判断するためには、パターンメーカー（パタンナー）だけではなく、デザイナーやマーチャンダイザーにもパターン作成の知識が必要とされる。

工場での縫製は、縫い目線の本数や形状によって、縫製に必要な所要時間が変わるので、縫製コストに影響する。また、企画時に設定した価格帯に収めることができるか、その大きな要素となる表素材の要尺がパターン形状によって変化することも、パターンの知識が企画担当者に必要とされる理由である。

さらに、シーチングや実物素材で製作したサンプルを見てパターン修正が必要な場合、デザイナーやマーチャンダイザーにパターン知識があればパターン修正に関して的確な指示が可能である。

したがって、企画・生産担当者は、少なくともパターン修正に必要な知識と実技を習得することが望ましい。

② 販売・営業担当者に必要なパターン知識

商品販売を行うファッションアドバイザーや営業職の場合は、出来上がった商品のお直しや補正に的確に対処するためにも、パターンの基礎知識が必要である。顧客がウエストやヒップ寸法などのサイズ直しを希望した場合に、その要求に対応可能か、その場合、最大何cmまでの補正が可能かを判断したり、シルエットを損なわずにお直しができるかを判断するため、販売担当者の知識として必要である。

顧客からのクレームの中にもパターンが原因のものがある。サイズ、体型、素材とパターン形状のミスマッチ、裏地パターンの設計ミスなどのパターン上の欠点がクレームの対象となる場合に、パターンの基礎知識があれば的確な指示や報告を各部に行い、クレームの再発を未然に防ぐことが可能である。

2 さまざまなパターンメーキング手法

① 作業方法によるパターンメーキング分類

新しいデザインのパターンを作成するために、基になるパターン（原型）を使用するかしないかで作業方法は変わってくる。

基になるパターン（原型）を使用しない「ドレーピング」や「囲み製図法」のような方法もあれば、有り型や各種原型などのマスターパターンを基にしてパターンを作成する「フラットパターンメーキング」「パターンドラフティング」もある。アパレル企業では有り型を基に新しいパターンを作成するフラットパターンメーキングが主流である。

② 思考方法（立体と平面）によるパターンメーキング分類

パターンメーキングを行う際のやり方には、「立体裁断」と「平面製図」の2通りある。

立体裁断には、ボディにシーチングを直接当て、布目を重視しながらシルエットを出してパターンを形づくる「ドレーピング」がある。

立体裁断と比較する場合の平面製図には、卓上で数値やパターン形状を基準としてパターンメーキングする「平面製図法」や「囲み製図」がある。

パターンメーキングの方法は、アパレル企業やブランドが扱っている服種やデザイン、価格帯に応じて方法が異なる場合がある。

③ 種類別のパターンメーキング分類

パターンの種類別では、「ファーストパターンメーキング」と「工業用パターンメーキング」に分類することができる。デザイン画に基づいて最初に作成するファーストパターンには、仕上がり線とダーツなどの内部線、記号などが記入されており、サンプル縫製に使用されるパターンである。

サンプルチェックを行ってファーストパターンを修正し、見返しや表衿などの「パーツパターン」を抜き出した後、ファーストパターンに量産用として、縫製方法に合わせて工業縫製に必要な縫い代や合い印（ノッチ）をつけたものを「工業用パターン」または「生産用パターン」と呼んでいる。

生産用パターンは、工業用パターンを縫製工場のレベルや設備機器などを考慮して工場側で再調整したパターンである。これらの工業用または生産用パターンと、ファーストパターンでは作成しないパーツパターンやゲージパターン（製作過程で、ボタンホールやボタンの付け位置の印付けなど部分的なチェックや作業効率を上げるために用いられるゲージ用部分パターン）を合わせて、フルパターンとなる。

3 既製服のパターンと人台

① パターン作成のための人台

パタンナーは、企業やブランドに合ったターゲットの原型（スローパー）を作成し、サンプルパターンからサンプル縫製を行う。企画や生産担当者によって量産するかが検討され、決定したものは、基本仕様に合わせて工業用パターンが作成される。また、サイズ展開がある商品はグレーディングされる。

パターンチェックなどに使用されるのが工業用ボディであり、より量産に合ったカバー率の高いボディ（人台）が求められる。

工業用ボディには、サイズ・ゆとりなどさまざまなものがあり、それぞれの企業やブランドのターゲットに合ったボディを使用している。

ヌードボディとの違いは、JIS 衣料サイズ規格に合わせて既製服が必要とする体型とサイズで出来上がっている点である。また、人が日常生活で行う動作のために必要とされる、必要最低限のゆとり分量が加えられている。

② 人台のサイズと種類

日本のアパレル企業で使用されている主な工業用ボディとしては、「ドレスフォーム」「ニューアミカ」「キプリス」「フェアレディ」「文化ボディ」などがある。それぞれが固有の体型にゆるみ分量を含んだサイズで構成されている。

「アミカ」は、日本で初めての工業用ボディであり、「ドレスフォーム」は、それに続く日本人の体型に合わせた本格的な工業用ボディである。「ニューアミカ」のシルエットは面の構成を重視した箱型形状で、特に背面と脇面の変わり目で明確な角が立ててあり、ジャケットやコートに適している。「キプリス」は、既製服JISサイズに合わせて作られた初めての工業用ボディである。1995年には成人女性の平均値を集約した標準的なドレスボディとして「ニューキプリス」が誕生した。癖がないので体型のカバー率が高いのが特徴である。「文化ボディ」は、反身(はんみ)体型の明確な表現を加味した点が特徴である。「フェアレディ」は、「アミカ」と同様に古い歴史をもつ人台だが、JIS規格に合わせて改訂され、適度な立体感を保ちながら作業性を重視した癖のない体型が特徴である。

工業用ボディには平均してバスト5cm、ヒップ3cmのゆとりが入っているが、ボディによってゆとりに対する考え方は異なる。パタンナーはそれぞれの工業用ボディの特徴を理解したうえで使用することが重要である。

4 工業用ボディとブランドオリジナルボディ

① 工業用ボディ

既製服のパターンメーキングに欠かせない人台は「工業用ボディ」と呼ばれており、JIS衣料サイズの規格に合わせた数種類のボディがある。それらのボディはそれぞれが固有の体型とゆるみ分量を有している。企業やブランドがターゲットとする顧客のサイズと体型に合うアパレル製品を継続的に提供するために、重要な役割を果たしている。

工業用ボディはドレーピングやファーストパターンメーキングに使用する道具としてだけでなく、サンプルチェックや縫製工場における検品も同じボディで行っている。ボディを統一することにより、顧客のサイズや体型に合わせた製品づくりができる。

② オリジナルボディ

市販されているボディだけですべての企業やブランドをカバーすることは困難である。ボディにシーチングや綿を巻き付けてウエスト寸法を大きくしたり、肩パッドを取り付けて肩傾斜や肩幅を補正することよって、企業やブランドの体型を表現することや、ボディメーカーに発注して特注でオリジナルボディを製作することもある。

オリジナルボディの製作には高額なボディ開発費が必要になるが、オリジナルの体型をもつ商品を継続的に生産するためには重要なポイントの1つである。実際にオリジナルボディを開発し、使用している企業も少なくない。既製のボディの一部を改造する程度であれば、比較的低コストで製作することが可能なだけでなく、安易なオリジナルボディの整形不全がもたらす不自然な体型やサイズ、バランスの崩れた製品を生産する危険を回避することができる。

5 既製服の原型

① 既製服で使用する原型

既製服のパターンメーキングに使用する原型（スローパー）は、企業あるいはブランドがターゲットとする顧客の体型やサイズを反映した形状のものを使用する。同じ工業用ボディを使用して作成した原型であっても、ゆるみ分量の加減とゆるみを入れる位置の変化、衿ぐり、袖ぐり形状や肩傾斜、ダーツ分量などを調整することによって、オリジナルの原型を作成することが可能である。

既製服のパターンメーキングに使用されている原型には、その企業あるいはブランドの基本原型とシーズンごとにそれらを展開したシルエット原型がある。以前に使用したパターンを有り型と呼んでいるが、それらの中で展開に適した形状のパターンを基本原型として使用している企業もある。

② 基本原型の種類と形状

一般的な基本原型は、ウエストダーツとバストダーツ、肩ダーツでフィットさせたタイトシルエットの身頃原型とストレートスカート原型、袖原型が１セットで使用される。ブラウスやジャケット専門のブランドでは、ウエストダーツなしでストレートシルエットの身頃原型を基本原型とする場合もあり、さらにジャケット用、コート用、パンツ用などの服種別に原型を作成して使用することもある。

③ 原型の作成

原型（スローパー）の作成方法は、工業用ボディを使用してドレーピングで作成する方法や、原型の寸法を基にして、フラットパターンメーキングで作成し、シーチングをボディやハウスモデルに着せて補正を行い、完成させる方法がある。有り型を原型とする場合は、過去に評判の良かったパターンを選び、企業やブランドごとに規定の寸法に調整して、基本原型として使用する。

6 縫製仕様書の知識

① 縫製仕様書

縫製仕様書は、縫製工場へ依頼するときに伝えるアパレルメーカーの企画した品質情報そのものである。また、関係部署に対して商品化する内容を伝えるために用いられる。受け取った工場は情報を整理しながら、生産準備から滞りなく作業が進められるように、工場独自の縫製仕様書の書式に従って必要事項を記入し直すことが一般的である。内容、指示の仕方を吟味し、理解しやすい縫製仕様書の作成を心掛けなければならない。

また、縫製仕様書は、縫製方法やサイズ、生産数量、素材、副資材などを記入し、アパレル企画室から縫製工場へ工業用パターンとともに送付する重要な書類で、縫製指示書と呼ぶこともある。

裁断や縫製の担当者が縫製仕様書を見て作業が可能なレベルに縫製内容を検討する必要があるが、企業やブランドごとに決められた縫製方法をまとめた指示書が作成される場合もある。縫製方法の基準が決まっている場合は、個々のデザインごとに作成された縫製仕様書を使用するので、より正確な情報を共有することが可能となる。

② その他の必要書類

アパレル企画室と縫製工場の間で発行されるその他の書類としては、生産を依頼する発注書としての「加工依頼書」、裏地や芯地、肩パッドなどの付属品を指示する「付属明細書」、本生産を行う前に試作したサンプルに関して工場側とアパレル企画室の要望事項や意見をまとめた「先上げサンプル報告書」、縫製工場で実際に素材を裁断した枚数を報告するための「裁断報告書」、縫製が終わり、検品の結果を記入した「検査報告書」、実際に納品が可能な数量を報告する「納品報告書」など、より良い品質の製品を確実に生産するために必要な書類を作成し、コミュニケーションをとることも、パターンメーカーの重要な業務の1つである。

2. 補正の知識

1 | 補正について

補正は、衣服を製作する過程において、個人の体型に合わせて生地の分量や縫い目の位置や丈などを修正する作業を指す。

衣服の製作過程では、本縫いに入る前に体型に合わせるため、出来上がり同様に仮に縫い合わせて試着を行う。その際に行うのが補正である。仮縫いでは、人が着たときに美しいシルエットであるか、着用時に日常の動作に支障はないかなどを確認する。シルエットを確認した後、しわ、つれがないか、身体の中心線に対してバストラインやウエストライン、ヒップライン、裾線が曲がっていないか、脇線が適正な位置にあるかなど、前面・側面・背面から観察し修正を行う。

さらに、衿の形やポケットの大きさ、ボタンの大きさや位置、数、袖丈、上着丈、スカート丈などアイテムに合わせて各部を確認し、美的にも機能的にも問題がないか検討され、修正が行われる。

つまり、仮縫いではパターンや裁断上の不備を確認するだけでなく、人が着たときの着心地を確認するための補正が行われる。補正の作業には習熟した技術が必要となるため、販売職であっても、補正を的確に行うためのパターンや縫製の知識・技術が必要とされる。

オーダーメードでスーツを仕立てる場合はもちろんだが、現在ではオーダーにも種類があり、量産品のスーツではなく、自分の体型に合ったスーツを買い求める消費者も増えているため、さまざまな販売方法に対応した補正技術やそれにともなうパターンや縫製の知識や技術が求められている。

また、最近では縫製するための道具や用具がないなど、生活環境によって自宅で補修を行うことが減っている。店舗によっては「裾上げ」などの補正に対応していない場合もあるため、「裾上げ」や「丈つめ・出し」などのお直しを専門とする店も増えている。

① 小売店での補正（お直し）

小売店舗での補正とは、個々の顧客の要望に合わせてサイズ調整を行う技術である。企画室における補正は、サンプルをチェックしてパターン修正を行う作業を示すが、小売店における補正（お直し）は完成した商品を顧客のリクエストに応じて手直しする作業なので、修正が可能な箇所や寸法には制限がある。

一般的な補正（お直し）としては、「袖丈つめ・出し」「スカート丈つめ・出し」「パンツ丈つめ・出しとウエストつめ・出し」「コートの着丈つめ・出し」などがある。

丈を短くしたり、寸法を小さくするための「つめ」作業は、ほとんどの場合に可能であるが、その逆の「出し」作業の場合は縫い代の幅や形状に制約される。商品の価格に応じた縫い代幅や縫い代形状が設定されており、一般的には高価格商品の縫い代幅は広く、低価格なものは狭いことが多い。

ただし、シルエットの関係で縫い代幅が広いとつれやしわが出る場合もあるので、必ずしも価格と縫い代幅が比例するとは限らない。場所によっては、美しいシルエットを保持するために縫い代が広くなることもある。縫い代は、広くなるほど1着当たりの用尺が増えるため、価格も高額になる。

② オーダースーツと補正

オーダースーツには大きく分けて、「パターンオーダー」「イージーオーダー」「フルオーダー」がある。一般的には、パターンオーダー→イージーオーダー→フルオーダーの順に価格も高くなる。

パターンオーダーは、「セミオーダー」「サイズオーダー」とも呼ばれる。「ゲージ服」と呼ばれるサンプルを着用して、自分の体型に一番近いものを選択し、ゆるみやつれを確認して自分の好みのサイズ感のスーツを注文する。袖丈や着丈、パンツ丈やパンツのウエストなど部分的に自分の体型や希望に合うサイズへ調整し、許容範囲内でデザインやボタンの数なども変更してスーツを仕立てる。比較的低価格でも仕立てることができるが、体型補正や完全なフィッティングは望めないため、自分の体型に合ったスーツを仕立てるためには、ゲージ服の多い店舗を選ぶことが重要になる。

イージーオーダーは、「マシンメード」「コンピュータオーダー」とも呼ばれる。身体のサイズを採寸し、店舗や縫製工場がもっているパターンの中から自分の体型に最も近いものを選び、そのパターン（型紙）を基にデザインや体型の補正を加えた個人のパターン（型紙）を作成してスーツに仕立てる。イージーオーダーでは、パターンオーダーの袖丈やパンツ丈などの各部位の補正に加え、いかり肩やなで肩など身体に合わせた体型補正が可能になる。その他、シルエットやデザインなどを選択し、ディテールをオプションから選ぶこともできる。ボタンや裏地なども選択できるのが特徴となる。

フルオーダーは、「ハンドメイドオーダー」「ビスポークオーダー」とも呼ばれ、オーダーメイドの最高クラスの注文方法になる。身体の採寸はもちろん、パターン（型紙）もその人に合わせて作成されるため、体型の癖やバランスを型紙に反映させることができる。裁断された生地はしつけ糸で出来上がりの形に縫い合わされ、「仮縫い」が行われる。仮縫いでは、試着した状態で着用時や動作時の補正が行われ、顧客の要望やライフスタイル、着用シーンに合わせることが可能となる。体型に合わせるために仮縫いした衣服を「補正」するのが、フルオーダーの最大の特徴といえる。

③ お直し

購入した衣類の丈を直したいなどの「丈直し」、ファスナーが壊れてしまった、穴が開いてしまったときなどの「補修」、体型変化による「サイズ直し」、きものや古くなったデザインを「リメイク」したいなどの要望に応え、補修・修正などを専門にする店舗が増えている。個々の店舗でお直しを行わないアウトレットや大型量販店、百貨店においても「お直し」を専門とする店舗が入っている。

お直し専門店では、着丈、袖丈、裾の

「丈つめ・出し」、身幅、肩幅、袖幅、ウエストなどの「幅つめ・出し」の他、肩パッドの取り替えや増減、衿などのデザイン替えやファスナーの取り替え、かけつぎ（かけはぎ）などリメイクや補修も行っている。

裾上げも「シングル」「ダブル」「モーニング」などデザインに合わせたお直しができる店舗もある。消費者への対応として、「補正」の知識・技術はもちろんのこと、ニーズに幅広く対応できる情報の収集も必要である。

2 補正の種類

① 丈つめと丈出し

「丈つめ」に関しては袖口スカート、パンツ、ジャケット、コートなど裾のヘム代を多くすることで対応するが、適切な寸法以上にヘム代が多くなる場合は縫い代を調整する必要がある。裏なしの場合は、裁ち端の始末も元の仕様と同じ方法で行うのが望ましい。裏付きでふらし仕立てではない場合は裁ち端の始末は必要ないが、裏地も同様に適切な寸法に調整し、オリジナルの縫製仕様通りに仕上げるのが「補正」の基本である。

「丈出し」では、袖口や身頃、パンツやスカートの裾ヘム代の幅の範囲で調整を行うが、ヘム代幅が狭くなり過ぎると袖口や裾が弱くなり、シルエットを保持することが難しくなることもあるので、素材に応じた対応が必要である。裏付きジャケットなどの身頃の場合は、裏地にきせがかかっていることが多いので、きせ分の範囲で裏地丈を伸ばすことができるが、きせなしの場合は裏地丈に余裕がないので裏地の縫い代幅に左右される場合もある。

袖や身頃のデザインやシルエットによっては肘(ひじ)ぐせやウエストシェイプ位置やパンツなどの膝(ひざ)の位置などが「丈つめ・出し」の際に問題になることもあるので注意すべきである。

② 幅つめと幅出し

スカートやパンツの「ウエストつめ」に関しては、ファスナーあきの部分以外でシルエットの崩れにくい箇所を選んで縫い込む作業を行う。前中心あきの場合は後ろ中心縫い目または両側の脇線、寸法が多い場合は脇線と後ろ中心線、さらにダーツやタックなどがあればそれぞれの位置で縫い込んでウエストをつめることができる。

お直しの箇所が多くなると修理コストが上がるので、可能であれば後ろ中心だけとか、両脇線だけで調整することが望ましいが、寸法差が大きく、1～2カ所で調整するとシルエットが崩れる場合は、全体的に調整を行う必要がある。後ろ中心ファスナーあきの場合は脇線で調整を行い、さらに必要があればダーツやタックなども縫い込んで調整を加える。

「ウエスト出し」は、商品につけられた縫い代幅の範囲内で行うことができる。メンズスーツのスラックスの場合は、ウエスト寸法が調整できるように後ろ中心の縫い代が広くつけられていることが多いため、「ウエスト出し」の調整がしやすくなっている。通常、高価格商品の縫い代幅は広めにつけられており、低価格の商品では狭くなっている。これは縫製コストの中で大きな割合を占める表素材の用尺と関係があり、縫い代幅が数mm広いだけでも生地幅に入らなくなり、用尺が大幅に増えることもあるので、商品の価格と縫い代幅は比例するのが一般的である。

ただし、高価格商品であっても、急なカーブ線につける縫い代は、広すぎるとつれが生じるため狭く設定されていたり、縫製の途中でカーブのきつい部分の縫い代が細くカットされていたり、縫い代に切れ込みが入っていたりすることもあるので、その場合はウエスト出しや幅出しを行うのは困難になる。

ウエストなどをつめるときには、どの位置でつめるのが適切なのか、ウエストなどを出す場合は、出したい部分の縫い代が十分に確保されているかどうかを必ず確認して、注文を受けることが重要である。

③ その他の補正

ジャケットやコートでは、顧客がなで肩、いかり肩、あるいは左右どちらかの肩が下がっていることなどが原因でしわが生じていることがある。そのときは、商品に取り付けられた肩パッドを取り外したり、追加するなどして厚みを調整することである程度の対応が可能である。

また、反身体型、屈身体型のように姿勢の良し悪しが原因で起きるしわの対策としては、根本的にはパターンからすべてを調整することになるので、簡単にできる範囲で肩パッドの位置を前後にずらしたり、試着してもらって上下のサイズがもっと身体にフィットするものを選ぶ。あるいはセレクトショップでいくつかのブランドを扱っている場合には、他のブランドで同じようなデザインの商品を試着してもらうなどの方法も効果的である。最悪の場合は肩線や脇線を縫い直すという補正も可能であるが、小売店での補正の範疇(はんちゅう)を超える場合もあり、商品価値を下げることになる。身体の特徴に合わせることが必ずしも美しいシルエットになるとは限らないので、十分な注意が必要である。

3. アパレル生産工程の知識

1 アパレル生産プロセス

① アパレル生産の流れ

生産は、企業業績を左右する重要な使命を担っている。企業が小規模の場合は、商品企画者が生産も担当することがあるが、規模が大きい場合は生産担当者を専業化して効率化を図る。

基本的なアパレルの生産プロセスは、「アパレル企業（商品企画）→縫製工場→流通→小売企業」という流れであるが、SPA 業態の場合には、「小売企業企画部門（ショップ展開→商品展開）→縫製企業→小売企業物流部門→小売企業販売部門」という流れになる。

② 商品企画

商品企画では、消費傾向を調査し、ファッション情報、素材情報、市場情報を基に情報を分析し、シーズンイメージの作成、デザイン、素材開発、色彩計画を行う。

③ サンプルメーキング

商品企画されたデザインを基に、ファーストパターンを作成し、サンプルメーキングを行う。サンプルは、生産・販売会議でデザインイメージや仕様が確認され、企業やブランドによっては、商品サンプルを基に展示会を行い生産量を決定する。

④ 生産計画・管理

作成されたパターンと縫製仕様書に基づいて、商品の生産計画と管理を行う。生産管理は、工場をもたないアパレルメーカー（ファッションメーカー）と工場（ファクトリー）に大別される。

さらに、ファッションメーカーの生産管理は、素材調達業務と外注工場生産管理業務に大別される。

いずれも、量産が決定された商品は生産計画が立てられ、資材（表地・裏地・芯地・付属）が手配され、商品ごとに縫製を依頼する工場の選定、納期の管理、生産量の管理、1反の生地のサイズ管理、原価管理、品質管理が行われる。

⑤ 製造工程

縫製工場では、資材の受け入れ・検査・数量の確認を行い、工場サンプルメーキングを行って生産用パターンメーキング・製造指示書（裁断仕分け指示書、工程分析表、作業標準書、時間標準書、工程組み合わせ段取り標準書、工程編成表、レイアウト表、検査指示書など）を作成する。

生産日程（裁断計画、縫製計画、仕上げ計算）を基に製造会議を行い、製造ラインの準備工程（検反、放縮、縮絨（しゅくじゅう）、マーキング、延反（えんたん）、裁断、仕分け）を経て、縫製工程（芯貼り、縫製、特殊ミシン、まとめ、検査、仕上げ）で商品を仕上げ出荷する。

⑥ 流通とアパレル小売企業

一般的に縫製工場で生産された商品は、種々の流通ルートから商社を通じて、アパレルメーカー、アパレル卸商、代理店などを経由して、アパレル小売企業へ流れる。一方、SPA業態では、製造工程から物流センターを経て直営小売店へ直接納品される。小売店からショップへ、そして顧客へと、商品は届けられる。

2 パターン、縫製仕様書と生産

① ファーストパターンとサンプルメーキング

アパレルメーカーでは、ほとんどが商品の生産を自社以外で行っている。これを外部委託（アウトソーシング）、または外注という。そのため、アパレルメーカーと縫製工場のコミュニケーションでは、パタンナーが作成する工業用パターンと縫製仕様書が主要な情報ツールとなる。

パタンナーは、企画された商品のデザイナーの意図を汲み取り具体的な形にするため、ファーストパターンを作成する。シーチングを組み立ててデザインイメージに合っているかをデザイナーに確認し、サンプルメーキングを行う。ファーストパターンはサンプルパターンとも呼ばれ、デザイナーが表現したい仕上がりになっているかを確認するためのサンプルメーキング用のパターンである。

サンプルメーキングでは、商品企画通りに出来上がっているか素材や副資材等を確認し、検討したうえでパターンを修正して、工場生産用のマスターパターンを作成する。サンプル完成後は企画室にてサンプルチェックを行う。縫製やデザイン上の問題点だけでなく、素材とパターンの適合性、縫い目線の形状や縫い代幅、ゆるみ分量などを確認する。

② 工業用パターンと縫製仕様書、その他の書類

マスターパターンを基に工場で裁断できるように完成された量産用のパターンを、工業用パターンと呼ぶ。

いったん発注されると修正することはできないため、商品サンプルを使用して展示

会を行い、生産計画が組まれた時点で、工業用パターンの完成度をさらに高めると同時に、本生産用の縫製仕様書、生産依頼書、付属明細書を作成し、工業用パターンを縫製工場へ送付する。PC環境が整ってきたことや海外の縫製工場に依頼する際の便利さもあり、データを送って生産を行うメーカーが大半を占めている。

アパレルメーカーによっては、縫製工場へ出来上がり線のみのパターンを送り、縫い代つけやポケットなどの部分パターン、衿・見返しなど素材に合わせたパターン展開、裏地パターン、芯地パターンを縫製工場に任せるメーカーもある。

また、依頼された製品が納期に間に合うように生産を工夫するため、設備機器やアタッチメントなど縫製工場の状況に応じて作り替えたパターンを、生産用パターンという。

3 | グレーディング

① グレーディング

グレーディングとは、標準サイズで作成されたパターンを展開し、必要な上下サイズのパターンを作成するためにシルエットやデザインを崩さずパターンを拡大・縮小する技術である。

② JIS衣料サイズとグレーディングピッチ

日本製のアパレル製品は、JIS衣料サイズに従ってサイズ表示を行うが、JISで規定されているのは、各サイズに対応する身体寸法であり、製品の仕上がり寸法ではない。各社が規定している製品の寸法は、対応身体寸法を表示するサイズに対してゆるみ分量を加減して決定しているために、各社の同一製品を比較した際に仕上がり寸法のバラつきがある。

成人女子用衣料のサイズでは、A体型、Y体型、AB体型、B体型の体型区分ごとに3から21まで奇数号数によるバスト寸法を基準とする主要な身体寸法をまとめたピッチ表が提供されている。衣服のグレーディングを行うには、JIS衣料サイズの対応身体寸法のピッチを参考にして、各社がターゲットとする顧客層の体型やサイズの範囲を考慮して服種別の仕上がり寸法表を作成し、それに合わせて主要なグレーディングピッチと部分的なピッチを決めている。

4 | マーキング

① マーキング

マーキングとは裁断する素材の生地幅に合わせて工業用パターンをレイアウトする技術である。マーキング時にどのようにパターンを配置するかによって、必要な生地の用尺が変化する。アパレル製品の製造コストに占める素材の比率は高いので、生地幅とパターン形状の関係で生じる生地のロスをいかに減らすか、歩留まりを良くするかが大事である。

マーキングには、アパレルメーカーが行うマーキングと縫製工場が行うマーキングがある。アパレルメーカーのマーキングは、1着当たりの使用量を見積もることであり、縫製工場では生産依頼を受けた必要な枚数を裁断するために行う。縫製工場では一度に数十枚の生地を重ねて裁断するため、誤差が出ないように間隔を空けて配列する必要がある。アパレルメーカーは、見積もりを出すときにサンプルと工場での差が生じることを考慮しなければならない。

② マーキングの要素

マーキングを行う際に重要な要素は、地

の目線と方向である。パターンの地の目線は、シルエットを構築するうえで重要な役割を果たすので、マーキングを行う際に、パターンの縦地の目線と素材の縦地の目を正確に合わせる必要がある。

パターンの方向を上下逆にすると、マーキング効率が高くなる場合があり、素材自体の毛並みや柄などに上下がない場合は上下を逆にすることがある。フレア形状のパターンであれば、前後のどちらかを逆向きに置くことで裁断ロスが大幅に減ることもある。これを差し込みと呼ぶ。

素材の方向性は毛足のある場合に顕著に現れる。毛織物、ベルベット、毛皮などの表面の毛の並び具合から、「なで毛」と「逆毛」と表現される。一般的に毛織物は毛が下向きに流れているので毛の方向、ベルベット類は逆毛の方向が美しいとされているので、マーキングと裁断を行う際には実物の素材の上下をよく見比べて、美しい方向を選ぶべきである。そのようなことを縫製仕様書や加工依頼書に明記しておくことが望ましい。

5 | 延反、裁断

① 延反、裁断用機器

素材を裁断台に拡げて、裁断する枚数に合わせて重ね合わせる作業を延反（えんたん）と呼ぶ。延反を行う際は素材を台上に延ばし、マーキングデータに基づいて必要な用尺でカットした後、いったん元の位置に戻して次の素材を延反する。折り返しの状態で素材を重ねると、その時点で1着ごとに差し込みで裁断することになるので、同じ方向に素材を延反するような仕組みになっている。

半自動的に延反と裁断を行う機器を自動裁断機と呼び、自動裁断機などの縫製支援機器をCAM（Computer Adied Manufacturing：「コンピュータ支援による製造」の略）と呼んでいる。CAMには自動裁断機の他に、自動縫製を行うさまざまな機器が含まれる。

② 延反、裁断工程

パターンデータを自動裁断機に入力し、マーキングデータに従って、素材の延反を行う。延反距離はマーキングデータが必要とする用尺に合わせて行われる。延反終了後、裁断台上をマーキングデータ通りに自動裁断が行われて、仕分け作業に入る。カットされたパーツごとにバーコードの入ったシールを貼ることもあり、パーツの取り間違いなどによる縫製ミスを出すことがないように、万全の体制で準備作業を行う。

表地、裏地、芯地、その他必要な素材をすべて裁断し、ロットごとにまとめて仕分け作業をする。

6 | 縫製

① 縫製準備（芯地・テープ貼り）工程

裁断したパーツに芯地、増芯、裾芯、袖ぐり・衿ぐりなどに伸び止めテープなどを貼る。接着プレス機による芯地接着は素材の熱収縮が起きる可能性があるので、事前に接着テストを行い、温度とプレス圧を調整する必要がある。熱収縮が避けられない場合には、裁断時に縦横の収縮率に合わせてパターンデータを拡大し、収縮後のサイズを規定の寸法に合わせることもある。

② 縫製工程

縫製工程表に従って、ロットごとに縫製を行い分業制で効率のアップを図るが、高級な素材と高度な縫製技術を必要とする衣服の製作では、効率以上にクオリティを追求するために、少人数の技術者グループによる縫製が行われる。

縫製工程には、1本針本縫い自動糸切りミシンを主体として、その他多数の特殊ミシン類とアイロン、中間プレスなどがデザインに応じて使用される。

7 仕上げ

① 検品

ボタン付けや手まつりなど、まとめ作業が終了した製品は1着ずつ検査が行われる。

テーラードジャケットの場合では、外観、前身頃、衿、脇布、袖、後ろ身頃、裏の各部をチェックし、出荷が可能かどうかを決定する。また、縫製時に使用された針が残っていないか、検針器を使用して検査を行う。

不合格のうち、修理可能なものは各担当、あるいは修理専門の部所で修理し、再検査、仕上げプレス、納品となる。

② 仕上げプレス

仕上げプレス機はジャケットの前身頃などを最終的に立体的な形状に仕上げる装置で、必要な曲面を備えたプレス台に地の目を整えながらバキュームで固定し、上下で挟み込んで蒸気と圧力をかけて成型する。

人台プレス機はボディの形状をしたプレス機で、完成した製品を着せた状態で、中から蒸気を噴き出し、衣服の内部でふくれて全体のしわを伸ばしたり、形状を整えたりする役割を果たす。ボディ部分には腕も付いているので、ジャケットやシャツ、ドレスなども立体的にプレスすることができる。

8 包装、出荷

① 包装

検品、仕上げ工程を終了した製品を販売店に直送する場合は、必要なタグを付け、所定の包装を施して、流通センターへ送られる。ジャケットやドレス、パンツなどのハンガー移送を行う場合は、規定のハンガーに掛けた状態で1点ごとに包装する。シャツ類のようにたたんだ状態で店頭に並べるアイテムでは、仕上げ段階で美しくたたんだ状態にプレスを行う場合もある。たたまれた状態のままでもデザインや色・柄、半袖・長袖の区別、衿形状などが理解しやすく、商品価値が損なわれないことも重要である。

② 出荷・流通

縫製工場で完成し、包装された商品は、消費者の手に渡るまでさまざまな流通ルートで輸送される。SPAなどの製造小売業態では、小売店の在庫情報を基に生産が行われ、縫製工場の出荷段階で直送される店舗と数量が決まっているので、常に配送業者によって工場と小売店が直結した状態となる。

4. CAD、CAMの知識

1 | アパレル生産のシステム化

① アパレル企業のIT化

ファッション業界は、人海戦術による手作業主体の業務から、ITを活用して少人数ですべての機能を担うIT重視の業務体制に切り替わりつつある。

電子メールを利用し、企画やパターンデータの送受信を行うことが多い。また、遠隔地とのコミュニケーションをホームページやEメール、SNSなどを活用して行うことで、迅速かつ綿密な仕事を可能にすることができる。IT化により、アパレル企業の業務時間と費用が節約されている。

インターネットを利用することで電子メールの交換やデータベースの交換が国境を越えて行われることになり、ファッションの生産や流通はグローバル化した。

また、WWW（World-Wide Web）の進展によりインターネットは著しく普及し、検索エンジンにアクセスすることで蓄積された情報を収集することができる。これまでのカタログなどの印刷物を利用した通信販売に代わって、今後は、情報ネットワーク・情報システムを利用したインターネット販売、携帯サイト販売、デジタルテレビ放送と連動したネット販売など、ITメディアを利用した販売方法が期待されている。

ファッションビジネスにおいては、特に商品企画・生産管理・販売管理の分野でIT化が進んでいる。

商品企画・生産管理では、デザイン支援のためのCGやパターンメーキング支援、生産支援のCAD・CAMがある。

販売管理面においては、売上情報管理や商品情報管理を行うPOS（Point Of Sales system：小売店頭における商品別売上情報を単品ごとに収集・登録・蓄積・分析するシステム）、ポイントカードなどの顧客情報の収集・分析などを行う顧客情報管理、受発注情報管理を行うEOS（Electric Ordering System：オンライン受注システム）、電子データ交換のEDI（Electronic Data Interchange：ネットワークを通じて行う企業間のペーパーレスシステム）やCALS（Commerce At Light Speed：製品の開発・設計・発注・生産・流通などのすべてのプロセスで製品情報を電子データとして調達側と供給側が共有するシステム）などがある。

② CG

アパレル企画室のデザイン支援のためのIT化はCG（Computer Graphics）を活用することから始まった。

CGは、コンピュータを活用した図形処理のことをいい、アパレル分野ではデザインや色・素材シミュレーション、マップ、販促用パンフレット作成などクリエイションに関わる多くの分野で活用されている。

CGの活用によりカラーバリエーションに合わせたデザイン画を作成できるなど、作業の軽減にもつながっている。1980年代後半に実用化されたアパレル企画用のCGのアプリケーションソフトは、平面的な2次元のデザイン画から3次元の立体画像を描ける段階までに発展し、簡単にデザイン画を描くためのドロー系のCGと、ペイント系のCGに大別される。

ドロー系のCGとは、Adobe IllustratorやPowerPointの数式で定義された線種を使用するアプリケーションソフトで、飾り文字やロゴを描いたり、平面イラストの作成、ワッペンのデザインなどに使用される。

ペイント系のCGには、Adobe PhotoshopやMicrosoft Paintを代表とする、点の集合で画像を表現するアプリケーションソフトがあり、写真画像の修正や加工、手描きイラストに活用されている。

ドロー系もペイント系も同じように見えるが、拡大したり印刷したりすると、点の集合体であるペイント系のCG線は粗くなる。

さらに、一般的な事務用アプリケーションであるOfficeのWordとExcel、PowerPointを活用して、必要な書類、表計算、プレゼンテーション用資料などの作成まで、ほとんどの作業がパソコンで行われるようなっている。

2 | アパレルCAD

CAD（Computer Aided Design）は「コンピュータ支援によるデザイン」の略であり、既製服の生産設計において、パターンメーキング、グレーディング、マーキング、裁断データの作成の工程をコンピュータを利用して作成するシステムである。

CADの利用においては、CAD本体だけでなく、パターン入力するためのスキャナーやデジタイザー、出力するためのプロッタが必要になる。

CADの普及により、これまでの手作業を正確に高速処理できるようになり、パターンデータの保存と管理が簡易化された。

また、現在販売されているCADのOSは、マイクロソフト社のWindowsに対応しているため、CAD以外のソフトを同じコンピュータで使用することができる。CADのデータをインターネットで送受信したり、ネットワーク環境を整えることで、データベースを共有し、関連部署からファイル検索が行えるなど汎用性が広がっている。

① ファーストパターンメーキング

CADによるファーストパターンメーキングには、数値入力による平面製図法と、画面上で有り型や原型（スローパー）を展開してパターンメーキングする方法がある。アプリケーション画面のメニューを操作することで、実際のパターンメーキングと同様の作業を行うことができる。

CADは、パターンを迅速かつ正確に作る道具であるが、パターンメーキングの原理を理解していないと、コンピュータの利便性を生かしきれず、より良い効果が生まれない。クリエイティブなパターンメーキングの能力をいかにCAD上で活用できるかが重要である。

② 工業用パターンメーキング

ファーストパターン（サンプルパターン）を使用して製作したサンプルを確認し、修正されたマスターパターンを工場でそのまま裁断できるように完成させた量産のパターンを、工業用パターンと呼ぶ。工業用パターンメーキングは、CADの画面上で縫い代をつけ、必要な記号・名称などを書き込むことができる。マーキングデータとして必要な線は縫い代の外周線と地の目線で、外周線上の合い印の位置が分かれば裁断が可能となる。

③ グレーディング

CADによるグレーディングには、端点の移動方向と距離を一覧表にまとめたグレーディングルールによって展開する方法と、画面上のパターンに幅出し線、丈出し線を引き、各線で拡大・縮小する数値を入力してグレーディングする切り開き方式がある。

グレーディングの結果は、前中心線や肩線、裾線などさまざまな点と線を基準として重ね描き表示を行い、各サイズの間隔と角の位置を見てグレーディングの結果の良否を確認することができる。

④ マーキング

マーキングは、コストの計算上、重要な要素である素材の用尺を決定するだけでなく、裁断時の地の目や柄合わせなどを正確に行うために不可欠な技術である。

CADによるマーキングは、生地幅に合わせて最小限の用尺で裁断するためのパターンレイアウトをシミュレーションし、最も裁断効率の良いマーキングデータを表示するので、マーキング初心者であっても効率良くデータを作成することが可能である。長年マーキングを行っている熟練者は、CADを全自動ではなく手動、あるいは半自動で走らせ、作業者の直感によるマーキングを行う。そうすることで、パソコン以上に効率の良いマーキングを行うことも可能になる。

CADによるマーキングデータは簡単に変更できるので、縫製工場に納品された素材の幅がサンプル縫製用の反幅と異なっていた場合でも、縫製工場側で生地幅の修正を行うことが可能である。

3 | CAM

自動裁断機などの縫製支援機器をCAM（Computer Aided Manufacturing =「コンピュータ支援による製造」）と呼んでいる。CADで作成した設計データによって製造用のプログラムを作ることで、アパレル分野では主に裁断工程で活用されている。CAMには自動裁断機の他に、自動縫製を行うさまざまな機器が含まれる。

① 自動裁断機

CADで作成したマーキングデータを自動裁断機に入力し、素材をセットすると自動的に延反、裁断が行われる。延反は、生地を裁断する枚数分、重ね合わせる作業である。延反には延反機が使用され、必要な生地の用尺などの条件を入力して自動で延反を行うことができる。延反した生地は、ずれないように上からビニールを重ね、下から吸引して固定する。

裁断には金属製の縦型カッターを上下させて素材を裁断する方法と、レーザーで素材を切り取る方式がある。実際には、カッターが素材を切断する方法の場合、カッターの歯で素材を押す力が生じて、わずかな裁断ずれを生じることがある。一方、レーザーなどで裁断を行う機器では、レーザーメスが素材に触れずに裁断するので、さらに正確な裁断が行われる。

自動裁断機で裁断されたパーツは、サイズごとにラベルを貼られて仕分けされ、縫製工場へ送られる。

② 自動縫製機器

パターンデータを活用して正確に縫製を行うことができる自動縫製機器は、人件費の安いパート労働者であっても、熟練者と同等に高度な縫製を行うことができるように開発されたものである。新開発の素材などで縫製が困難な場合であっても、適切な縫製データを入力することで最適な縫製を実現することも可能となる。微妙ないせの配分を要求される袖付けミシンでは、パターン上のいせ分量をパターンデータから読み込んで、自動的にいせ込みを行う機器もあり、縫製機器のロボット化が進んでいる。

4 その他のアパレル機器

① 編み機

生地を縫製するアパレル機器の他に、ニット製品を生産する編み機がある。通常の服づくりでは生地をパターンの形に裁断し縫製するが、ニットは一般的に各パーツごとにパターンの形に編み目を裁断することなく連続した状態で成型して編立てし、リンキング（チェーンステッチでつなげる方法）する。

国内のニット生産では現在、コンピュータによって編成が制御されたコンピュータ編み機が主力となっている。コンピュータ編み機には、手袋編み機や靴下編み機、無縫製ニット対応の横編み機などがある。

② デジタルプリンター

アパレル機器には、縫製だけでなく、生地にデザインした柄をプリントできるプリンターがある。インクジェット方式で捺染し、コンピュータを使用して作成した柄をプリントすることができる。生地用のプリンターには、フラットベッド型と縦型があり、それぞれ用途によって使い分けられる。インクの種類も生地に合わせ、反応染料、分散染料、酸性染料、顔料などがある。デジタルプリンターは、工場でのプリント生地生産はもちろん、用尺に合わせたプリントが可能であり、多様なニーズに対応できるようになっている。

補足用語集

ファッションビジネス知識

第1章

モデリング　元の意味は模型製作のこと。ファッションビジネスでは、デザイナーによって創作されたデザイン画を、衣服という形にする過程をいう。具体的には、パターンメーキング、グレーディング、サンプルメーキングなどの機能を指す。

ロジスティクス　元の意味は兵站（戦闘における後方部隊）。ビジネスの世界では戦略物流とも呼び、物流機能を素材調達・生産・仕入れ・販売などの活動と連動して総合的に管理し、効果的・効率的に行えるようにするための業務プロセスをいう。

ランカシャー　イングランド北西部の地方で、産業革命期に綿工業が発達した。

ヨークシャー　イングランド北東部の地方で、毛織物工業が盛んである。

プラント輸出　輸出方式の1つで、「機械設備一連の工場設備（プラント）一式」を輸出すること。発展途上国が先進国から技術導入をする際にこの方式が広く採られ、繊維関係でも、日本から東南アジアや中国などに対する紡績、化合繊の生産設備のプラント輸出が行われてきた。

CS（Customer Satisfaction）　顧客満足。購入・利用した商品やサービスに、顧客がどれくらい満足したかの指標。

SDGs（Sustainable Development Goals）　持続可能な開発目標。2001年に国連サミットで策定されたMDGs（ミレニアム開発目標）の後継として、2015年9月の国連サミットで採択された「持続可能な開発のための2030アジェンダ」に記載された2016年から2030年までの国際目標。

3R　スリーアールは、環境と経済が両立した循環型社会を形成していくための3つの取り組みの頭文字をとったもの。消費者から支持されない商品、つまり売れなくて残ってしまう商品を極力減らすリデュース（Reduce）。リフォーム商品や古着の販売など、商品の再利用を進めるリユース（Reuse）。使用済み商品を回収して再資源化し、再生利用するリサイクル（Recycle）。

フェアトレード　開発途上国の原料や製品を適正な価格で継続的に購入することを通じ、立場の弱い生産者や労働者の生活改善と自立を目指す「貿易のしくみ」。

サブスクリプション　月額などで料金を払うと期間内は商品やサービスが使い放題になる定額制サービス。

B to C（Business to Consumer）　企業と消費者の間の電子商取引。B2C とも表記する。

B to B（Business to Business）　企業間電子商取引。B2B とも表記する。

C to C（Consumer to Consumer）　消費者間電子商取引。C2C とも表記する。

第2章

アイデンティティ　一人ひとりの生活行動を一貫したものにさせる「自分らしさ」のことであり、人生観、生活観、消費観などもそれが表れた例である。

コストパフォーマンス　費用対効果の意味で、消費面では、消費者の購買にかかる費用に対する、商品の品質やサービス等の内容の充実度を指す。

越境EC　海外向けにウェブサイトを開設し、その国の消費者向けに販売する電子商取引。

サステナブル　持続可能性のこと。特に、地球環境を保全しつつ持続が可能な産業や開発などについていう。サステイナブルともいう。

シェアリングエコノミー　欲しいものを購入するのではなく、必要なときに借りればよい、他人と共有すればよいという考えをもつ人やニーズが増えている。このようなニーズに応える、物・サービス・場所などを、多くの人と共有・交換して利用する社会的な仕組み。

O2O（Online to Offline）　ネットでの活動が実店舗での購買に影響を及ぼすこと。またはネットと実店舗の購買活動が連携し合うこと。

ジェンダー　社会的・文化的に形成される性別・性差のこと。

インバウンド消費　日本に来ている外国人旅行者による消費。

LGBT　レズビアン、ゲイ、バイセクシュアル、トランスジェンダーの頭文字をとった性的少数者の総称。

バンドワゴン効果　消費効果のうち、流行に乗ること自体の効果のこと。「人がもっているから自分も欲しい、流行に乗り遅れたくない」という心理が作用し、他者の所有や利用が増えるほど需要が増加する効果。

ヴェブレン効果　製品の価格が高まるほど製品の効用も高まる、いわゆる顕示的消費に該当する効果。

スノッブ効果　人と同じものを消費したくないという性向から生まれる効果で、「他人と違うものが欲しい」という心理が働き、簡単に入手できないほど需要が増し、誰もが入手できるようになると需要が減少する効果。

第3章

輸入総代理店　海外の企業やデザイナーなどと契約を結び、そのブランド商品について、自国に関する独占的な輸入・販売の権利をもっている企業。

並行輸入　海外の有名ブランド商品を、その輸入総代理店以外の業者が別のルートから輸入すること。

海外委託生産　日本の企業が自社の商品企画に基づいて、海外のアパレルメーカーに生産を委託し、製品や半製品を輸入すること。

ライセンサー (licenser)、ライセンシー (licensee)　ライセンスビジネスとは、国内外の他企業、デザイナー、タレントなどと、デザインやパターン、技術、ブランド名などを使用する契約を結んで、生産し販売するビジネスである。ライセンサーとは、このライセンス契約の許諾者、ライセンシーとはライセンス契約の受権者のこと。

ジャパン社　ブランドの独占的な輸入・販売、ライセンスの管理やライセンス商品の販売促進・生産管理などを目的に、日本に設立された外資系企業のこと。100%外資のケースと、日本企業と合弁会社を設立するケースがある。

見本市　多くのメーカーや卸売業が1つの会場に集まり、小間ごとに商品見本を陳列して宣伝・紹介を行い、販売業者と大量取引きをする催し。

ポップアップショップ　ある一定期間、集客力のあるスペースを借りて出店する期間限定店舗。

トラフィックチャネル　駅ナカ、高速道路のサービスエリア、空港の商業施設など、日常の移動、観光、帰省、出張など人の流れの多い交通機関関連の施設に出店する販路。

D2C (Direct to Consumer)　自社で企画・製造し、ネット限定で消費者に商品を販売するビジネスモデル。オンラインSPAともいえる。

ディベロッパー (developer)　ショッピングセンターでは、自らの意志に基づいて、商業施設を計画し、建設、所有し、入居テナントとの共同発展を目的として、管理・運営する企業のことをいう。

テナント (tenant)　ショッピングセンターでは、商業施設内に区画割りされた店舗に、賃料を払って営業する企業のことをいう。

エンクローズドモール（enclosed mall）　通路が屋根で覆われ、人工的な採光を採り入れた全天候型のショッピングモール。

オープンモール（open mall）　通路が屋根で覆われていないショッピングモール。

スペシャルティセンター（specialty center）　大型店がなく、専門店や飲食店だけで構成されているショッピングセンター。ファッションやアミューズメントなどでのコンセプトがはっきりしているところが多い。

ファッションビル　先進的なファッション専門店が多数入店している、中規模クラスのビル形式のスペシャルティセンター。

ライフスタイルセンター（lifestyle center）　富裕層が多く住む地域で、比較的高額な商品を取扱う有力専門店で構成され、デザイン性やアメニティ性に富んだオープンモール型のショッピングセンター。

地場産業　特定の地域にその立地条件を生かして定着し、特産品を製造している産業。

ファッショングッズ　一般には、アクセサリー、バッグ、シューズ、ベルト、帽子、スカーフ、傘などの服飾雑貨を指す。

タンナー　「皮（スキン）」を鞣して、腐ったり固くなったりしないように加工して「革（レザー）」を作る業者。

第4章

ビジネスモデル　企業が売上げや収益を上げるための、事業の構造や仕組み。

SWOT分析　企業が新規ビジネスなどを立ち上げる際に、目標を達成するために行う環境分析の手法で、強み（Strength）、弱み（Weakness）、機会（Opportunity）、脅威（Threat）を評価するフレームワーク。

ブランディング　顧客が価値として認識するブランドを構築するための企業活動のこと。

ブランドエクイティ　自社ブランドがもつ信頼感や知名度などの無形の価値を、企業資産として評価すること。

クラスター分析　クラスターとは、全体の中で共通項をもつ、似たような属性の消費者が集まった一群のこと。クラスター分析とは、それぞれのクラスターの特徴や相互の差異を明確にすること。

イメージターゲット　「こういったシーンで、こういうふうに着てもらいたい」と想定する消費者。

商圏　特定の小売店や商業集積に集まる顧客の多くが住む地理的な範囲のこと。

ストアロイヤルティ　直訳すれば「店に対する忠誠心」となり、ある特定の店に対する「この店でしか買わない」という顧客の固定度、信頼度のこと。

AISASの法則 Eコマースのマーケティングで注目されている法則で、注意が喚起され、興味が生まれ、検索し、購買し、情報を共有する、という消費者の購買プロセス。

サイコグラフィック分類 マーケティングにおける市場細分化を進める際に、ライフスタイルやパーソナリティなど、消費者の心理的な側面から分類する方法。

ミステリーショッパーズリサーチ 競合店に顧客を装って出向き、実際の買い物を行って、その過程で接客レベル、クレーム処理、顧客サービスなどをリサーチすること。

インフルエンサーマーケティング 商品やブランドがターゲットとするコミュニティやセグメント内において、人気のあるインスタグラマーなど周囲に影響を与える人物を見つけ、彼らに対してアプローチする方法。

SEO（Search Engine Optimization） 検索エンジン最適化。

SEM（Search Engine Marketing） 検索エンジンマーケティング。

LTV（Life Time Value） 顧客生涯価値。1人が特定の企業やブランドと取引きを始めてから終わるまでの期間である顧客ライフサイクル内に、どれだけの利益をもたらすのかを算出したもの。

第5章

当用買い さしあたり必要な量だけを仕入れること。

ロスリーダー 「目玉商品」のことで、客寄せのために限定的に商品を大幅に値下げして刺激剤とする。

コラボ商品 異なるブランドやメーカーが共同で打ち出した商品。

買回り品 購入に際して複数の店舗を見て回り、商品を比較してから購入を決定するような性格の商品のこと。

最寄り品 買回り品に対して、手近なところで気軽に購入できる日用雑貨や食料品などのこと。

ロングテール ネット販売では、膨大なアイテムを低コストで展開できるため、ニッチ商品の多品種少量販売によって大きな売上げを得ることができるという経済理論。縦軸に販売数量、横軸にアイテムを販売数量の多い順に並べたグラフを描いた際に、販売数量の少ないアイテムを示す部分が長く伸びる様をlong tail（長い尻尾）に見立てた呼称。

キャリー品 前年から持ち越した在庫品。

フェイス管理 店舗什器に、どの商品を、どこに、何点、陳列するかを決定したり、その減り具合を見ることによって、商品別の売れ行きのチェックや追加フォローの判断などをしたりする商品管理法。

機会ロス 通常「売り逃し」といわれ、拙劣な店頭展開、マーケットニーズの読み間違いによる不適切な品揃えなどによって、本来、あれば売れたであろう商品の販売チャンスの喪失をいう。

価格ゾーン（プライスゾーン） 商品の価格が一定の幅の中に収まっていることで、複数の価格ラインからなる。この価格帯で小売店の特性（高級専門店とか大衆向け商店など）が決まる。

価格ライン（プライスライン） 価格線。売れ筋商品の価格水準のこと。中心価格帯は売れる商品を集めた価格帯を指し、価格線はその中の売れ筋価格をいう。

オープン価格 メーカーなどの仕入先が参考上代を設定せずに、小売店舗が独自に設定した売価（上代）のこと。

マークアップ法 商品１枚当たりのコストと販売費・一般管理費にマージンを加えて価格を設定する方法。コストプラス法ともいう。

プロパー価格 値引きされる前の小売価格。建値ともいう。

マークダウン（markdown） 消費者の購買意欲をそそるために行う値下げのこと。

上代率 原価に対する上代の比率。一般にアパレルメーカーで使われる比率で、アパレルの製造原価に対する上代の比率を指している。

原価率 上代に対する原価の比率。リテーラーとアパレルメーカーの双方で使われる比率で、リテーラーの場合は上代に対する仕入原価の比率、アパレルメーカーの場合は上代に対する製造原価の比率を指す。

ファッショントレンド ある期間続いている、またはこれから流行するであろうと予測される、ファッションの傾向。

ファッションリソース ファッションデザイナーの創作の源となる、過去のデザイン画・衣装・図案や世界の民族衣装・図柄などの情報。

第６章

OEM（Original Equipment Manufacturer） 「相手先企業のブランドを付けて販売される商品の受注生産」のこと。本来は製造業による受注生産を指すが、アパレル業界では、商社などが相手先企業から受注して外注工場に発注する場合も指している。

ODM（Original Design Manufacturing） 「相手先企業のブランドを付けて販売される商品の設計・生産」のこと。商社などが、アパレルメーカーや小売業に対して、商品のデザインや使う素材・生産背景までを決め、「このまま店頭で売りませんか」と提案する取引き。

QC (Quality Control)　クオリティコントロール、品質管理のこと。不良品を顧客に提供することがないように、製品の品質を一定のものに安定させ、かつ向上させるためのさまざまな管理。

リードタイム　発注してから納品までに要する期間。

J∞クオリティー認証制度（J∞QUALITY）　染色、織り・編み、縫製、企画・販売のすべての工程が日本国内で行われる純国産の衣料品を認証する制度。

可縫性　その素材が、工業製品として縫製しやすく、仕立て映えのする性質をもっているかの程度。

マス見本　織物の試織見本で、数mの織物の中に、ブロックごとにいろいろな色の組み合わせを織り込んだもの。

P下（ぴーした）　プリント用に使う生地のことで、仕上げだけはして染めていない生地。

サプライチェーンマネジメント（SCM）(Supply Chain Management)　サプライチェーンとは、原材料の調達から製品の生産、流通、販売という一連の流れをいう。サプライチェーンマネジメントとは、これに参加する部門・企業がITを活用して、チェーン全体の最適化を図ることにより、コストの削減やリードタイムの短縮などを実現する戦略的な経営手法。

QR (Quick Response)　消費者の満足度を上げ、新規競争相手から生き残りを図る手段として考えられた経営コンセプト。受注から納品までのリードタイムを短縮し、キャッシュフローを上げる概念。

RFID (Radio Frequency Identification)　ICと小型アンテナが組み込まれたタグやカード状の媒体から，電波を介して情報を読み取る非接触型の自動認識技術のこと。

第7章

オムニチャネル　顧客とのあらゆる接点（店舗、ECサイト、スマホ等）を統合して運用することで、より快適な購買体験を演出して顧客満足度を向上させ、顧客と強い関係を構築しようという考え方。

掛売り　即金ではなく、一定の期日に代金を受け取る約束で商品を販売すること。

売上仕入れ（消化仕入れ）　売り上げたものだけを仕入れたことにする仕入方法。

下代取引き　小売企業が商品を仕入先から卸価格で仕入れ、小売価格を自らの採算に基づいて設定する取引形態。

販売代行　メーカーや小売店が店舗を設置し、地元の小売業などに手数料を払って販売業務を委託すること。

売掛金　未収になっている、商品やサービスの売上代金のこと。

デリバリー　配送、配達の意味。商品の引き渡し、出荷の意味に使うことも多い。

保証金　SCを開設するのに要した資金の一部として、テナントがディベロッパーに貸し付ける建設協力金のこと。

敷金　原則として賃料、原状回復費その他賃貸借契約にともなうディベロッパーの金銭債権を担保するもの。

固定家賃、売上歩合家賃（売歩家賃）　ショッピングセンターの家賃は、大きく分けて固定家賃と売上歩合家賃がある。固定家賃とは、テナントの売上額に関係なく徴収される一定額の家賃。それに対して売上歩合家賃とは、テナントの売上額に一定の歩率を掛けて徴収される家賃である。

ナショナルチェーン　全国的規模で複数の地域に店舗展開しているチェーン組織。

レギュラーチェーン　1つの企業が各チェーン店舗を所有し、自ら経営・管理するチェーン組織。

フランチャイズチェーン　加盟店である独立店舗に対し、その地域で独占的に商品を供給し、店舗運営のノウハウを提供する形態のチェーン組織。

POS（Point of Sales）システム　販売時点情報管理システムのことで、小売店頭での販売時点における販売情報を、総合的に管理する情報システム。

顧客データベース　一人ひとりの客について個人の属性に関する情報や買い物の記録など、いろいろな情報を集積したデータの基本台帳のようなもの。従来は顧客名簿といっていた。

電子マネー　通貨の価値をデジタルデータで表現したもの。ICカード型のものと、ネットワークを通じて決済を行うものとがある。

CRM（カスタマー・リレーションシップ・マネジメント）(Customer Relationship Management)　顧客に関する情報を一元的に管理することにより、顧客のニーズの把握、顧客に合った商品やサービスの提供を実施し、顧客との関係を維持しながら、顧客からの利益を最大化しようとするマネジメント手法のこと。

店舗間振替　チェーン組織に属する店舗の間で、手持ち在庫の融通や在庫減らしを目的として、相互に商品の入出庫を行うこと。

メディア　情報伝達の媒介手段となるもの。媒体ともいう。

パブリシティ　アイデアや商品やサービスに関する情報を、無料の媒体を用いて、ノンパーソナルに伝達すること。

プレスリリース　企業などが、報道機関に配布する公表資料のことで、プレスキットの要約版ともいえる。

ノベルティ　広告・宣伝のため、社名や店舗名を記して配布する記念品。

プレミアム　お客様が商品を購入したときに、サービスとしてつける景品。

サイン　店舗における、文字や図案による看板や案内板などのこと。

ロゴタイプ　文字の配列や字体を１つにまとめてデザインしたもの。

POP（Point of Purchase）広告　購買時点広告の意味で、小売店舗内で、施設や商品、価格、催事などを、消費者に告知する広告のこと。

CGM（Consumer Generated Media）　コンシューマー・ジェネレイテッド・メディア。消費者形成メディア。掲示板や口コミサイトなど、一般消費者が参加してコンテンツができていくメディア。

サイトマップ　サイト内のページ構成を一覧できるようにした案内ページ。

インセンティブ　動機づけ・刺激の意。販売促進のために、企業が消費者や取引先などを対象に提供する報酬や賞、またはその行為のことで、プレミアム、記念品、コンテストなどがある。

DM（Direct Mail）　企業が消費者に対し、資料や商品カタログを郵送する営業手法。またその郵便物のこと。

アフィリエイト　成功報酬型広告の１つ。

PPC広告（Pay Per Click advertisement）　リスティング広告に代表される、クリックされることによって課金される形式の広告。

リスティング広告　検索連動型広告。インターネット広告の１つで、検索エンジンで消費者が検索したキーワードに関連した広告を検索結果画面に表示する広告。

DCAP　PDCAのDoからスタートすることにより、市場や消費者の反応を計画に反映させる手法。

第８章

エリアマネジャー　多店舗展開小売業において、特定地域の責任者で、地域内の数ある店舗を統括管理する職種。

ディストリビューター　多店舗チェーンで、各店舗の売上規模や在庫状況に応じて、納品量の分配と納入タイミングをアイテム・SKUごとに決定することを業務とする職種。

スーパーバイザー（supervisor）　チェーンストアの本部に配置され、各チェーン店を巡回して指導・監督し、店舗のさまざまな計画を促進させたり、本部と店舗間の問題発見・解決にあたったりする職種。他に、消費者動向を把握して、仕入れの際の商品セレクトを助言する職種を指すこともある。

シューフィッター　お客様の健康管理の一翼を担うという自覚に立って、足に関する基礎知識と靴合わせの技能を習得し、足の疾病予防の観点から正しく合った靴をお客様に薦め販売する専門家。

集中レジ　店内に複数のレジが集中して設置してある場所。

第９章

経営資源　企業を経営していくうえで役に立つ有形あるいは無形の資源のことで、人、物、金、技術、情報などの総体をいう。

PDCAサイクル　PLAN=計画、DO=組織と指揮、CHECK=評価、ACTION=改善という、企業の業務の改善プロセス。

CSR（Corporate Social Responsibility）　企業の社会的責任。収益を上げ配当を維持し、法令を遵守するだけでなく、人権に配慮した適正な雇用・労働条件、消費者への適切な対応、環境問題への配慮、地域社会への貢献を行うなど、企業が市民として果たすべき責任をいう。

ベンチマーキング　企業が、他社のベストプラクティス（経営や業務において優れた実践方法）を探し出し、自社のやり方との違いを分析し、自社のプロセスを改革するための手法。

人事管理　採用から配置、評価、処遇（昇進・昇格）、及び退職・解雇まで、組織が関わるすべての分野を扱い、組織に所属する個人が意欲をもってその能力・個性を発揮できるように助言・サービスをする機能を指す。

職制　役職制度の略語。一般に組織の指揮命令系統の意味で用いられる。

就業規則　使用者が、労働者に対して、職場での労働者の労働条件や服務規律などについて定めた規則。

会社　会社法に基づいて設立された法人で、株式会社、合名会社、合資会社、合同会社をいう。

法人　自然人（しぜんじん）以外のもので、法律上の権利義務の主体とされるもの。一定の目的のために結合した人の集団や財産について権利能力が認められる。公法人と私法人、私法人については営利法人と非営利法人に分けられる。

株式会社　会社形態の一種。株主すなわち出資者の出資及び権利義務の単位としての株式を発行し、株主にその所有する株式の引受額の限度において責任を負担させる会社。

定款　会社などの目的・組織・活動などに関する根本規則。または、それを記載した書面。

取締役　株式会社で取締役会の構成員として、会社の業務執行に関する意思決定や監督を行う者。

会計（アカウンティング）(accounting)　金銭の収支、財産の変動、損益の発生を貨幣単位によって記録・計算・整理し、管理及び報告する行為。

簿記　企業の活動を一定の方法で帳簿に記録・計算し、一定の時点で総括して損益の発生や財産の増減を明らかにする方法。

決算　企業の会計期間の期末に、期間の経営成績と期末の財政状態を明らかにするために行う手続き。

損益計算書　一会計期間における企業の経営成績を明らかにするために、その期間の総収益と総費用を対応させ、損益を示す書類。

貸借対照表　一定時点における企業の財政状態を明らかにするために、すべての資産とすべての負債・資本とを対照して示す書類。

資産　法人や個人が所有する財産や債権の総称。

負債　企業が出資者以外の第三者から借りている借入金、支払手形、買掛金、未払金、社債などの総称。

債権　ある人が他のある人から、一定の行為や給付を求める権利。

債務　ある人が他のある人に対して、一定の行為や給付をなすべき義務。

為替　現金に代えて、手形・小切手・証書などで金銭の受け渡しを済ませる方法。

財務（ファイナンス）(finance)　一般には財政事務の意味であるが、企業経営では、1）資産・負債・損益・キャッシュフローの管理、2）資金の調達と運用を指す。

キャッシュフロー（cash flow）　企業に現金（キャッシュ）が出入する額のことで、具体的には、年度ごと、月度ごとに、どれだけ現金が増減したかを表す金額。

初期投資　事業を開始するにあたって、事前に必要とされる費用。イニシャルコスト。ショップ事業の場合は、保証金・敷金、内装・外装費用、設備・什器費用、ショップデザイン費用、初回仕入金額、オープニング販促費用などがある。反対語はランニングコスト。

減価償却　企業の固定資産は、時間の経過や使用によって年々損耗し価値を減じていく。この価値の減る分を経費として計上すること。

損益分岐点（ブレーク・イーブン・ポイント）(Break-even point)　利益か損失かの分岐点となる売上高のこと。企業やショップにとっては、最低でもこれだけを売らないと最終利益が赤字になってしまう売上金額のことである。

限界利益　売上高から変動費を差し引いた金額。

知的財産権　特許権、意匠権、商標権、著作権など、アイデアや創造性、デザイン、著作物、芸術など、人間の精神的活動の所産で財産的価値のあるものを排他的に保護する権利。

クーリングオフ　割賦（かっぷ）販売や訪問販売などで消費者が事業者の営業所以外の場所で購入契約した場合に、一定期間であれば違約金なしで契約解除ができる制度。

WTO（世界貿易機関）（World Trade Organization）　自由貿易促進を主たる目的として創設され、1995年1月1日に設立された国際機関。

EPA（経済連携協定）（Economic Partnership Agreement）　外国との間において、貿易の自由化のみならず、経済関係全般の広い分野にわたり連携を強化することを目的とした協定。

ワシントン条約　正式名称を「絶滅のおそれのある野生動植物の種の国際取引きに関する条約」という。

PL法　製造物責任法の通称で、製造物に関する責任について定め、被害者の保護を図るための法律。

L/C（Letter of Credit）　信用状。貿易取引の決済方法として用いられるもので、輸入者側の依頼によって、輸入者の取引銀行が発行し、輸入者側の支払いを保証する証書になる。

通関　税関に輸出入の申請をして、その審査や検査を通過すること。

外国為替　為替の国際版で、①通貨の異なる2国間で、現金を送付せず銀行間の帳簿上の相殺で決済の処理をすること。その手段としては為替手形、小切手、電信などが用いられる。②外国為替手形のことで、手形発行人または受取人の一方が外貨建てである場合の為替手形をいう。

海貨業者（乙仲）　輸出入の貨物の取扱いを代行する業者。

船荷証券（B/L、Bill of Lading）　貿易における船積書類の1つで、船会社など運送業者から交付される積荷の所有権を書面化した形の有価証券。

ファッション造形知識

第1章

クリエイション（創造） 新しい物事を創り出すこと。

ファッションウィーク ファッションショーのうち、特に約1週間にわたって開催されるもの。

サブカルチャー 正統的・伝統的な文化に対して、その時代の少数派を担い手とする文化のこと。

コラボレーション アーティスト同士が協力して曲を出したり、イベントを行ったりすること。

アーツ・アンド・クラフト運動 19世紀イギリスに起こった、手仕事を生かし、生活と芸術を統合しようとするデザイン運動。

バウハウス 工業生産の時代における「芸術と技術の統一」を理念とし、機能主義を提唱して総合的な造形教育を行った、グロピウス主宰の学校。

アール・ヌーボー 19世紀末から20世紀初めにフランスを中心にヨーロッパで流行した芸術様式で、植物や昆虫などの自然物に見られる曲線を多用した。ミュシャやマッキントッシュらが代表的な作家である。

アール・デコ 1925年にパリで開かれた「現代装飾美術・産業美術国際展」を特色づけた装飾のスタイルで、ジグザグ模様や渦巻き模様、基本形態の反復など、幾何学形態のデザインが顕著である。

ポップアート 第二次世界大戦後に展開された現代美術のムーブメントの1つで、商品、雑誌や広告、漫画、報道写真などを素材として扱い、大量生産・大量消費社会を淡々と風景画に描く。ウォーホルやリキテンスタインらが代表的な作家である。

CG（Computer Graphics） コンピュータを使用して制作される画像や動画のこと。CGの歴史は、軍事・学術研究、産業応用、芸術やエンターテインメントなどの分野を背景に発達してきている。

ユニバーサルデザイン 高齢であることや障害の有無などにかかわらず、すべての人が快適に利用できるような製品や建造物、生活空間などのデザイン。

第2章

マグネットポイント　磁石のように顧客の注意を引きつけるために設置するディスプレイやPOPなどのこと。

客導線（動線）　来店客が目的とする売場以外にも、商品と出会う機会を増やすために工夫する店内の道筋のこと。

回遊性　動線の設定、アイキャッチャーの設置などの工夫により、来店客が店内の隅々まで巡ること。

フォーミング　衣料品の陳列テクニックの1つで、薄紙やクラフト紙などを商品の内側に使用し、意図的に美しく形づけること。

パディング　ディスプレイにおけるフォーミング技法の1つで、形を整えるためにつめ物をすること。あるいは、そのつめ物のこと。

レイダウン　台やテーブルなどに商品を寝かして陳列する演出手法。

ウォールウォッシャー　壁面をシャワーで洗うように光を当てる照明方法。

第3章

ドレスコード　服装規定のこと。場所と時間、また行事や催し物などの場面で、しかるべきとされる服装のこと。

インティメートアパレル　女性用ランジェリーやファンデーションなど肌に直接着ける衣料品を指す。インナーウェアと同義。

ビンテージ（vintage）　もともとは当たり年のワインのことをいうが、年代物のジーンズやギター、自動車などの風格のある良質なものというニュアンスでも用いられる。

アンティーク（antique）　骨董品、古美術品。また、そのような趣のあるものにも用いられる。

宝飾品（ジュエリー）　宝石、貴金属を用いた、高額な装身具や腕時計などを宝飾品という。

ケミカルシューズ　合成皮革で作られた靴。

ISO（国際標準化機構）（International Organization for Standardization）　国際的な工業規格を策定する団体。

家庭用品品質表示法　家庭用品についてのトラブルから消費者を保護するために設けられた法律で、繊維製品については組成表示、取扱い絵表示などを行うことを定めている。

紡績　繊維を紡いで糸にすること。

フィラメント糸　絹のように連続した長さをもつ糸。長繊維糸のこと。

ステープル　綿や羊毛のようなわた状の短い繊維のことで、短繊維のこと。通常は紡績により糸として使用される。

染色堅牢度　日光・洗濯などによって退色しない度合い。

生機　染色・仕上げ加工される前の面状の布。

撥水加工　レインコートなどに用いられる空気や水蒸気は通すが、水ははじく加工。

シルケット加工　シルク以外にシルクのような光沢・風合いをもたせる加工。マーセライズ加工ともいう。

擬麻加工　綿に麻のような風合いを与える加工。

ボンディング加工　異なった2枚の布地を接着剤などで張り合わせる加工。

シロセット加工　毛織物にパーマネントプリーツをつける加工。

第4章

ユニティ（統一）　多様な独立した個々の美が、一つひとつ調和してまとまりをもち、統一された美。

セントラリティ　全体の中の1点に人々の視線を集めて、そこを強調することにより全体をまとめること。

ドミナント　多数の個を共通の要素によって支配し、全体として統一した効果を作ること。

バラエティ（変化）　全体の構成要素になる個々の持つ性格で、ユニティと反対の現象。

ハーモニー（調和）　音楽の和音に相当し、形、色、柄、素材などの2つ以上の要素が、それぞれの特徴を生かして連結され、整うことによる美。

バランス（平衡）　秤の上のものが一定の重さでつり合って安定することから出た言葉で、デザインでは「安定の原則」として使われており、面積や体積の比率、色彩の配分などがある。

シンメトリー（相称形）　左右の形や質量が等しいときに、支点が中央になり安定したバランスになる。

アシンメトリー（非相称形）　左右の大きさや重さが異なっていても、交点の位置を移動させることによって安定させるバランスをいう。

リズム（律動）　音楽の3要素の1つであり、繰り返されることなどによって生じる動きの状態。

プロポーション（比例） 身体に対する衣服の分量や、トップとボトムの比率など、部分と部分、全体の部分の適切な比例関係のこと。

演色性 ある光源の色が、物体色の見え方に影響を与える効果。

色温度 光源が発する光の色を表すための尺度のことで、単位はケルビン（K）。

VR（Virtual Reality） 仮想現実。現物・実物ではないが機能としての本質は同じであるような環境を、人の五感を含む感覚を刺激することにより理工学的に作り出す技術。

AR（Augmented Reality） 拡張現実。人が知覚する現実環境をコンピュータにより拡張する技術。実在しないものが画面を通すことで付加される技術。

第５章

トレーサビリティ（traceability） 履歴管理。物品の流通経路を、生産段階から最終消費、あるいは廃棄段階まで追跡が可能な形態をいう。

縫製仕様書 衣服の製造に必要な情報を正確に生産現場に伝達するために、図面などを用いて明記した書類。

加工依頼書（加工指図書） 生産を依頼する書類。

グレーディング 標準サイズで作成されたパターンを展開し、必要な上下サイズのパターンを作成するためにパターンを拡大・縮小する技術。

マーキング アパレル生産工程のうちで生地に無駄が出ないように型紙を的確に配置すること。型入れともいう。

リンキング 編み地と編み地をかがり合わせること。

成形（fashioning） 目減らし，目増やしを行って生地幅を増減し，ニット製品の形を作る手法。

デジタルプリント 本来はデジタル印刷のことで、繊維業界ではデザインのデジタル処理を行うプリントのことをいう。大きなインクジェットプリンターから生地に直接捺染をして出力を行い、蒸気と熱によって発色させる。

参考文献（順不同）

日本ファッション教育振興協会編 『ファッションビジネス能力検定２級ガイドブック（平成 6 年版）』 日本ファッション教育振興協会
日本ファッション教育振興協会編 『ファッションビジネスⅡ』 日本ファッション教育振興協会
日本ファッション教育振興協会編 『ファッションビジネスⅠ』 日本ファッション教育振興協会
日本ファッション教育振興協会編 『ファッションビジネス戦略 ファッションビジネス能力検定試験１級』 日本ファッション教育振興協会
文化服装学院編 『文化ファッション大系アパレル生産講座① ファッションビジネス基礎編』
文化服装学院編 『文化ファッション大系アパレル生産講座② ファッションビジネス応用編』
文化服装学院編 『文化ファッション大系アパレル生産講座⑥ CAD パターンメーキング』
文化服装学院編 『文化ファッション大系アパレル生産講座⑩ アパレル製品企画』
文化服装学院編 『文化ファッション大系アパレル生産講座⑪ アパレル生産企画』
文化服装学院編 『文化ファッション大系アパレル生産講座⑫ アパレル製造企画』
文化服装学院編 『文化ファッション大系アパレル生産講座⑭ ニットの基礎技術』
文化服装学院編 『文化ファッション大系アパレル生産講座⑮ 工業ニット』
文化服装学院編 『文化ファッション講座・デザイン』 文化服装学院
文化服装学園編 『アパレル素材論』 文化出版局
文化服装学園編 『西洋服装史』
大沼 淳 『文化学園大学 アパレル生産工学講座① アパレル縫製の基礎 ファッションクリエイト学科編』 文化出版局
文化女子大学服装史学研究室 『ファッション史 改訂版 —西洋服装史概説—』
『INTIMATE ADVISER TEXT BOOK』 日本ボディファッション協会
繊維産業構造改善事業協会編 『アパレルマーケティングⅡ／アパレル企業の流通戦略』
山村貴敬 『増補新版アパレルマーチャンダイザー』 繊研新聞社
山村貴敬 『ファッションビジネス入門と実践』 繊研新聞社
山村貴敬・池田正晴 『デザインマネジメント／アパレル・シューズ・バッグ』 繊研新聞社
山村貴敬・鈴木邦成 『図解雑学アパレル業界のしくみ』 ナツメ社
フィリップ・コトラー、ケビン・レーン・ケラー 『コトラー＆ケラーのマーケティング・マネジメント』 ピアソンエデュケーション
徳久昭彦、永松範之編 『ネット広告ハンドブック』 日本能率協会マネジメントセンター
石崎徹編著、五十嵐正毅 『わかりやすいマーケティング・コミュニケーションと広告』 八千代出版
中村忠之 『ネットビジネス進化論：e ビジネスからクラウド，ソーシャルメディアへ』 中央経済社
徳岡敬也・山岡真理 『セクトショップの強みを生かしたネットショップを立ち上げる』 繊研新聞社
画像情報教育振興協会 『入門 CG デザイン』 画像情報教育振興協会
楊国林、北浦肇 『使って学んで知ろう CG（コンピュータグラフィックス）のこころえ』 弓箭書院
宮崎康二 『シェアリング・エコノミー：Uber、Airbnb が変えた世界』 日本経済新聞出版社
南 静 『パリモード 二〇〇年』 文化出版局
東京ファッションデザイナー協議会編 『The 20th anniversary of CFD, Tokyo』 東京ファッションデザイナー協議会
志田慣平 『ストアデザイン入門』 グラフィック社
小西松茂 『西洋美術史』 上田学園服飾手帖社
上田安子・穴山昂子共訳 『クリスチャン・ディオール 一流デザイナーになるまで』 牧歌舎
田島 等 「産業学会研究年報」32 号 クリエイティブファッションの多様性（2017 年 3 月）
『繊研新聞』 繊研新聞社
『WWD JAPAN』 INFAS パブリケーションズ
田中千代 『新・田中千代 服飾事典』同文書院
大沼 淳 荻村昭典、深井晃子『ファッション辞典 FASHION DICTIONARY』 文化出版局

WEB

“(2) SCMの知識 ⑦取引情報システム” 流通システム開発センター「GS1事業者コード・JANコード」 https://www.dsri.jp/jan/

“(2) SCMの知識 ⑧物流情報システム” 輸出入・港湾関連情報処理センター「NACCSについて」 https://www.naccs.jp/aboutnaccs/aboutnaccs.html

“(2) SCMの知識 ⑧物流情報システム” 流通システム開発センター「集合包装用商品コードとITFシンボル」 https://www.dsri.jp/jan/itf.html

“(2) SCMの知識 ⑨RFID” 経済産業省「「コンビニ電子タグ1000億枚宣言」を策定しました～サプライチェーンに内在する社会課題の解決に向けて～」 https://www.meti.go.jp/press/2017/04/20170418005/20170418005.html

“(2) アパレル物流 ①物流とロジスティクスの概念” 日本標準産業調査会「JIS規格詳細画面 JIS Z 0111」 https://www.jisc.go.jp/app/jis/general/GnrJISNumberNameSearchList?toGnrJISStandardDetailList

“(2) アパレル物流 ⑥物流アウトソーシングと3PL” 国土交通省「3PL事業の総合支援」 http://www.mlit.go.jp/seisakutokatsu/freight/butsuryu03340.html

年代流行 http://nendai-ryuukou.com/

引用文献

アメリカ マーケティング協会（AMA）「Definitions of Marketing」 https://www.ama.org/the-definition-of-marketing-what-is-marketing/.

著者：池田満寿夫 発行者：山越 豊 『模倣と創造』 中央公論社

文化出版局 『ファッション辞典』

執筆者（執筆順）

山　村　貴　敬
山　岡　真　理
川　原　好　恵
徳　岡　敬　也
熊　谷　　　学
濱　屋　　　但
水　嶋　丸　美
鈴　木　美和子

資料協力（掲載順）

共同通信社
株式会社 サザビーリーグ　リトルリーグカンパニー
株式会社 島精機製作所
濱　千恵子
大城戸織布
イオンモール 株式会社
一般社団法人 日本ファッション産業協議会
佐川急便 株式会社
一般財団法人 流通システム開発センター
アッシュ・ペー・フランス 株式会社
文化服装学院
文化学園ファッションリソースセンター
株式会社 七彩
株式会社 ヤマトマネキン
株式会社 アルス

イラスト

今須　瞳

ファッションビジネス2級 新版

ファッションビジネス能力検定２級 公式テキスト

2020年1月 1 日　第1版1刷発行
2023年11月 1 日　第1版3刷発行

発行者　一般財団法人 日本ファッション教育振興協会
発行所　一般財団法人 日本ファッション教育振興協会
〒151-0053
東京都渋谷区代々木3-14-3 紫苑学生会館2階
電話 03-6300-0263　FAX 03-6383-4018
URL http://www.fashion-edu.jp
印刷・製本　株式会社 文化カラー印刷

ISBN 978-4-931378-37-7